LUCINDA RILEY

Das Mädchen auf den Klippen

P9-BIH-883

GOLDMANN
Lesen erleben

Lucinda Riley

Das Mädchen auf den Klippen

Roman

Aus dem Englischen
von Sonja Hauser

GOLDMANN

Die Originalausgabe erschien 2011
unter dem Titel »The Girl on the Cliff«
bei Penguin Books Ltd., London

Verlagsgruppe Random House FSC® N001967
Das FSC®-zertifizierte Papier *München Super* für dieses Buch
liefert Arctic Paper Mochenwangen GmbH.

13. Auflage
Deutsche Erstveröffentlichung Juni 2012
Copyright © der Originalausgabe 2011
by Lucinda Riley
All rights reserved.
Copyright © der deutschsprachigen Ausgabe 2012
by Wilhelm Goldmann Verlag, München,
in der Verlagsgruppe Random House GmbH
Umschlaggestaltung: UNO Werbeagentur, München
Umschlagmotiv: © Fine Pic; Trevillion Images/Lee Frost
Redaktion: Irmgard Perkounigg
An · Herstellung: Str.
Satz: Uhl + Massopust, Aalen
Druck und Bindung: GGP Media GmbH, Pößneck
Made in Germany
ISBN 978-3-442-47789-0

www.goldmann-verlag.de

Für Stephen

Aurora

Ich.

Ich möchte eine Geschichte erzählen.

Es heißt, der Anfang sei das Schwierigste.

Meiner orientiert sich am ersten einprägsam einfachen Versuch meines Bruders in dieser Richtung.

Ich kann mich nicht erinnern, wann ich das letzte Mal etwas zu Papier gebracht habe. Früher habe ich mich mit meinem Körper ausgedrückt. Da ich das nicht mehr kann, verlege ich mich aufs Schreiben.

Eine Veröffentlichung ist mir nicht wichtig. Ich denke an die Vergangenheit, weil mir nicht viel Zukunft bleibt.

Ich finde meine Familienhistorie, die fast einhundert Jahre vor meiner Geburt begann, interessant.

Wie die Lebensläufe aller Menschen, in denen gute wie schlechte Figuren vorkommen und die fast immer etwas Magisches haben.

Ich bin nach einer Prinzessin in einem Märchen benannt. Vielleicht glaube ich deshalb an Magie. Märchen sind Allegorien für den großen Tanz des Lebens, der im Moment der Geburt anfängt.

Und aus dem es bis zum Tag unseres Todes kein Entrinnen gibt.

Da viele Akteure meiner Geschichte schon vor meiner Zeit starben, muss ich sie durch meine Fantasie zum Leben erwecken.

Durch die zwei Generationen umfassende Erzählung zieht sich ein roter Faden. – Die Liebe und die Entscheidungen, die wir ihretwegen treffen.

Nicht nur die Liebe zwischen Mann und Frau, sondern auch andere genauso intensive Formen, zum Beispiel die der Eltern zu

ihren Kindern. Oder die zwanghafte, zerstörerische, Unheil anrich-
tende.

Außerdem wird auf den folgenden Seiten viel Tee getrunken – aber
ich schweife ab. Menschen, die sich alt fühlen, tun das gern.

Ich werde mich zu Wort melden, wann immer ich genauere Erklä-
rungen für nötig halte.

Um die Sache komplizierter zu machen, beginne ich zu einem
ziemlich späten Zeitpunkt der Geschichte. Ich war damals acht Jahre
alt und Halbwaise und stand auf einer Klippe über meinem Lieblings-
ort Dunworley Bay.

Es war einmal …

Dunworley Bay, West Cork, Irland

Die Gestalt stand gefährlich nahe am Rand der Klippe. Der Wind blies ihr üppig langes rotes Haar hoch. Das dünne weiße Baumwollkleid reichte bis zu den Knöcheln; darunter kamen nackte Füße zum Vorschein. Sie hielt die Arme, die Handflächen nach oben, über den sich brechenden Wellen der grauen See ausgestreckt, als wollte sie sich den Elementen als Opfergabe darbieten.

Grania Ryan beobachtete sie fasziniert und unsicher, ob sie real war. Sie schloss die Augen kurz, machte sie wieder auf und sah, dass sie nach wie vor dort stand. Grania ging einige Schritte auf sie zu.

Als sie näher kam, merkte Grania, dass es sich bei der Gestalt um ein Kind und bei dem weißen Baumwollkleid um ein Nachthemd handelte. Über dem Meer ballten sich schwarze Sturmwolken zusammen, die ersten Regentropfen landeten auf ihren Wangen, und der Wind heulte ihr um die Ohren. Aus etwa zehn Metern Entfernung erkannte Grania, wie sich die blau gefrorenen Zehen der Kleinen am Fels festkrallten und Böen den schmalen Körper ins Wanken brachten. Wenn sie sie packte und erschreckte, konnte ein falscher Schritt zu einer Tragödie, zum sicheren Tod des Mädchens auf den gischtbedeckten Felsen dreißig Meter unter ihnen führen.

Grania überlegte verzweifelt, was zu tun sei. Bevor sie zu

einer Entscheidung gelangen konnte, drehte sich die Kleine um und sah sie mit leerem Blick an.

Grania streckte instinktiv die Arme aus. »Ich tu dir nichts. Komm zu mir.«

Das Mädchen starrte sie weiter unverwandt an.

»Wenn du mir sagst, wo du wohnst, bringe ich dich nach Hause. Hier draußen holst du dir den Tod. Bitte lass dir helfen«, flehte Grania sie an.

Als sie einen Schritt auf das Kind zumachte, trat ein Ausdruck der Angst auf das Gesicht der Kleinen, als wäre sie aus einem Traum erwacht, und sie rannte von Grania weg, immer die Klippen entlang, bis sie außer Sichtweite war.

»Ich wollte grade eine Suchmannschaft losschicken. Übler Sturm da draußen.«

»Mam, ich bin einunddreißig Jahre alt und habe die letzten zehn in Manhattan gelebt«, erwiderte Grania, als sie die Küche betrat und ihre nasse Jacke vor den Rayburn-Herd hängte. »Um mich brauchst du dir keine Sorgen zu machen. Ich bin ein großes Mädchen.« Sie gab ihrer Mutter, die den Tisch fürs Abendessen deckte, einen Kuss auf die Wange. »*Wirklich.*«

»Mag sein, aber solche Stürme haben schon starke Männer von den Klippen geweht.« Kathleen Ryan deutete zum Küchenfenster hinaus, gegen das die Äste des blütenlosen Glyzinienbuschs peitschten. »Ich hab grade Tee gekocht.« Kathleen wischte sich die Hände an der Schürze ab und ging zum Herd. »Möchtest du eine Tasse?«

»Gern, Mam. Setz dich hin und lass mich das machen, ja?« Grania drückte ihre Mutter sanft auf einen Küchenstuhl.

»Bloß fünf Minuten. Um sechs kommen die Jungs heim und wollen ihren Tee.«

Als Grania das starke Gebräu in zwei Tassen goss, runzelte

sie die Stirn. In den zehn Jahren ihrer Abwesenheit hatte sich nichts verändert – Kathleen verwöhnte ihre Männer wie eh und je und ordnete ihre eigenen Bedürfnisse den ihren unter. Der Kontrast zwischen dem Leben ihrer Mutter und dem Granias, in dem Emanzipation und Gleichberechtigung selbstverständlich waren, verunsicherte Grania.

Sie fragte sich, wer von ihnen beiden, Mutter oder Tochter, im Augenblick glücklicher war. Seufzend gab Grania Milch in Kathleens Tee. Die Antwort kannte sie.

»Möchtest du einen Keks?«, erkundigte sich Grania, stellte die Dose vor Kathleen und öffnete sie. Wie üblich war sie bis zum Rand voll. Granias figurbewusste New Yorker Zeitgenossinnen hätten diese Kekse, die Grania an ihre Kindheit erinnerten, sicher entsetzt beäugt.

Kathleen nahm zwei und sagte: »Gönn dir doch auch einen, damit ich nicht allein bin. Du isst wie ein Spatz.«

Grania nahm ebenfalls einen Keks und knabberte daran. Sie hatte das Gefühl, seit ihrer Heimkehr zehn Tage zuvor ständig zu essen.

»Der Spaziergang hat dich ein bisschen durchgelüftet, was?«, erkundigte sich Kathleen, die bereits beim dritten Keks war. »Ich geh beim Nachdenken gern spazieren. Wenn ich wieder daheim bin, weiß ich meistens die Lösung meiner Probleme.«

»Ich hab da draußen etwas Merkwürdiges gesehen.« Grania trank einen Schluck Tee. »Ein kleines Mädchen, vielleicht acht oder neun Jahre alt, mit wunderschönen langen roten Haaren, im Nachthemd am Rand der Klippe. Ich hatte den Eindruck, dass die Kleine schlafwandelt. Als sie sich zu mir umgedreht hat, war ihr Blick ...«, Grania suchte nach dem richtigen Wort, »... ausdruckslos. Als würde sie mich nicht wahrnehmen. Sie ist aufgewacht und wie ein erschrecktes Kaninchen den Klippenpfad entlanggerannt. Weißt du, wer das gewesen sein könnte?«

Kathleen wurde blass.

»Alles in Ordnung, Mam?«

»Du hast sie gerade eben gesehen?«

»Ja.«

»Maria, Mutter Gottes.« Kathleen bekreuzigte sich. »Sie sind also wieder da.«

»Wer ist ›wieder da‹, Mam?«, fragte Grania.

»Warum sind sie zurückgekommen?« Kathleen blickte durchs Fenster in die Nacht hinaus. »Warum nur? Ich dachte, sie wären endlich weg.« Kathleen ergriff Granias Hand. »Bist du dir sicher, dass das ein kleines Mädchen war, keine erwachsene Frau?«

»Ja, Mam. Ungefähr acht oder neun Jahre alt. Ich habe mir Sorgen gemacht. Die Kleine hatte keine Schuhe an; ihre Füße waren blau gefroren. Ich dachte zuerst, ich hätte einen Geist vor mir.«

»Da liegst du vielleicht gar nicht so falsch, Grania«, murmelte Kathleen. »Sie sind noch nicht lange wieder da. Ich bin letzten Freitag nach zehn abends an ihrem Haus vorbeigekommen und habe kein Licht gesehen.«

»Welches Haus ist es?«

»Dunworley House.«

»Das große verlassene Gebäude auf der Klippe?«, fragte Grania. »Das steht doch seit Jahren leer, oder?«

»In deiner Kindheit, ja…« Kathleen seufzte. »Während deiner Zeit in New York sind sie zurückgekommen und nach dem… Unfall verschwunden. Niemand hätte gedacht, dass sie wieder hier auftauchen würden. Ehrlich gesagt, waren wir ganz froh darüber. Ihre und unsere Familie verbindet eine lange Geschichte. Aber«, Kathleen schlug mit der flachen Hand auf den Tisch und machte Anstalten aufzustehen, »vorbei ist vorbei. Ich würde dir raten, dich von ihnen fernzuhalten. Sie bringen uns nur Schwierigkeiten.«

Kathleen trat an den Herd, um den schweren Topf mit dem Abendessen aus dem Ofen zu holen.

»Wenn das Kind, das ich beobachtet habe, eine Mutter hat, sollte die doch erfahren, in was für einer gefährlichen Situation sich ihre Tochter heute befand, oder?«, meinte Grania.

»Die Kleine hat keine Mutter.« Kathleen rührte mit einem Holzlöffel in dem Eintopf.

»Sie ist tot?«

»Ja.«

»Verstehe … Und wer kümmert sich um das arme Kind?«

»Frag mich nicht.« Kathleen zuckte mit den Achseln. »Die Leute sind mir egal; sie interessieren mich nicht.«

Grania runzelte die Stirn. Diese Reaktion war völlig untypisch für Kathleen, deren großes Herz für alle notleidenden Wesen, besonders Kinder, schlug.

»Wie ist ihre Mutter gestorben?«

Kathleen hörte auf zu rühren; es herrschte Stille. Erst nach einer ganzen Weile drehte sie sich seufzend zu ihrer Tochter um. »Wenn ich es dir nicht erzähle, erfährst du's von jemand anders. Sie hat sich das Leben genommen.«

»Selbstmord?«

»Ja, so nennt man das wohl.«

»Wie lange ist das her?«

»Vier Jahre. Sie hat sich von der Klippe gestürzt. Ihre Leiche wurde zwei Tage später bei Inchydoney angeschwemmt.«

Grania blieb einige Sekunden lang stumm, bevor sie sich erkundigte: »Wo genau ist sie gesprungen?«

»Ich vermute an der Stelle, an der du heute ihrer Tochter begegnet bist. Wahrscheinlich hat Aurora nach ihrer Mutter gesucht.«

»Du kennst ihren Namen?«

»Klar. Der ist kein Geheimnis. Früher hat den Lisles alles

hier gehört, ganz Dunworley, dieses Haus eingeschlossen. Sie waren die Herren der Gegend. In den Sechzigern haben sie den Grund verkauft und nur das Gebäude auf der Klippe behalten.«

»Der Name kommt mir bekannt vor ... *Lisle* ...«

»Der örtliche Friedhof ist voll mit ihren Gräbern.«

»Du hast das Mädchen – Aurora – schon mal auf der Klippe beobachtet?«

»Deswegen hat ihr Daddy sie weggebracht. Nach dem Tod ihrer Mutter ist Aurora immer die Klippen entlanggelaufen und hat, halb wahnsinnig vor Kummer, nach ihr gerufen.«

Grania fiel auf, dass die Miene ihrer Mutter sanfter wurde. »Arme Kleine«, sagte sie mit leiser Stimme.

»Ja, ein solches Schicksal hat sie nicht verdient. Aber der Familie haftet etwas Düsteres an. Hör auf mich, Grania, und lass die Finger von diesen Leuten.«

»Warum sie wohl zurückgekommen sind?«, murmelte Grania.

»Die Lisles machen, was sie wollen. Ich weiß es nicht, und es ist mir auch egal. Würdest du mir jetzt bitte helfen, den Tisch zu decken?«

Grania ging wie an jedem Abend seit ihrer Ankunft kurz nach zehn in ihr Zimmer. Währenddessen deckte ihre Mutter unten den Tisch fürs Frühstück, ihr Vater döste in einem Sessel vor dem Fernseher, und ihr Bruder Shane war im örtlichen Pub. Er bewirtschaftete mit seinem Vater die zweihundert-Hektar-Farm, hauptsächlich mit Milchkühen und Schafen. Trotz seiner neunundzwanzig Jahre schien »der Junge«, wie Shane immer noch liebevoll genannt wurde, keinen eigenen Haushalt gründen zu wollen. Frauen kamen und gingen in seinem Leben, doch kaum eine fand den Weg über die Schwelle seines Elternhauses. Obwohl Kathleen die Stirn darüber runzelte, wusste Grania, dass sie ohne ihren Sohn verloren gewesen wäre.

Grania lauschte vom Bett aus auf den Regen, der gegen die Fensterscheiben prasselte, und hoffte, dass die arme Aurora Lisle im warmen, sicheren Haus ihres Vaters war. Sie blätterte gähnend in einem Buch. Vielleicht machte die frische Luft hier sie müde; in New York schlief sie selten vor Mitternacht.

Grania konnte sich an kaum einen Abend ihrer Kindheit erinnern, an dem ihre Mutter nicht zu Hause gewesen wäre. Wenn sie tatsächlich einmal beschloss, über Nacht wegzubleiben, weil sie sich um einen kranken Verwandten kümmern musste, plante sie ihre Abwesenheit generalstabsmäßig. Und Granias Vater hatte ihres Wissens keinen einzigen Abend seiner vierunddreißig Ehejahre außer Haus verbracht. Er stand jeden Morgen um halb sechs zum Melken auf und kam erst bei Einbruch der Dunkelheit wieder heim. Die beiden wussten immer genau, wo der andere sich gerade aufhielt. Ihre Leben waren untrennbar miteinander verbunden, nicht zuletzt durch die Kinder.

Als Grania und Matt acht Jahre zuvor zusammengezogen waren, hatten sie fest damit gerechnet, eines Tages Kinder zu bekommen. Trotzdem hatten sie wie alle modernen Paare das Dasein genossen und Karriere gemacht.

Eines Morgens war Grania aufgewacht und in Jogginghose und Kapuzenshirt geschlüpft, um den Hudson entlang zum Battery Park zu laufen und sich an den Winter Gardens eine Latte und einen Bagel zu genehmigen. Dort war es passiert: Sie hatte in den Kinderwagen beim Nachbartisch geschaut und plötzlich das überwältigende Bedürfnis verspürt, das winzige Wesen aus dem Wagen zu holen und an ihre Brust zu drücken. Die Mutter hatte ihren Blick mit einem nervösen Lächeln quittiert und war aufgestanden und gegangen, während Grania, bestürzt über die Emotionen, die der Säugling in ihr auslöste, nach Hause joggte.

In der Erwartung, dass diese Gefühle sich verflüchtigen würden, hatte sie den Tag in ihrem Atelier verbracht und aus braunem Ton eine Figur geformt, eine Auftragsarbeit – ohne die Emotionen loszuwerden.

Um sechs hatte sie das Atelier verlassen, sich für die Vernissage am Abend umgezogen, sich ein Glas Wein eingeschenkt und war an das Fenster getreten, das auf die funkelnden Lichter von New Jersey auf der anderen Seite des Hudson River ging.

»Ich will ein Kind.«

Grania hatte einen großen Schluck Wein genommen und es noch einmal ausgesprochen, um sicher zu sein.

Die Worte hatten nach wie vor richtig geklungen und ganz natürlich, als hätten der Gedanke und das Bedürfnis schon seit Ewigkeiten in ihr geschlummert.

Dann war Grania zu der Vernissage gegangen und hatte Small Talk mit den üblichen Künstlern und Sammlern gemacht, während sie über die praktischen Aspekte ihrer Entscheidung nachdachte. Würden sie umziehen müssen? Vermutlich nicht gleich – ihr Loft in TriBeCa war geräumig, und Matts Arbeitsraum ließ sich ohne Weiteres in ein Kinderzimmer verwandeln. Er nutzte ihn ohnehin nur selten und saß lieber mit seinem Laptop im Wohnbereich. Das Loft befand sich im dritten Stock; der Lastenaufzug war groß genug für einen Kinderwagen, und der Battery Park mit seinem gut ausgestatteten Spielplatz befand sich gleich in der Nähe. Grania hatte ihr Atelier ebenfalls zu Hause, so dass sie, selbst wenn sie ein Kindermädchen einstellen müssten, im Bedarfsfall immer schnell zur Stelle wäre.

Später hatte Grania sich in das große leere Bett gelegt und frustriert geseufzt, weil sie Matt, der beruflich unterwegs war und erst in ein paar Tagen zurückkommen würde, ihre Pläne noch nicht mitteilen konnte. So etwas ließ sich nicht am Telefon verkünden.

Matt war bei seiner Rückkehr genauso begeistert über die Idee gewesen wie sie, und sie hatten sich sofort an die Verwirklichung des Plans gemacht. Das Kind würde ihre Beziehung zementieren wie die von Granias Eltern und aus ihnen eine richtige Familie machen.

Grania lauschte von ihrem schmalen Kinderbett aus auf den Wind, der um die Steinmauern des Farmhauses heulte, griff nach einem Papiertaschentuch und schnäuzte sich.

Das war ein Jahr zuvor gewesen. Leider hatte sich herausgestellt, dass das Projekt ihre Beziehung nicht zementierte, sondern zerstörte.

2

Als Grania am nächsten Morgen aufwachte, hatte sich der Sturm verzogen, und die Sonne, im Winter ein seltener Gast, erhellte die sich schier endlos erstreckenden grünen Felder mit den weißen, wolligen Schafen.

Grania wusste, dass dieses Wetter nicht lange anhalten würde; in West Cork ähnelte die Sonne einer launischen Diva.

Da Grania des unaufhörlichen Regens in den vergangenen zehn Tagen wegen nicht wie sonst hatte joggen können, sprang sie aus dem Bett und holte ihr Kapuzenshirt, die Leggings und die Laufschuhe aus dem Koffer.

»Du bist ziemlich früh auf heute Morgen«, bemerkte ihre Mutter, als Grania in die Küche kam. »Haferbrei?«

»Wenn ich zurück bin. Ich geh joggen.«

»Überanstreng dich nicht. Du siehst blass aus.«

»Ich hoffe, dass ich beim Laufen ein bisschen Farbe kriege, Mam.« Grania verkniff sich ein Lächeln. »Bis später.«

»Verkühl dich nicht, ja?«, rief Kathleen ihrer Tochter nach. Bei Granias Heimkehr war Kathleen schockiert gewesen. In den drei Jahren, die sie ihre hübsche, lebenslustige Tochter mit der rosigen Haut, den blonden Locken und den türkisblauen Augen nicht zu Gesicht bekommen hatte, schien sie ihre Vitalität verloren zu haben. Zu ihrem Mann John hatte Kathleen gesagt, Grania erinnere sie an ein leuchtend rosafarbenes Hemd, das in der dunklen Wäsche gelandet und grau eingefärbt worden war.

Kathleen kannte den Grund, weil Grania ihr alles am Telefon erzählt und sie gefragt hatte, ob sie eine Weile nach Hause kommen könne. Natürlich hatte Kathleen Ja gesagt, da sie sich über diese unerwartete Gelegenheit, Zeit mit ihrer Tochter zu verbringen, freute. Allerdings begriff sie Granias Motive nicht – ihrer Ansicht nach war dies eine Zeit, in der sie und ihr Partner einander im Kummer beistehen sollten.

Matt rief jeden Abend an, doch Grania weigerte sich beharrlich, mit ihm zu sprechen. Kathleen hatte immer eine Schwäche für ihn gehabt. Mit seinem guten Aussehen, dem leichten Connecticut-Akzent und den untadeligen Manieren erinnerte er sie an die Filmstars ihrer Mädchenzeit. Sie verglich Matt gern mit dem jungen Robert Redford. Warum Grania ihn nicht längst geheiratet hatte, war ihr ein Rätsel. Und nun stand ihre störrische Tochter kurz davor, ihn zu verlieren.

Viel wusste Kathleen nicht über die Welt, aber mit dem männlichen Ego kannte sie sich aus. Männer waren anders gestrickt als Frauen – sie besaßen nicht deren Fähigkeit, Zurückweisungen hinzunehmen –, weswegen Matt mit Sicherheit über kurz oder lang aufhören würde, jeden Abend anzurufen.

Seufzend räumte sie die Frühstücksteller weg und stellte sie in die Spüle. Grania war die einzige Ryan, die sich in die weite Welt hinausgewagt und ihre Familie, besonders ihre Mutter, stolz gemacht hatte. Das Kind, nach dem die Verwandten sich, fasziniert von den Zeitungsausschnitten anlässlich ihrer Ausstellungen in New York, erkundigten ...

Es in Amerika zu schaffen war nach wie vor der irische Traum.

Kathleen trocknete Geschirr und Besteck ab und verstaute alles in der Anrichte. Natürlich hatte niemand das perfekte Leben, das wusste Kathleen. Sie war immer davon ausgegangen, dass Grania sich nicht nach dem Getrippel kleiner Füße im

Haus sehnte, und hatte das akzeptiert. Hatte sie nicht einen wohlgeratenen, kräftigen Sohn, der ihr eines Tages Enkel schenken würde? Doch offenbar hatte Kathleen sich getäuscht. Grania führte zwar ein interessantes Leben dort, wo sich für Kathleen der Nabel der Welt befand, aber die Kinder fehlten. Bis sie kamen, würde ihre Tochter nicht glücklich werden.

Kathleen glaubte, dass Grania sich das selbst zuzuschreiben hatte. Ihrer Meinung nach war trotz all der Hightechmedizin Jugend der wichtigste Faktor. Sie selbst hatte Grania mit neunzehn zur Welt gebracht und die Energie besessen, in den folgenden beiden Jahren mit einem weiteren Baby fertig zu werden. Grania war bereits einunddreißig. Egal, was diese modernen Karrierefrauen dachten: Man konnte nicht alles haben.

Obwohl sie Mitleid mit ihrer Tochter hatte, neigte sie selbst eher dazu, mit dem zufrieden zu sein, was sie hatte, und sich nicht nach dem zu sehnen, was sie nicht bekommen konnte.

Grania sank auf einen feuchten, moosbewachsenen Felsen, um Atem zu schöpfen. Sie keuchte wie eine alte Frau; offenbar hatten die Fehlgeburt und der Mangel an körperlicher Betätigung ihren Tribut gefordert. Grania senkte den Kopf und stieß mit den Schuhen gegen die groben Klumpen stoppeligen Grases, ohne dass es sich von den Wurzeln gelöst hätte. Wenn nur das kleine Leben in Granias Bauch genauso kräftig gewesen wäre...

Vier Monate... als sie und Matt gedacht hatten, es könne nichts mehr passieren... Sogar Grania hatte begonnen, sich zu entspannen und auf das Kind zu freuen.

Sie und Matt hatten es beiden Großelternpaaren mitgeteilt, woraufhin Matts Eltern Elaine und Bob sie ins L'Escale in der Nähe ihres riesigen Hauses in der bewachten Wohnanlage Belle Haven, Greenwich, einluden. Bob hatte sie unverblümt gefragt, wann Matt und Grania heiraten wollten, jetzt, da Grania schwanger sei. Schließlich handle es sich um ihr erstes Enkelkind, und ihm sei wichtig, dass es den Namen seiner Familie trage. Grania hatte ausweichend geantwortet – wenn sie sich in die Enge getrieben fühlte, besonders von Matts Vater, sträubten sich ihr die Nackenhaare –, das müssten sie und Matt noch besprechen.

Eine Woche später war eine komplette Kinderzimmerausstattung von Bloomingdale's geliefert worden. Grania, die zu abergläubisch war, um die Sachen gleich ins Loft bringen zu lassen, hatte sie erst einmal im Keller deponiert, wo sie bis kurz vor dem Geburtstermin bleiben sollten.

»Damit hätte sich dann ja wohl unser Ausflug zu Bloomingdale's erübrigt«, hatte Grania sich alles andere als dankbar am Abend bei Matt beklagt.

»Mom will bloß helfen, Grania«, hatte Matt gesagt. »Sie weiß, dass ich nicht viel verdiene und dein Einkommen zwar ordentlich, aber unregelmäßig ist. Vielleicht sollte ich mir doch überlegen, bei Dad einzusteigen, jetzt, wo du schwanger bist.«

»Nein, Matt!«, hatte Grania entsetzt ausgerufen. »Du hättest keinerlei eigenes Leben und keine Freiheit mehr, wenn du für deinen Dad arbeitest. Du weißt doch, wie besitzergreifend er ist.«

Grania hörte auf, das Gras zu bearbeiten, und blickte, grimmig über diese Untertreibung lächelnd, aufs Meer hinaus. Bob war im Hinblick auf seinen Sohn ein Kontrollfreak. Obwohl sie seine Enttäuschung darüber verstehen konnte, dass Matt kein Interesse daran hatte, in seine Fußstapfen als Investmentbanker zu treten, begriff sie sein mangelndes Interesse an der Karriere seines Sohnes nicht. Matt war mittlerweile eine anerkannte Kapazität auf dem Gebiet der Kinderpsychologie, hatte einen Lehrstuhl an der Columbia University und wurde häufig zu Gastvorträgen an anderen amerikanischen Universitäten eingeladen. Außerdem äußerte sich Bob gern herablassend über Granias Herkunft und Ausbildung.

Rückblickend war Grania froh, dass sie niemals finanzielle Unterstützung von Matts Eltern angenommen hatten. Am Anfang, als sie sich noch einen Namen als Bildhauerin machen musste, Matt an seiner Doktorarbeit saß und es gar nicht so leicht war, die Miete für ihr winziges Einzimmerapartment zusammenzukratzen, hatte sie sogar unter Paranoia gelitten. Aus gutem Grund, dachte Grania; die perfekten, immer makellos gekleideten Connecticut-Mädchen, die sie über Matt und seine Familie kennenlernte, hätten ihr, der einfachen Klosterschülerin aus einem kleinen irischen Dorf, nicht unähnlicher sein können. Vielleicht war ihre Beziehung von vornherein zum Scheitern verurteilt gewesen ...

»Hallo.«

Grania zuckte zusammen.

»Hallo, habe ich gesagt.«

Die Stimme kam von hinten. Grania drehte sich um und erkannte Aurora, die Jeans, einen zu weiten Anorak und eine Wollmütze trug, unter der ihre roten Haare fast völlig verborgen waren. Ihre riesigen Augen und vollen Lippen wirkten in dem winzigen, hübsch geformten Gesicht viel zu groß.

»Hallo, Aurora.«

»Woher weißt du meinen Namen?«, fragte Aurora erstaunt.

»Ich bin dir gestern begegnet.«

»Ach. Wo denn?«

»Hier auf den Klippen.«

»Wirklich?« Aurora runzelte die Stirn. »Ich kann mich nicht erinnern, dass ich gestern hier gewesen bin oder mit dir geredet habe.«

»Wir haben nicht lange miteinander gesprochen«, erklärte Grania.

»Woher kennst du dann meinen Namen?«

»Ich habe meine Mutter gefragt, wer das kleine Mädchen mit den schönen roten Haaren sein könnte. Sie hat es mir gesagt.«

»Und woher kennt sie mich?«

»Sie ist aus dem Dorf und hat mir erzählt, dass ihr vor Jahren weggegangen seid.«

»Ja. Aber jetzt sind wir wieder da.« Aurora blickte aufs Meer hinaus und breitete die Arme aus. »Mir gefällt es hier. Und dir?«

»Natürlich. Schließlich bin ich hier geboren und aufgewachsen.«

»Aha«, meinte Aurora, setzte sich neben Grania ins Gras und musterte sie eingehend mit ihren blauen Augen. »Und wie heißt *du*?«

»Grania, Grania Ryan.«

»Sagt mir nichts.«

Grania schmunzelte über Auroras altkluge Art. »Kann ich mir denken. Ich war fast zehn Jahre weg.«

Aurora klatschte begeistert in die Hände. »Das bedeutet, dass wir beide gleichzeitig an einen Ort zurückgekehrt sind, den wir lieben.«

»Ja, stimmt.«

»Dann können wir Freunde sein.«

»Das ist sehr nett von dir, Aurora.«

»Du bist sicher einsam.«

»Möglich …« Grania lächelte. »Und du? Bist du auch einsam?«

»Manchmal, ja.« Aurora zuckte mit den Achseln. »Daddy hat viel zu tun und ist oft weg. Dann kann ich nur mit der

Haushälterin spielen. Aber die macht das nicht so gut.« Aurora rümpfte die sommersprossige Nase.

»Oje«, seufzte Grania, sowohl entwaffnet als auch verunsichert von diesem merkwürdigen Kind. »Du hast doch sicher Schulfreundinnen, oder?«

»Ich gehe nicht in die Schule. Mein Vater hat mich gern bei sich. Ich habe eine Hauslehrerin.«

»Und wo ist die jetzt?«

»Daddy und ich mögen sie nicht besonders, also haben wir sie in London gelassen«, antwortete Aurora kichernd.

»Verstehe.«

»Was arbeitest du?«, erkundigte sich Aurora.

»Ich bin Bildhauerin.«

»Ist das nicht jemand, der Figuren aus Ton macht?«

»Ja, so ähnlich.«

»Kennst du dich mit Pappmaché aus?« Auroras Augen glänzten. »Ich *liebe* Pappmaché! Ein Kindermädchen hat mir gezeigt, wie man Kugeln daraus formt und sie anmalt. Die habe ich dann Daddy geschenkt. Kommst du und machst Pappmachékugeln mit mir? Bitte.«

Grania war gerührt über Auroras Eifer und aufrichtige Begeisterung. »Na schön.« Sie nickte. »Es spricht nichts dagegen.«

»Kommst du gleich mit?« Aurora ergriff ihre Hand. »Wir könnten was für Daddy basteln, bevor er verreist.« Aurora zupfte an Granias Kapuze. »Bitte sag Ja!«

»Nein, Aurora, gleich geht nicht. Ich muss erst die Sachen besorgen, die wir dafür brauchen. Außerdem würde meine Mammy vielleicht denken, ich hätte mich verlaufen.«

Die Fröhlichkeit verschwand aus Auroras Blick, sie ließ die Schultern hängen. »Ich habe keine Mummy. Früher mal, aber sie ist gestorben.«

»Das tut mir leid, Aurora.« Grania legte tröstend die Hand auf ihre Schulter. »Sie fehlt dir sicher sehr.«

»Ja. Sie war ein wunderbarer Mensch, ein Engel, sagt Daddy. Die anderen Engel haben sie zu sich in den Himmel geholt.«

»Wenigstens hast du noch deinen Daddy.«

»Ja. Er ist der beste und attraktivste Vater der Welt. Du verliebst dich bestimmt in ihn. Das tun alle Frauen.«

»Dann muss ich ihn wohl kennenlernen, was?« Grania lächelte.

»Ja.« Aurora sprang auf. »Ich muss los. Wir treffen uns morgen um die gleiche Zeit wieder hier.«

»Ich...«

»Gut.« Aurora schlang die Arme um Grania. »Bring alles mit, was wir fürs Pappmachébasteln brauchen. Tschüs, Grania, bis morgen.«

»Auf Wiedersehen.« Grania winkte Aurora nach, die wie eine Gazelle die Klippen entlanghüpfte und -tanzte. Sogar in Anorak und Turnschuhen besaß sie erstaunliche Anmut.

Als Aurora außer Sichtweite war, holte Grania tief Luft, erhob sich kopfschüttelnd und stellte sich die Reaktion ihrer Mutter vor, wenn sie ihr mitteilte, dass sie nach Dunworley House gehen würde, um mit Aurora Lisle zu spielen.

3

Am Abend, nachdem ihr Vater und ihr Bruder vom Esstisch aufgestanden waren, half Grania Kathleen beim Abwasch.

»Ich hab heute Aurora Lisle getroffen«, erzählte Grania, während sie die Teller abtrocknete.

Kathleen hob eine Augenbraue. »War sie wieder im Nachthemd unterwegs?«

»Nein, voll bekleidet. Ein seltsames kleines Mädchen, nicht wahr?«

»Keine Ahnung, wie sie ist«, antwortete Kathleen mit verkniffenem Mund.

»Ich habe ihr versprochen, sie zu besuchen und mit ihr zu basteln. Sie scheint einsam zu sein«, erklärte Grania.

Kathleen schwieg kurz, bevor sie erwiderte: »Ich habe dich vor dieser Familie gewarnt, Grania, aber du bist erwachsen und musst selber wissen, was du tust.«

»Mam, sie wirkt so verloren... Sie hat keine Mutter. Was kann es schon schaden, ein paar Stunden mit ihr zu verbringen?«

»Das Thema ist für mich abgeschlossen. Du kennst meine Meinung.«

Das Telefon klingelte. Grania machte genauso wenig Anstalten ranzugehen wie ihre Mutter. Beim siebten Klingeln stemmte Kathleen die Hände in die Hüften. »Du weißt, wer das ist.«

»Nein«, log Grania. »Keine Ahnung.«

»Es dürfte klar sein. Mir wäre es peinlich, wieder mit ihm zu reden.«

Das Telefon klingelte eine ganze Weile weiter, bis es verstummte. Grania und Kathleen sahen einander an.

»Ich kann eine solche Unhöflichkeit unter meinem Dach nicht dulden, Grania. Was hat der arme Mann dir getan, dass du ihn so behandelst? An deinem Verlust ist ja wohl kaum er schuld, oder?«

»Es tut mir leid, Mam.« Grania schüttelte den Kopf. »Das verstehst du nicht.«

»Da muss ich dir leider zustimmen. Warum erklärst du es mir nicht?«

»Mam, bitte! Ich kann nicht ...« Grania rang die Hände. »Ich kann es einfach nicht.«

»Das reicht mir nicht, Grania. Was auch immer passiert ist, es beeinflusst das Leben aller in diesem Haus, weswegen du uns über die Situation aufklären solltest. Ich ...«

»Es ist Matt, Liebes«, sagte ihr Vater, der die Küche mit dem Telefon in der Hand betrat. »Wir haben uns nett unterhalten, aber ich glaube, er möchte jetzt mit dir sprechen.« John hielt ihr verlegen lächelnd den Apparat hin.

Sie nahm ihn mit einem eisigen Blick und ging aus der Küche hinauf in ihr Zimmer.

»Grania? Bist du das?« Der vertraute Klang von Matts Stimme schnürte ihr die Kehle zu, als sie die Tür hinter sich schloss und sich auf die Bettkante setzte.

»Matt, ich hatte dich gebeten, mich in Ruhe zu lassen.«

»Ich begreife nicht, was los ist. Was habe ich falsch gemacht? Warum hast du mich verlassen?«

Grania grub die Finger ihrer freien Hand in ihren Oberschenkel.

»Grania? Bist du noch dran, Schatz? Wenn du mir erklärst,

was ich deiner Meinung nach getan habe, kann ich mich wenigstens verteidigen.«

Schweigen.

»Grania, *bitte* sprich mit mir. Ich bin's, Matt, der Mann, der dich liebt. Mit dem du seit acht Jahren das Leben teilst. Ich werde noch verrückt, weil ich nicht weiß, warum du verschwunden bist.«

Grania holte tief Luft. »Bitte ruf mich nicht mehr an. Ich will nicht mit dir reden. Und meine Eltern bringt es aus der Fassung, wenn du sie jeden Abend belästigst.«

»Grania, bitte. Ich weiß, dass es ziemlich hart für dich war, das Baby zu verlieren, aber wir können es doch noch mal probieren. Ich liebe dich, und ich würde alles tun, um …«

»Tschüs, Matt.« Grania legte auf und starrte die verblichenen Blumen auf der Tapete ihres Kinderzimmers an, ohne sie richtig wahrzunehmen. Das Muster hatte sie Abend für Abend betrachtet, wenn sie von ihrem Märchenprinzen träumte. In Matt hatte sie ihn gefunden … Es war Liebe auf den ersten Blick gewesen.

Grania legte sich aufs Bett und schlang die Arme um das Kissen. Sie hatte den Glauben daran, dass Liebe auch die größten Probleme überwindet, verloren.

Matt Connelly sank, Handy in der Hand, aufs Sofa.

In den zwei Wochen seit Granias Abreise hatte er sich den Kopf über ihre Gründe für die Trennung zerbrochen, ohne auf einen grünen Zweig gekommen zu sein. Grania hatte ihm unmissverständlich zu verstehen gegeben, dass sie im Moment nichts mit ihm zu tun haben wollte … war ihre Beziehung tatsächlich zu Ende?

»Verdammt!« Matt schleuderte das Handy quer durch den Raum, so dass die Batterie heraussprang, als es auf dem Boden landete. Er konnte verstehen, dass die Fehlgeburt sie in Verzweiflung gestürzt hatte, doch das war kein Grund, *ihn* aus ihrem Leben zu verbannen. Vielleicht sollte er einfach zu ihr nach Irland fliegen. Aber was, wenn sie ihn nicht sehen wollte? Was, wenn er es nur noch schlimmer machte?

Matt ging zu seinem Laptop. Alles war besser als die Ungewissheit, in der er augenblicklich lebte.

Matt loggte sich ein und informierte sich über Flüge von New York nach Dublin. Es klingelte an der Haustür. Er achtete nicht darauf, weil er niemanden erwartete. Als es penetrant weiterklingelte, stand Matt verärgert auf und betätigte die Gegensprechanlage. »Ja?«

»Hallo, Schätzchen, war gerade in der Gegend. Wollte sehen, ob's dir gut geht.«

Matt drückte auf den Knopf. »Sorry, Charley, komm rauf.« Er ließ die Tür offen und wandte sich wieder seiner Internetrecherche zu. Charley gehörte zu den wenigen Leuten, deren Gegenwart er im Moment ertragen konnte. Er kannte sie aus Kindertagen, hatte sie jedoch – wie so viele seiner alten Freunde – in der Zeit mit Grania aus den Augen verloren. Grania hatte sich in Gesellschaft seiner Bekannten und Freunde aus Connecticut unwohl gefühlt, weswegen er ihr zuliebe einen weiten Bogen um sie machte. Einige Tage zuvor hatte Charley aus heiterem Himmel angerufen und gesagt, sie habe von seinen Eltern gehört, dass Grania nach Irland zurückgegangen sei. Dann war sie vom anderen Ende der Stadt zu ihm gefahren und mit ihm Pizza essen gegangen.

Wenige Minuten später umarmte Charley ihn und drückte ihm einen sanften Kuss auf die Wange, bevor sie eine Flasche Rotwein auf den Schreibtisch neben seinen Laptop stellte.

»Hab mir gedacht, du könntest einen Schluck vertragen. Soll ich uns Gläser holen?«

»Ja, gern. Danke, Charley.« Matt verglich Uhrzeiten und Preise, während Charley die Flasche öffnete und zwei Gläser füllte.

»Was machst du da?«, fragte sie, schlüpfte aus den Stiefeln, setzte sich aufs Sofa und schlug die langen Beine unter.

»Ich informiere mich über Flüge nach Irland. Wenn Grania nicht zu mir kommt, muss ich eben zu ihr.«

Charley hob eine sorgfältig gezupfte Augenbraue. »Findest du das sinnvoll?«

»Was soll ich denn sonst tun? Hier rumhängen und fast den Verstand verlieren, während ich versuche rauszufinden, wo das Problem liegt?«

Charley warf ihre glänzende dunkle Haarmähne in den Nacken und nahm einen Schluck Wein. »Was, wenn sie einfach ein bisschen Raum zum Atmen braucht, bis sie die Sache überwunden hat? Möglicherweise machst du alles nur noch schlimmer, wenn du zu ihr fliegst, Matty. Hat Grania gesagt, dass sie dich sehen möchte?«

»Nein. Ich hab grade mit ihr telefoniert. Sie hat mich gebeten, sie nicht mehr anzurufen.« Matt stand auf, trank einen großen Schluck Wein und gesellte sich zu Charley aufs Sofa. »Vielleicht hast du recht. Sie kommt schon irgendwann zur Vernunft. Der Verlust des Babys war ein harter Schlag für sie. Du weißt ja, wie sehr Mom und Dad sich auf ein Enkelkind gefreut haben. Dad war nach der Fehlgeburt ziemlich enttäuscht.«

»Kann ich mir vorstellen.« Charley verdrehte die Augen. »Sonderlich feinfühlig war dein Vater ja noch nie. Ich hab damit kein Problem, weil ich ihn kenne, aber für jemanden wie Grania ist es vermutlich ganz schön schwierig, mit ihm zurechtzukommen.«

»Ja.« Matt stützte die Ellbogen auf die Knie und legte den

Kopf in die Hände. »Vielleicht habe ich nicht genug Rücksicht genommen. Ich weiß, wie unwohl sie sich immer wegen unserer unterschiedlichen Herkunft gefühlt hat.«

»Matty, Schätzchen... du hättest wirklich nicht mehr tun können. Du hast ja sogar mich abserviert, als Grania in dein Leben getreten ist.«

Matt legte die Stirn in Falten. »Die Sache mit uns hatte keine Zukunft. Darüber waren wir uns einig.«

»Klar, Matty.« Charley beruhigte ihn mit einem Lächeln. »Irgendwann wär's sowieso passiert.«

»Ja.«

»Weißt du was?«, fragte Charley. »Wenn ich sehe, wie meine Freundinnen von einer chaotischen Affäre in die nächste stolpern, danke ich meinem Schöpfer, dass ich Single bin. Ich kenne kaum jemanden, der eine richtig gute Beziehung führt. Nur bei euch beiden hatte ich geglaubt, dass ihr es schafft.«

»Das dachten wir auch«, erklärte er traurig. »Du spielst nicht ernsthaft mit dem Gedanken, den Rest deines Lebens allein zu bleiben, oder? In unserer Greenwich-Gruppe warst du doch immer vorn dran: Schulsprecherin, Musterschülerin und das hübscheste Mädchen der Klasse. Und jetzt erfolgreiche Zeitschriftenredakteurin... Mein Gott, Charley, du weißt, dass du jeden haben könntest.«

»Möglicherweise ist es genau das«, meinte Charley seufzend. »Ich bin zu wählerisch; keiner ist mir gut genug. Aber reden wir nicht über mich. Du bist derjenige, der Probleme hat. Wie kann ich dir helfen?«

»Sag mir, ob ich mich morgen in einen Flieger nach Dublin setzen soll, um meine Beziehung zu retten«, antwortete Matt.

»Matty, das liegt ganz bei dir.« Charley rümpfte die Nase. »Wenn du meine Meinung wirklich hören möchtest: Ich würde Grania Raum und Zeit geben. Sie muss etwas verarbeiten und kommt bestimmt zu dir zurück, wenn sie so weit ist. Sie hat dich doch gebeten, sie in Ruhe zu lassen, oder? Warum tust du ihr nicht den Gefallen und beschäftigst dich in ein paar Wochen noch einmal mit der Frage? Außerdem dachte ich, du bist mit Arbeit eingedeckt?«

»Stimmt«, bestätigte Matt. »Vielleicht hast du recht. Ich muss ihr Raum lassen.« Er tätschelte Charleys Schienbein. »Danke, Schwesterherz. Du wirst immer für mich da sein, oder?«

»Ja, Schätzchen.« Charley schenkte ihm ein Lächeln.

Einige Tage später klingelte es wieder an Matts Tür.

»Hallo, ich bin's, Mom. Kann ich raufkommen?«

»Klar.« Matt öffnete ihr, erstaunt über ihren Besuch, die Tür. Seine Eltern beehrten diesen Teil der Stadt nur selten, und niemals unangemeldet.

»Na, mein Lieber, wie geht's dir?« Elaine küsste ihren Sohn auf beide Wangen und folgte ihm in die Wohnung.

»Schon okay«, antwortete Matt, während seine Mutter aus dem Pelzmantel schlüpfte, ihre dezent gesträhnten Haare arrangierte und auf dem Sofa Platz nahm. Matt entfernte hastig ein Paar Turnschuhe und einige leere Bierflaschen vom Boden neben ihren schmalen Füßen, die in hochhackigen Schuhen steckten. »Was führt dich zu mir?«

»Ich war wegen einem Wohltätigkeitsessen in der Stadt und wollte auf dem Heimweg sehen, wie es meinem Jungen geht.«

»Okay«, wiederholte Matt. »Möchtest du was trinken, Mom?«

»Wasser, danke.«

»Gern.«

Elaine beobachtete ihn, wie er Wasser aus dem Kühlschrank holte und einschenkte. Er wirkte blass und müde. »Danke«, sagte sie, als er ihr das Glas reichte. »Hast du was von Grania gehört?«

»Vor ein paar Tagen habe ich kurz mit ihr telefoniert, aber eigentlich will sie nicht mit mir reden.«

»Weißt du inzwischen, warum sie gegangen ist?«

»Nein.« Matt zuckte mit den Achseln. »Keine Ahnung, was ich verbrochen habe. Mom, das Baby hat ihr so viel bedeutet.«

»Im Krankenhaus war sie sehr schweigsam, und sie sah aus, als hätte sie geweint.«

»Ja. Als ich sie am nächsten Tag nach der Arbeit besuchen wollte, hatte sie die Klinik verlassen. Und auf einem Zettel, der hier lag, stand, dass sie nach Irland zu ihren Eltern geflogen ist. Seitdem hat sie sich mir gegenüber nicht mehr geäußert. Ich weiß nur, dass sie leidet.«

»Du leidest sicher auch. Schließlich war es dein Kind so gut wie ihres«, stellte Elaine fest.

»Ja, im Moment fühle ich mich tatsächlich nicht sonderlich gut. Wir wollten eine Familie gründen. Das war mein Traum ... Scheiße! Sorry, Mom.« Matt gelang es nur mit Mühe, die Tränen zurückzuhalten. »Ich liebe sie, und auch das Kleine, das es nicht geschafft hat. Es war ein Teil von uns ... Ich ...«

Elaine stand auf und nahm ihren Sohn in die Arme. »Es tut mir so leid für dich. Wenn ich dir irgendwie helfen kann ...«

Matt, dem es peinlich war, dass seine Mutter ihn ausgerechnet in einem so schwachen Moment erwischte, riss sich zusammen. »Ich bin ein großer Junge, Mom, und komme schon wieder auf die Beine. Ich wünschte nur, ich würde wissen, warum Grania sich abgesetzt hat. Ich verstehe es einfach nicht.«

»Möchtest du eine Weile zu uns kommen? Mir gefällt der Gedanke, dass du ganz allein hier bist, nicht.«

»Danke, Mom, ich habe jede Menge Arbeit. Ich muss daran glauben, dass Grania zurückkehrt, wenn sie ihre Wunden geleckt hat. Sie hatte schon immer ihren eigenen Kopf. Wahrscheinlich liebe ich sie deshalb so sehr.«

»Sie ist jedenfalls ungewöhnlich«, pflichtete Elaine ihm bei. »Und scheint sich nicht um unsere Regeln zu scheren.«

»Möglicherweise, weil sie nicht damit aufgewachsen ist«, konterte Matt, der nicht in der Laune war für abfällige Bemerkungen.

»Matt, du verstehst mich falsch«, erwiderte Elaine hastig. »Ich bewundere Grania wirklich, und auch euch beide, weil es euch gelungen ist, aus dem Hamsterrad herauszukommen. Vielleicht sollten wir öfter unserem Herzen folgen.« Elaine seufzte. »Ich muss los. Dein Vater hat seine Golffreunde zum alljährlichen Winterdinner eingeladen.«

Matt half Elaine in den Pelzmantel. »Danke für deinen Besuch, Mom.«

»Hat mich gefreut, dich zu sehen, Matt.« Sie küsste ihn auf die Wange. »Dir ist klar, dass ich stolz auf dich bin, oder? Wenn du reden möchtest: Ich bin jederzeit für dich da. Ich weiß, wie du dich fühlst.« Ihr Blick wurde traurig. »Auf Wiedersehen, Matty.«

Als Matt die Tür hinter ihr schloss, spürte er, dass sie sich tatsächlich in ihn hineinversetzen konnte. Zum ersten Mal wurde ihm klar, wie wenig er über die Frau hinter der glänzenden Fassade der perfekten Connecticut-Ehefrau und -Mutter wusste.

4

Kaum hatte Kathleen am folgenden Morgen das Haus verlassen, um den Wocheneinkauf in Clonakilty zu erledigen, holte Grania aus der Scheune alte Zeitungen und aus der unordentlichen Werkstatt ihres Vaters einen angeschimmelten Karton mit Tapetenkleister, steckte alles in eine Tüte und machte sich auf den Weg zu den Klippen. Wenn Aurora nicht auftauchte, würde sie einfach wieder nach Hause gehen.

Unterwegs dachte Grania nach. Es kam ihr vor, als führte jemand anders ihr Leben, als käme sie nicht an ihre eigenen Gefühle heran. Sie konnte nicht weinen, Kontakt mit Matt aufnehmen oder sich darüber klar werden, ob ihre Reaktion rational gewesen war. Denn dazu hätte sie sich mit dem Schmerz auseinandersetzen müssen, und die beste und sicherste Lösung bestand für sie momentan darin, sich abzuschotten.

Grania setzte sich auf einen Felsen und blickte seufzend aufs Meer hinaus. Sie hatte tatsächlich gedacht, ihre Beziehung mit Matt würde im Gegensatz zu denen ihrer Freunde halten. Grania schämte sich, wenn sie an ihre selbstgefälligen Bemerkungen von früher dachte: »Die Armen« oder »Uns passiert das nicht.« Von wegen!

Plötzlich verspürte sie große Achtung vor ihren Eltern. Irgendwie war es ihnen gelungen, das Unmögliche zu schaffen – Kompromisse zu schließen und vierunddreißig Jahre lang miteinander glücklich zu sein.

Vielleicht waren die Erwartungen in der modernen Zeit

zu hoch; die Hierarchie der Bedürfnisse hatte sich verschoben. Paare mussten sich im Regelfall keine allzu großen Sorgen mehr darüber machen, ob sie ihre Kinder ernähren oder im Krankheitsfall einen Arzt bezahlen konnten. Nun drehte es sich weniger um warme Kleidung als um Designermarken. Und in der westlichen Gesellschaft mussten auch kaum noch Frauen ihre Männer an die Front verabschieden. Mit anderen Worten: Heute ging es nicht mehr ums reine Überleben.

»Wir *fordern* das Glück, weil wir glauben, dass es uns zusteht.« Grania sprach diese Worte laut aus. Fast beneidete sie ihre Eltern um ihre Zufriedenheit und Gelassenheit. Sie besaßen nicht viel, und ihr Horizont war beschränkt. Sie lachten gemeinsam über Nichtigkeiten. Ihre kleine, sichere Welt schweißte sie zusammen. Grania und Matt hingegen lebten in einer Metropole, in der der Himmel allein die Grenze war.

»Hallo, Grania«, hörte sie Auroras Stimme hinter sich.

»Hallo, Aurora. Wie geht's?«

»Sehr gut, danke. Wollen wir uns auf den Weg machen?«

»Ja. Ich habe dabei, was wir brauchen.«

»Ich weiß. Ich habe die Tüte gesehen.«

Grania stand auf.

»Du solltest Daddy kennenlernen«, schlug Aurora vor. »Er ist im Arbeitszimmer. Könnte allerdings sein, dass er Kopfweh hat, das passiert oft.«

»Ach.«

»Ja. Er setzt beim Lesen die Brille nicht auf und überanstrengt seine Augen.«

»Dumm, findest du nicht?«

»Jetzt, wo Mummy tot ist, hat er niemanden mehr, der sich um ihn kümmert. Nur noch mich.«

»Das machst du sicher gut«, sagte Grania, als sie sich dem Tor zum Anwesen näherten.

»Ich bemühe mich«, versicherte Aurora und drückte das Tor auf. »Hier bin ich zu Hause, in Dunworley House. Es gehört seit zweihundert Jahren den Lisles. Bist du schon mal hier gewesen?«

»Nein«, antwortete Grania, während sie Aurora durch das Tor folgte. Der Wind, der ihnen auf den Klippen um die Ohren geblasen hatte, war hinter der für West Cork typischen dichten Hecke aus Brombeersträuchern und wilden Fuchsien nicht mehr zu spüren.

Grania bewunderte den gepflegten französischen Garten um das abweisende graue Gebäude. Niedrige Lorbeerhecken säumten den Weg, der zum Haus führte, und in den Beeten wuchsen Rosenbüsche, deren Farbenpracht im Sommer sicher beeindruckend war.

»Wir benutzen den Haupteingang nicht«, teilte Aurora Grania mit und marschierte an der Vorderfront des Hauses entlang nach hinten. »Daddy sagt, der ist während der Unruhen in Nordirland verschlossen worden; irgendjemand hat den Schlüssel verloren.«

In dem großen Hof stand ein nagelneuer Range Rover.

»Komm«, sagte Aurora und öffnete die hintere Tür.

Grania folgte ihr durch den Eingangsbereich in eine große Küche, in der eine massige Anrichte mit blau-weißen Tellern und anderem Geschirr eine ganze Wand einnahm. An der zweiten Wand befand sich ein Herd und an der dritten eine große Spüle zwischen zwei alten Melaminharz-Arbeitsflächen. In der Mitte des Raums stand ein langer, mit Zeitungsstapeln bedeckter Eichentisch.

Dies war kein gemütlicher Ort, an dem sich die Familie versammelte, während die Mutter am Herd das Abendessen zubereitete. Der Raum wirkte spartanisch, funktional und streng.

»Ich hätte keine Zeitungen mitbringen müssen«, stellte Grania mit einem Blick auf den Tisch fest.

»Die braucht Daddy für die Kamine. Er friert immer. Wollen wir auf dem Tisch Platz machen, damit wir anfangen können?« Aurora sah Grania erwartungsvoll an.

»Ja... Aber findest du nicht, wir sollten jemandem sagen, dass ich da bin?«

»Nein. Daddy möchte nicht gestört werden, und ich habe Mrs. Myther schon erklärt, dass du kommen würdest.« Sie schob einige Stapel Zeitungen vom Tisch auf den Boden. »Was brauchen wir sonst noch?«

»Wasser zum Anrühren des Kleisters.« Grania leerte ihre Tüte mit einem unbehaglichen Gefühl darüber, dass sie sich unangemeldet in diesem Haus aufhielt.

»Ich hole welches.« Aurora nahm einen Krug aus der Anrichte und füllte ihn.

»Und einen großen Behälter zum Mischen.«

Aurora brachte ein Gefäß und stellte es vor Grania auf den Tisch. Während Grania den Kleber anrührte, beobachtete Aurora sie mit glänzenden Augen. »Das macht Spaß, was? Mein letztes Kindermädchen hat mir das nie erlaubt, weil sie Angst hatte, dass ich schmutzig werde.«

»In meinem Beruf geht es schmutzig zu«, bemerkte Grania. »Ich fertige Skulpturen aus ähnlichem Material wie diesem. Setz dich zu mir, dann zeige ich dir, wie man Schalen und Kugeln macht.«

Aurora, die sich als begabte und eifrige Schülerin entpuppte, konnte bereits eine Stunde später eine feuchte Kugel aus Zeitungspapier zum Trocknen auf die Herdplatte legen.

»Sobald sie trocken ist, malen wir sie an. Hast du Farben?«, erkundigte sich Grania, während sie sich die Hände in der Spüle wusch.

»Nein. Die habe ich in London gelassen.«

»Vielleicht finde ich welche bei mir zu Hause.«

»Darf ich mitkommen und mir dein Haus anschauen? Ich glaube, das Leben auf einer Farm würde mir Spaß machen.«

»Ich wohne nicht dort, Aurora«, erklärte Grania. »Ich lebe in New York und bin nur vorübergehend bei meinen Eltern.«

»Ach.« Aurora ließ die Schultern hängen. »Heißt das, du gehst bald wieder?«

»Ja, aber ich weiß noch nicht, wann.«

»Warum bist du traurig?«, fragte Aurora.

»Ich bin nicht traurig, Aurora.«

»Doch, das sehe ich an deinem Blick. Hat dir jemand weh-getan?«

»Nein, Aurora, es ist alles in Ordnung.« Grania spürte, wie sie rot wurde.

»Ich weiß, dass du traurig bist.« Aurora verschränkte die Arme vor der Brust. »Ich weiß auch, wie sich das anfühlt. Wenn ich traurig bin, gehe ich an meinen magischen Ort.«

»Wo ist der?«

»Das kann ich dir nicht verraten, sonst wäre er nicht mehr magisch und würde nicht mehr mir gehören. Du solltest dir auch einen suchen.«

»Gute Idee.« Grania sah auf ihre Uhr. »Ich muss los. Es ist Zeit zum Mittagessen. Du hast sicher Hunger. Kocht dir je-mand was?«

»Mrs. Myther hat sicher was warm gestellt. Wahrscheinlich wieder Suppe. Möchtest du dir, bevor du gehst, das Haus an-schauen?«

»Aurora, ich …«

»Komm!« Aurora ergriff Granias Arm und zog sie in Rich-tung Tür. »Es ist schön.«

Aurora dirigierte Grania aus der Küche in den geräumigen

Eingangsbereich, dessen Boden mit schwarz-weißen Fliesen bedeckt war. Eine elegante Eichenholztreppe führte ins obere Stockwerk. Wenig später betraten sie einen großen Salon mit hohen Terrassentüren. In dem Raum war es unerträglich heiß; im Marmorkamin brannte ein Holzfeuer.

Granias Blick wanderte über den Kamin zum Porträt einer jungen Frau, deren herzförmiges, symmetrisches Gesicht von tizianroten Locken eingerahmt wurde. Die leuchtend blauen Augen in dem hellen Teint wirkten unschuldig und gleichzeitig wissend. Das Bild war von einem talentierten Künstler gemalt worden. Grania bemerkte sofort die Ähnlichkeit mit Aurora.

»Meine Mutter. Alle behaupten, ich bin ihr wie aus dem Gesicht geschnitten.«

»Stimmt«, bestätigte Grania. »Wie hieß sie?«

Aurora holte tief Luft. »Lily.«

»Tut mir sehr leid, dass sie gestorben ist«, sagte Grania mit sanfter Stimme.

»Wen haben wir denn da, Aurora?«, fragte unvermittelt eine Männerstimme. Grania drehte sich erschrocken um.

An der Tür stand der attraktivste Mann, den sie je zu Gesicht bekommen hatte. Er war groß gewachsen − über einsachtzig −, hatte dichtes, schwarzes Haar, ordentlich gekämmt, aber etwa einen Zentimeter zu lang, so dass es sich im Nacken kringelte. Dazu volle Lippen und tiefblaue Augen mit langen dunklen Wimpern sowie deutlich hervortretende Wangenknochen, ein markantes Kinn und eine wohlgeformte Nase. Ein Gesicht, das Grania sich einprägen wollte, um es zu einem späteren Zeitpunkt selbst formen zu können.

Das alles auf einem schlanken, gut proportionierten Körper. Seine schmalen, sensiblen Finger ballten sich zusammen und lockerten sich wieder, wohl ein Zeichen innerer Anspannung. Der Mann wirkte elegant, eine Eigenschaft, die Grania normalerweise nur mit Frauen in Verbindung brachte, und zog mit Sicherheit die Blicke aller auf sich, wenn er einen Raum betrat.

»Wer sind Sie?«, erkundigte er sich noch einmal.

»Das ist meine Freundin Grania, Daddy«, antwortete Aurora. »Ich hab dir doch erzählt, dass sie mir gestern auf den Klippen begegnet ist. Wir hatten heute Morgen in der Küche einen Mordsspaß. Wenn die Kugel aus Zeitungspapier und Kleister, die wir gebastelt haben, angemalt ist, kriegst du sie.« Aurora umarmte ihren Vater.

»Schön, dass es dir Freude gemacht hat, Liebes.« Er strich ihr sanft übers Haar und bedachte Grania mit einem leicht argwöhnischen Lächeln. »Sind Sie zu Besuch in Dunworley?«, fragte er.

»Ich stamme aus dem Ort, lebe aber seit zehn Jahren im Ausland. Ich bin vorübergehend bei meiner Familie.«

»Verstehe.« Er sah durch die Terrassentür hinaus in den Garten. »Dies ist ein magischer Ort, nicht wahr, Aurora?«

»Ja, Daddy. Hier sind wir zu Hause.«

»Stimmt.« Er wandte sich wieder Grania zu. »Tut mir leid, ich habe mich noch nicht vorgestellt.« Er streckte ihr die Hand hin. »Alexander Devonshire.« Seine langen, schlanken Finger schlossen sich um die ihren.

»Devonshire? Ich dachte, hier wohnen die Lisles.«

Seine dunklen Augenbrauen hoben sich kaum merklich. »Es handelt sich in der Tat um das Haus der Lisles, in deren Familie ich eingeheiratet habe. Meine Frau…«, Alexanders Blick wanderte zu dem Gemälde, »… hat Dunworley House geerbt, und eines Tages wird es unserer Tochter gehören.«

»Entschuldigung. Das wusste ich nicht.«

»Kein Problem, Grania. Ich bin es gewohnt, in der Gegend ›Mr. Lisle‹ genannt zu werden.« Alexander zog seine Tochter näher zu sich heran.

»Ich gehe jetzt wohl lieber«, erklärte Grania mit einem Gefühl des Unbehagens.

»Daddy, kann sie nicht zum Lunch bleiben?«, bettelte Aurora.

»Danke für das Angebot, aber ich muss wirklich los.«

»Natürlich«, sagte Alexander. »Es ist sehr nett von Ihnen, dass Sie sich mit meiner Tochter beschäftigen.«

»Mit ihr ist es viel schöner als mit dem alten Kindermädchen, Daddy. Warum kann sie nicht auf mich aufpassen?«

»Grania hat bestimmt Wichtigeres zu tun.« Alexander bedachte Grania mit einem verlegenen Lächeln. »Wir dürfen ihr nicht die Zeit stehlen.«

»Keine Sorge, es war mir ein Vergnügen.«

»Kommst du morgen mit den Farben wieder?«, fragte Aurora.

Grania sah Alexander an, der nickte. »Ja. Ich schaue mal, was ich auftreiben kann.« Grania setzte sich in Bewegung. Alexander trat beiseite und streckte ihr noch einmal die Hand hin.

»Danke, Grania. Sehr freundlich von Ihnen, sich Zeit für meine Tochter zu nehmen. Sie sind hier jederzeit willkommen. Falls ich nicht da sein sollte: Mrs. Myther, die auf Aurora aufpasst, wohnt im Haus.« Er begleitete Grania mit Aurora aus dem Salon durch den Eingangsbereich zurück zur Küche. »Aurora, würdest du bitte Mrs. Myther sagen, dass sie das Mittagessen auftragen kann?«

»Ja, Daddy. Auf Wiedersehen, Grania, bis morgen.« Aurora lief die Treppe hinauf.

Alexander ging Grania voran zur hinteren Tür, wo er sich ihr zuwandte. »Aurora kann sehr beharrlich sein. Lassen Sie sich nicht von ihr überreden, mehr Zeit mit ihr zu verbringen, als Sie wollen.«

»Wie gesagt: Ich bin gern mit ihr zusammen.«

»Passen Sie trotzdem auf.«

»Ja.«

»Gut. Wir werden Sie sicher bald wieder hier begrüßen können. Auf Wiedersehen, Grania.«

»Auf Wiedersehen.«

Grania hätte sich am liebsten umgedreht, um zu sehen, ob er ihr nachschaute, doch sobald sie durch das Tor war, folgte sie schnellen Schrittes dem Klippenweg, bis sie ihren Lieblingsfelsen erreichte, auf den sie sich, außer Atem und ein wenig verwirrt über Alexanders Wirkung auf sie, setzte.

Sie richtete den Blick aufs Meer. Es war ruhig, ein schlafendes Ungeheuer, das jederzeit zum Leben erwachen und Chaos anrichten konnte.

Als Grania sich auf den Heimweg machte, überlegte sie, ob das auch auf den Mann zutraf, den sie gerade kennengelernt hatte.

»Hallo, ich bin's. Lässt du mich rein?«

»Klar.« Matt drückte auf den Türöffner und wandte sich wieder dem Baseballmatch im Fernsehen zu.

Charley trat ein und schloss die Tür hinter sich. »Ich hab uns was vom Chinesen mitgebracht, deine Lieblingsspeise, knusprige Ente«, teilte sie ihm mit, während sie in Richtung Küche ging, um zwei Teller zu holen und die Flasche Wein aufzumachen, die sie dabeihatte. »Hast du Hunger?«

»Nein«, antwortete Matt.

»Du musst was essen, Schätzchen, sonst fällst du vom Fleisch.« Sie stellte das Essen und die Teller auf dem Tischchen vor ihm ab und rollte ihm einen Pfannkuchen aus Entenfleischstreifen und Hoisinsauce.

Matt nahm ihn seufzend, biss hinein und kaute ohne Appetit.

Charley rollte ihm einen weiteren Pfannkuchen und trank einen Schluck Wein. »Möchtest du reden?«

»Was gibt's da schon zu sagen?« Matt zuckte mit den Achseln. »Meine Freundin hat mich aus Gründen verlassen, die ich weder kenne noch verstehe, und weigert sich, sie mir zu erklären.« Er schüttelte verzweifelt den Kopf. »Deine Strategie des Schweigens hat übrigens nicht funktioniert. Grania hat nicht angerufen.«

»Tut mir leid, Matty. Ich dachte wirklich, dass Grania sich melden würde. Ich dachte, sie liebt dich.«

»Das dachte ich auch.« Matt verzog das Gesicht. »Vielleicht habe ich mich getäuscht, und sie will mich nicht mehr. Ich habe mir das Hirn zermartert und komme einfach auf nichts, womit ich sie verletzt haben könnte.«

Charley legte tröstend die Hand auf Matts Knie. »Vermutlich hat es mit dem Verlust des Babys zu tun, und ihre Gefühle haben sich verändert… Sorry, andere Gemeinplätze fallen mir nicht ein.«

»Tja, wahrscheinlich gibt's wirklich nichts zu sagen. Sie ist weg, und mit jedem Tag ihrer Abwesenheit nimmt mein Glaube, dass sie zurückkommt, ab.« Matt sah Charley an. »Meinst du, ich sollte doch nach Irland fliegen?«

»Keine Ahnung. Ich will ja nicht negativ klingen, aber sie scheint ziemlich klargemacht zu haben, dass sie im Moment keinen Kontakt will.«

»Stimmt.« Matt leerte sein Weinglas und schenkte sich nach. »Ich versuche mir einzureden, dass es nicht vorbei ist.«

»Warte bis Ende der Woche, ob sie anruft. Wenn sie es tut, schlägst du ihr vor, nach Irland zu kommen.«

»Das wäre eine Möglichkeit, ja, doch allmählich habe ich es satt, als Schuldiger dazustehen. Außerdem habe ich jede Menge Arbeit und bin die nächsten zwei Wochen auf einer Vortragsreise.«

»Armer Matty«, versuchte Charley, ihn zu trösten, »im Moment ist es wirklich ein bisschen viel. Aber ich sage dir, es wird besser, so oder so. Wir haben alle schon mal harte Zeiten erlebt.«

»Klar«, pflichtete Matt ihr bei. »Sorry. Im Moment bin ich keine sonderlich angenehme Gesellschaft.«

»Trotzdem müssen Freunde da sein, wenn man sie braucht. Kleiner Themenwechsel: Darf ich dich um einen Gefallen bitten?«

»Und zwar?«

»In ein paar Tagen kommen bei mir Handwerker und bleiben ungefähr einen Monat. Ich wollte dich fragen, ob ich in der Zeit bei dir ins Gästezimmer könnte. Ich würde dir natürlich Geld dafür geben«, fügte Charley hinzu. »Du weißt ja, dass ich die meisten Abende und Wochenenden unterwegs bin.«

»Du musst nichts zahlen. Ich bin in nächster Zeit mehr weg als hier, also komm einfach, wann immer du möchtest.« Matt stand auf, um einen Schlüssel aus dem Schreibtisch zu holen, und reichte ihn ihr.

»Danke.«

»Keine Ursache. Offen gestanden: Wahrscheinlich bin ich sogar froh über die Gesellschaft. Du tust mir einen Gefallen.«

»Wenn du sicher bist…«

Matt tätschelte ihr Bein. »Ich weiß deine Sorge um mich zu schätzen.«

»Keine Ursache, Matty.« Charley schenkte ihm ein strahlendes Lächeln.

5

»Was hast du denn vor?«, fragte Kathleen Grania, als diese ihren Mantel zuknöpfte. »Du hast dir die Haare gewaschen und dich geschminkt.«

»Ich besuche Aurora. Ist es in dieser Gegend eine Sensation, sich die Haare zu waschen und Make-up zu tragen?«, fragte Grania zurück.

»Du willst nach Dunworley House?«

»Ja.«

Kathleen verschränkte die Arme. »Ich habe dich gewarnt, Grania. Lass die Finger von den Lisles.«

»Mam, ich versuche, einem Mädchen die Langeweile zu vertreiben, und habe nicht die Absicht, bei ihnen einzuziehen! Was ist bloß los?«

»Ich habe es dir doch erklärt: Die Lisles machen unserer Familie nur Probleme. Du hast schon genug ohne die ihren.«

»Mein Gott, Mam! Aurora hat keine Mutter mehr und kennt hier niemanden. Sie ist einsam!«, zischte Grania. »Bis später.«

Als die Tür hinter Grania ins Schloss fiel, seufzte Kathleen. »Ja«, murmelte sie, »und du hast kein Kind.«

Kathleen überlegte, ob sie mit John über Grania und ihre Besuche in Dunworley House sprechen sollte. In der vergangenen Woche war Grania jeden Tag dort gewesen und manchmal sogar erst nach Einbruch der Dunkelheit zurückgekehrt. Der Blick ihrer Tochter verriet Kathleen, dass sie sich magisch angezogen fühlte, wie schon andere vor ihr ...

»Tja, Mädchen«, sagte Kathleen, während sie Shanes Bett machte, »je eher du zurück nach New York zu Matt fliegst, desto besser. Für uns alle.«

Grania wusste inzwischen, dass Aurora ihr auf dem Hügel entgegenkommen würde, um sie zum Tor zu begleiten. Sie mochte es, wie sie auf sie zurannte; ein so anmutiges Kind war ihr noch nie begegnet. Beim Gehen schwebte Aurora fast, und beim Laufen tanzte sie. Sie erinnerte Grania an die Feen aus den irischen Märchenbüchern, die ihre Mutter ihr als Kind vorgelesen hatte.

»Hallo, Grania.« Aurora umarmte sie und nahm ihre Hand. »Ich hab schon auf dich gewartet. Daddy will dich, glaube ich, was fragen.«

»Ach.« Grania hatte Alexander in der vergangenen Woche kein einziges Mal gesehen. Aurora hatte ihr erzählt, dass er von einer schweren Migräne geplagt werde, weshalb er sich in sein Zimmer zurückgezogen habe, und auf Granias besorgte Äußerung über seinen Gesundheitszustand mit einem Achselzucken reagiert.

»Er fängt sich schnell wieder, wenn man ihn in Ruhe lässt.«

Granias Gedanken waren an den Abenden vor dem Einschlafen immer wieder zu Auroras Vater gewandert. Sie wusste nicht, wieso Alexander eine solche Wirkung auf sie ausübte, stellte jedoch fest, dass sie zunehmend weniger an Matt dachte.

»Warum möchte er mich sehen?«, fragte Grania.

Aurora kicherte. »Das ist ein Geheimnis.« Sie tänzelte auf das Tor zu und öffnete es für Grania.

»Hast du in London jemals Tanzstunden genommen, Aurora? Ich könnte mir vorstellen, dass dir das Spaß machen würde.«

»Nein, Mummy wollte das nicht. Sie hat Ballett gehasst.«

Aurora rieb sich die Nase, als sie das Tor hinter ihnen schloss. »Aber ich würde gern tanzen lernen und Ballerina werden. Ich habe ein paar alte Bücher im Speicher gefunden, mit Bildern von hübschen Frauen auf Zehenspitzen.«

Grania beobachtete Aurora, wie sie den Pfad vor ihr entlanghüpfte. Am liebsten hätte sie ihr gesagt, dass Lily tot sei und sicher nichts dagegen hätte, wenn sie tanzen lernte, doch das stand ihr nicht zu. Sie folgte Aurora schweigend in die Küche.

»Was machen wir heute?«, erkundigte sich Aurora, die Hände in die Hüften gestemmt. »Was ist in deiner Zaubertasche?«

Grania holte Aquarellfarben und eine kleine Leinwand heraus. »Weil das Wetter so schön ist, dachte ich, wir könnten rausgehen und malen. Was meinst du?«

Aurora nickte. »Brauchen wir keine Staffelei?«

»Wir kommen auch ohne aus, aber wenn dir das Malen gefällt, fahre ich vielleicht mit dir nach Cork, um eine zu kaufen.«

Aurora strahlte. »Mit dem Bus? Ich wollte immer schon mal mit dem Bus fahren.«

»Hast du das denn noch nie gemacht?«

»Nein, hier verkehren nicht viele, und in London hat uns Daddys Chauffeur überall hingebracht. Fragst du Daddy?«

Grania nickte. Als sie vom Salon auf die Terrasse gehen wollten, kam die Haushälterin Mrs. Myther mit einem Wäschekorb die Treppe herunter.

»Könnte ich kurz mit Ihnen sprechen, Grania? Unter vier Augen«, fügte Mrs. Myther mit gesenkter Stimme hinzu.

»Aurora, geh du schon mal voraus und such uns die schönste Stelle zum Malen. Ich komme gleich nach.«

Aurora nickte und öffnete die Terrassentür.

»Mr. Devonshire möchte wissen, ob Sie ihm heute oder morgen Gesellschaft beim Abendessen leisten könnten. Er würde sich gern mit Ihnen über Aurora unterhalten.«

»Verstehe.«

Als Mrs. Myther Granias besorgten Blick sah, tätschelte sie lächelnd ihren Arm. »Es geht um nichts Schlimmes. Mr. Devonshire und ich sind sehr dankbar, dass Sie so viel Zeit mit Aurora verbringen. Wäre Ihnen heute oder morgen lieber? Er will Aurora bei dem Gespräch offenbar nicht dabeihaben.«

»Heute Abend wäre mir recht.«

»So gegen acht?«

»Ja.«

»Gut. Darf ich Ihnen noch sagen, dass Sie genau das sind, was dieses Kind braucht? Seit Aurora Sie kennt, blüht sie richtig auf.«

Grania ging zu Aurora auf die Terrasse, wo sie einen ruhigen Vormittag in der schwachen Sonne verbrachten und Grania Aurora die Grundlagen der Perspektive erklärte. Als es kühl wurde, zogen sie sich in die Küche zurück. Aurora setzte sich auf den Schoß von Grania, die ihr zeigte, wie man Rot mit Blau vermischte, um den zarten Lilaton der Klippen am hinteren Ende der Bucht zu erhalten. Als sie ihr Werk betrachteten, schlang Aurora die Arme um Granias Hals und drückte sie.

»Danke, Grania. Was für ein schönes Bild. Ich werde es zur Erinnerung an zu Hause immer im Schlafzimmer aufhängen.«

Mrs. Myther, die sich zu ihnen gesellt hatte, rührte am Herd in der Suppe. Grania fasste das als Signal zu gehen auf und erhob sich.

»Was machen wir morgen?«, erkundigte sich Aurora. »Fragst du Daddy heute Abend, ob ich mit dem Bus nach Cork fahren darf?«

Grania sah Aurora erstaunt an. »Woher weißt du, dass ich heute Abend komme?«

»Das weiß ich einfach.« Aurora tippte sich gegen die Nase. »Du fragst ihn doch, oder?«

»Versprochen.«

Grania teilte ihrer Mutter mit, dass sie am Abend nicht zum Essen da sein würde. Kathleen hob eine Augenbraue, ohne sich dazu zu äußern.

»Ich geh jetzt«, verabschiedete sich Grania später. »Bis dann.«

Kathleen musterte sie. »Du hast dich ganz schön rausgeputzt.«

»Ach, Mam. Auroras Vater will mit mir über seine Tochter sprechen. Ich habe ihn ein einziges Mal gesehen. Das ist keine Verabredung.« Grania holte eine Taschenlampe aus einem Regal.

»Was soll ich Matt sagen, wenn er anruft?«

Grania schlug wortlos die Tür hinter sich zu und machte sich auf den Weg nach Dunworley House. Sie hatte keinerlei Grund für ein schlechtes Gewissen, und ihre Mutter besaß kein Recht, die Motive ihres Handelns zu hinterfragen. Genauso wenig, wie Matt ihr vorschreiben konnte, was sie zu tun oder zu lassen hatte. Schließlich hatte *er* ihre Beziehung ruiniert.

Als Grania an der hinteren Tür von Dunworley House klopfte, reagierte niemand. Also trat sie ein und blieb unsicher in der leeren Küche stehen, bevor sie auf den Flur ging. »Hallo?«, rief sie. Wieder keine Reaktion. »Hallo?« Sie klopfte an der Tür zum Salon, öffnete sie und sah Alexander in einem Sessel am Kamin sitzen, ein Dokument in den Händen. Er schrak hoch, als er Grania bemerkte, und erhob sich verlegen.

»Entschuldigung. Ich habe Sie nicht hereinkommen hören.«

»Kein Problem.«

»Darf ich Ihnen den Mantel abnehmen? Setzen Sie sich doch zu mir an den Kamin. In diesem Haus ist es schrecklich kalt«, stellte er fest, als er ihr aus dem Mantel half. »Möchten Sie ein Glas Wein oder vielleicht einen Gin Tonic?«

»Einen Wein, danke.«

»Nehmen Sie Platz. Ich bin gleich wieder bei Ihnen.«

Grania setzte sich nicht in den Sessel am Kamin, weil es ihr dort zu warm war, sondern auf ein unbequemes damastbezogenes Sofa.

Kurz darauf kehrte Alexander mit einer Flasche Wein und zwei Gläsern zurück.

»Danke, dass Sie gekommen sind, Grania«, sagte er, reichte ihr ein Glas und ging zu seinem Sessel beim Kamin. »Unter anderem wollte ich mich dafür bedanken, dass Sie sich in der vergangenen Woche mit Aurora beschäftigt haben.«

»Das war mir ein Vergnügen. Es hat mir genauso viel Freude bereitet wie ihr.«

»Wirklich, das war sehr nett von Ihnen. Aurora sagt, Sie sind Bildhauerin.«

»Ja. Ich habe ein Atelier in New York.«

»Wie schön, wenn man mit seinem Talent Geld verdienen kann«, meinte Alexander seufzend.

»Ja«, pflichtete Grania ihm bei. »Leider besitze ich nicht viele andere Fähigkeiten.«

»Ich finde es ohnehin besser, in einem Metier richtig gut zu sein als in vielen Durchschnitt.«

»Darf ich fragen, was Sie tun?«

»Ich bewege anderer Leute Geld. Indem ich sie reich mache, werde ich es ebenfalls. Man könnte sagen, ich bin eine Heuschrecke. Mein Beruf bringt mir nicht das geringste Vergnügen; er ist nicht nützlich«, fügte Alexander missmutig hinzu.

»Seien Sie nicht so selbstkritisch«, sagte Grania. »Das muss man erst mal können. Ich wüsste gar nicht, wie man so was macht.«

»Danke für das Kompliment, aber ich produziere nichts. Etwas Konkretes zu schaffen bereitet Freude.« Alexander nahm einen Schluck Wein. »Ich bewundere kreative Menschen, da ich selbst absolut kein solches Talent besitze. Ich würde gern Ihre Arbeit kennenlernen. Stellen Sie aus?«

»Ja, hin und wieder. Allerdings sind momentan die meisten Skulpturen, die ich fertige, Auftragsarbeiten für Privatpersonen.«

»Das heißt, ich könnte Ihnen einen Auftrag erteilen?«

»Ja.« Grania zuckte mit den Achseln. »Warum nicht?«

»Dann tue ich das vielleicht.« Er lächelte. »Wollen wir essen?«

»Ja.«

Alexander stand auf. »Ich sage Mrs. Myther, dass wir so weit wären.«

Grania fragte sich, wie ein solcher Mann sich so unwohl in seiner Haut fühlen konnte. Ihrer Erfahrung nach waren reiche, erfolgreiche Männer, die aussahen wie Alexander, arrogant und besaßen ein starkes Selbstbewusstsein, das sich aus allgemeiner Bewunderung speiste.

»Es ist fertig«, verkündete Alexander, als er den Kopf zur Tür hereinstreckte. »Wir gehen ins Esszimmer. Dort ist es wärmer als in der Küche.«

Grania folgte Alexander. Der hochglanzpolierte lange Mahagonitisch war am einen Ende für zwei Personen gedeckt. Grania wählte den am weitesten vom Kamin entfernten Stuhl.

Alexander setzte sich ans Kopfende. Mrs. Myther betrat den Raum mit zwei Tellern, die sie vor ihnen abstellte.

»Danke.« Alexander nickte der Haushälterin zu, die das Zimmer verließ, und sah Grania an. »Ich muss mich für das rustikale Essen entschuldigen, aber die feine Küche ist nicht ihre Stärke.«

»Ich liebe Schinken, Kohl und Kartoffeln mit Sauce«, versicherte Grania ihm.

»Es ist das Einzige, was Mrs. Myther ordentlich hinkriegt. Bitte, fangen Sie doch an«, fügte er mit einem Blick auf ihren Teller hinzu.

Sie aßen eine Weile schweigend. Grania beobachtete ihren Gastgeber aus den Augenwinkeln.

»Weswegen haben Sie mich eingeladen?«

»Ich wollte Sie nach Ihren Plänen für den kommenden Monat fragen«, antwortete Alexander. »Wenn Sie nur zu Besuch bei Ihrer Familie sind, wollen Sie sicher bald nach New York zurück, oder?«

Grania legte Messer und Gabel zusammen. »Ehrlich gesagt, habe ich noch nicht entschieden, was ich tun werde.«

»Gehe ich recht in der Annahme, dass Sie vor etwas weglaufen?«

Wie konnte jemand, der sie kaum kannte, das ahnen? »Wenn Sie so wollen. Wie kommen Sie darauf?«

»Nun...« Alexander schluckte den letzten Bissen hinunter und wischte sich den Mund mit der Serviette ab. »Zum einen besitzen Sie eine Kultiviertheit, die Sie sich bestimmt nicht in Dunworley erworben haben. Zum anderen habe ich Sie, wahrscheinlich noch vor Aurora, auf den Klippen spazieren gehen sehen. Sie wirkten nachdenklich. Außerdem hätte eine Frau wie Sie normalerweise weder Zeit noch Lust, jeden Tag in Gesellschaft einer Achtjährigen zu verbringen.«

Grania spürte, wie sie rot wurde. »Das ist eine ziemlich zutreffende Einschätzung meiner gegenwärtigen Situation.«

»Meine Tochter scheint Sie sehr zu mögen, und offenbar können Sie ihr auch etwas abgewinnen...«

»Ich finde sie reizend und bin gern mit ihr zusammen«, erklärte Grania. »Sie ist einsam.«

»Ja, das stimmt«, pflichtete Alexander ihr seufzend bei.

»Wollen Sie sie nicht in die Schule schicken? Es gibt eine ausgezeichnete Grundschule keine zwei Kilometer von hier. Dort könnte sie sich mit Gleichaltrigen anfreunden.«

»Das hätte keinen Sinn.« Er schüttelte den Kopf. »Ich habe keine Ahnung, wie lange wir da sein werden, und Freundschaften zu schließen, die sie dann wieder aufgeben muss, wäre nicht gut für sie.«

»Und ein Internat? Dort hätte sie, egal, wo Sie sich aufhalten, ihren Lebensmittelpunkt.«

»Natürlich ist mir dieser Gedanke auch schon gekommen«, sagte Alexander. »Doch leider hat Aurora nach dem Tod ihrer Mutter emotionale Probleme entwickelt, die einem solchen Schritt entgegenstehen. Sie muss zu Hause unterrichtet werden. Was mich zum Grund meiner Einladung führt.«

»Und der wäre?«

»Mrs. Myther hat schon in London für uns gearbeitet und sich freundlicherweise bereit erklärt, die ersten paar Wochen hier bei uns zu bleiben. Aber ihre Familie lebt in London, und sie möchte so schnell wie möglich zu ihr zurück. Ich habe mich mit mehreren Agenturen in Verbindung gesetzt, um ein Kindermädchen für Aurora und eine Haushälterin für Dunworley zu engagieren, bisher ohne Erfolg. Und ich muss in ein paar Tagen weg. Was ich Sie fragen wollte, Grania: Wären Sie bereit, in diesem Haus zu wohnen und auf Aurora aufzupassen, bis ich geeignetes Personal aufgetrieben habe?«

Mit diesem Vorschlag hatte Grania nun wirklich nicht gerechnet. »Ich ...«

Alexander hob die Hand.

»Ich weiß, Sie sind kein Kindermädchen, und als solches

betrachte ich Sie auch nicht. Aurora kann mich nicht begleiten, weshalb ich so schnell wie möglich jemanden finden muss,
dem ich vertrauen kann und in dessen Gesellschaft sie sich
wohlfühlt. Ich hoffe, ich überrumple Sie nicht.«

»Aber nein. Ich fühle mich geehrt, dass Sie denken, mir vertrauen zu können. Schließlich kennen Sie mich kaum.«

»Ich kenne Sie sehr wohl, Grania«, widersprach er ihr lächelnd.
»Aurora erzählt die ganze Zeit von Ihnen. Seit dem Tod ihrer
Mutter habe ich sie nicht mehr so begeistert erlebt. Verzeihen
Sie also meine Bitte. Ich könnte gut verstehen, wenn Sie Nein
sagen. Allerdings würde ich Ihnen versprechen, dass es nicht länger als einen Monat dauert; ich muss einige Dinge erledigen…
und jemanden finden, der sich langfristig um sie kümmert.«

»Einen Monat…« Grania biss sich auf die Lippe. »Ich weiß
nicht…«

»Bitte lassen Sie sich Zeit, über meinen Vorschlag nachzudenken. Ich wollte Sie noch etwas anderes fragen: Würden Sie
eine Skulptur von Aurora für mich anfertigen? Sie könnten
hier arbeiten. Ich würde Sie sowohl für die Skulptur als auch
fürs Aufpassen auf meine Tochter bezahlen. Übrigens nicht
schlecht.«

»Das möchte ich mir in Ruhe überlegen.«

»Natürlich.« Alexander nickte. »Geben Sie mir bitte so
schnell wie möglich Bescheid. Ich reise am Sonntag ab.«

Bis zum Sonntag waren es vier Tage.

»Was machen Sie, wenn ich Nein sage?«

»Keine Ahnung.« Alexander zuckte mit den Achseln. »Vielleicht kann ich Mrs. Myther überreden zu bleiben, indem ich
ihr Salär verdopple. Aber das ist nicht Ihr Problem. Ich habe
Sie in eine schwierige Lage gebracht. Tun Sie, was Sie für richtig halten. Verzeihen Sie, dass ich gefragt habe; Aurora hat mich
darum gebeten.«

»Darf ich Ihnen meine Entscheidung morgen mitteilen?«

»Ja. Wenn Sie mich jetzt entschuldigen würden. Ich habe schreckliche Kopfschmerzen.«

»Selbstverständlich. Kann ich Ihnen irgendwie helfen?«

Alexander sah sie traurig an. »Ich wünschte, Sie könnten es.« Er legte seine Hand auf die ihre. »Danke, dass Sie gefragt haben.«

Als Grania beim Schein der Taschenlampe entlang den Klippen nach Hause ging, dachte sie an diese Berührung. In dem Moment hätte sie alles getan, um ihm zu helfen. Wer oder was er war, wusste sie nicht. Doch die Erinnerung an den Schmerz, den sie in seinen Augen gesehen hatte, begleitete sie in das Farmhaus ihrer Eltern, wo sie sich erschöpft ins Bett legte.

Was für eine absurde Idee! Sie war eine erfolgreiche Bildhauerin und hatte ihr eigenes Leben in New York… Wieso überlegte sie überhaupt, ob sie in das Haus ziehen und auf ein kleines Mädchen aufpassen sollte, das sie bis vor einer Woche noch gar nicht gekannt hatte? Um einem Mann zu gefallen, über den sie nichts wusste und dessen Zugehörigkeit zur Lisle-Familie Granias Mutter Kopfzerbrechen bereitete.

Und doch… und doch…

Grania wälzte sich hin und her. Sie hatte das Gefühl, in gefährliche Gewässer zu steuern. Plötzlich sehnte sie sich nach der Sicherheit und Normalität des Daseins, das sie in den vergangenen acht Jahren geführt hatte.

War ihre Beziehung mit Matt tatsächlich zu Ende?

Sie hatte ihm keine Chance gegeben, alles zu erklären. Was, wenn sie sich täuschte? Was, wenn es sich um eine Abfolge unglücklicher Umstände handelte, die sie falsch interpretiert hatte? Sie hatte das Kind verloren… War sie emotional überhaupt zu einem Urteil in der Lage gewesen? Hatte sie überreagiert? Grania drehte sich seufzend herum. Ihr fehlte das große Bett, das Matt und sie geteilt hatten, ihr fehlten das Leben mit ihm und *er*.

Es war an der Zeit, Matt Gelegenheit zu geben, dass er ihr seine Version der Ereignisse schilderte.

Sie warf einen Blick auf die Uhr. Es war drei Uhr früh, also neun Uhr abends in New York. Im schlimmsten Fall wäre Matts Handy aus- und der Anrufbeantworter im Loft eingeschaltet, im besten würde er selbst rangehen.

Grania setzte sich auf, schaltete das Licht ein, griff nach dem Handy und drückte den Schnellwahlknopf. Als sich die Mailbox meldete, beendete sie das Gespräch und wählte die Loftnummer. Nach zweimal Klingeln hörte sie eine Stimme.

»Hallo?«

Eine weibliche Stimme, deren Besitzerin Grania kannte.

Grania starrte schweigend vor sich hin, als die Stimme wiederholte: »Hallo?«

Oje, oje, oje ...

»Wer ist dran?«

Grania legte auf.

6

Als Grania und Aurora am folgenden Morgen das Haus betraten, erschien Alexander mit erwartungsvoller Miene in der Küche.

»Ich mach's. Ich passe einen Monat lang auf Aurora auf.«

»Wunderbar! Danke, Grania. Sie ahnen nicht, wie wichtig es mir ist, dass sich jemand um Aurora kümmert, den sie mag.« Alexander sah seine Tochter an. »Zufrieden, Aurora?«

»Ja!«, antwortete sie strahlend, umarmte zuerst ihren Vater und dann Grania. »Danke, Grania. Ich mache dir keine Umstände, das verspreche ich dir.«

»Das hätte ich sowieso nicht erwartet«, sagte Grania lächelnd.

»Vielleicht findet ihr Zeit, die Schulbücher aufzuschlagen, die oben in deinem Zimmer liegen?« Alexander wandte sich mit einem vielsagenden Blick Grania zu. »Ihre Hauslehrerin in London hat ihr genug Aufgaben für einen Monat mitgegeben, aber ich bezweifle, dass Aurora je in die Bücher geschaut hat.«

»Daddy, ich bin doch dabei, etwas über Kunst zu lernen.«

»Keine Sorge, ich kümmere mich darum, dass Aurora etwas tut«, versicherte Grania.

»Hast du Daddy gefragt, ob wir mit dem Bus nach Cork fahren können?«, fragte Aurora. »Grania muss ein paar Kunstsachen kaufen und hat gesagt, ich darf sie begleiten«, erklärte sie ihrem Vater. »Darf ich, Daddy? Ich war noch nie in einem Bus.«

»Es spricht nichts dagegen, solange Grania nichts dagegen hat.«

»Natürlich nicht«, sagte Grania.

»Dort könnten Sie auch das Material für die Skulptur besorgen, über die wir uns gestern Abend unterhalten haben«, schlug Alexander vor.

»Ja, wenn Sie sich sicher sind, dass Sie die wollen. Ich könnte Ihnen zuerst einige meiner Werke im Internet zeigen.«

»Ich habe mich heute Morgen bereits darüber informiert. Wir müssen uns nur noch über die Bezahlung unterhalten, dafür, dass Sie auf Aurora aufpassen, und für die Skulptur. Und kennen Sie jemanden im Dorf, der bereit wäre, jeden Tag ein paar Stunden den Haushalt zu machen? Darum müssen Sie sich nicht kümmern.«

Grania fragte sich, wie viele Leute im Ort die Antipathie ihrer Mutter gegenüber der Lisle-Familie teilten.

»Ich kann mich erkundigen«, antwortete sie zögernd. »Aber...«

Alexander hob die Hand. »Ich weiß, unsere Familie genießt in der Gegend nicht den besten Ruf. Warum, habe ich nie wirklich herausgefunden, doch ich kann Ihnen versichern, dass die Gründe in der Vergangenheit liegen.«

»Die Iren haben ein gutes Gedächtnis«, bemerkte Grania. »Ich sehe, was ich tun kann.«

Aurora zupfte an Granias Ärmel. »Wenn wir nicht bald gehen, verpassen wir den Bus.«

»Wir haben noch zehn Minuten.«

»Dann viel Spaß.« Alexander nickte. »Noch einmal danke, Grania. Vor meiner Abreise würde ich gern die Einzelheiten unserer Abmachung besprechen.«

Grania kehrte mit einer begeisterten Aurora nach Dunworley House zurück und betrat wenig später mit allerlei Einkäufen das Farmhaus ihrer Eltern, wo Kathleen gerade das Abendessen auftrug.

»Wo hast du den ganzen Tag gesteckt?«

»In Cork.« Grania stellte die Einkaufstüten im Flur ab und zog den Mantel aus. »Ich musste Materialien kaufen.«

»Du warst nicht allein«, sagte Kathleen, als sie den Rindereintopf in Teller gab.

»Ich habe Aurora mitgenommen. Sie ist vorher noch nie mit dem Bus gefahren. Kann ich dir helfen, Mam?«

Kathleen stellte wortlos die Teller auf den Tisch.

Als Grania sich setzte und Vater und Bruder sich zu ihr gesellten, kam sie sich vor wie eine Achtjährige, die beim Schuleschwänzen ertappt worden war.

Sobald Shane nach dem Essen in das Pub gegangen war und ihr Vater in seinem Sessel im Wohnzimmer saß, half Grania ihrer Mutter, die Teller abzuräumen. »Ich mach uns einen Tee, ja?«, sagte sie. »Ich muss dir was erzählen.«

»Du fliegst nach New York zu Matt?« Kathleens Miene hellte sich auf.

Grania schüttelte den Kopf. »Nein, Mam, tut mir leid.« Sie stellte den Wasserkessel auf den Herd.

»Warum nicht? Natürlich war es schrecklich für dich, das Kind zu verlieren, aber …«

»Es hat seine Gründe, Mam, doch über die möchte ich nicht reden.«

»Willst du Matt denn keine Chance geben, Liebes?«, fragte Kathleen.

Grania schenkte zwei Tassen Tee ein. »Wenn es eine Möglichkeit gäbe, alles in Ordnung zu bringen, würde ich es tun. Aber es ist zu spät. Wie du immer sagst: Es hat keinen Sinn, über Dinge nachzugrübeln, die sich nicht ändern lassen. Ich muss an die Zukunft denken.«

»Und, wie sehen deine Pläne aus?«

»Sie werden dir nicht gefallen...« Grania nippte an ihrem heißen Tee. »Auroras Vater muss einen Monat lang weg, und ich habe mich bereit erklärt, in der Zeit in Dunworley House auf sie aufzupassen.«

»Heilige Maria, Mutter Gottes!« Kathleen hob die Hände. »Es wird immer schlimmer.«

»Bitte, Mam. Was passiert ist, gehört der Vergangenheit an und hat nichts mit dem armen Mädchen zu tun. Und auch nicht mit mir. Alexander hat mich beauftragt, eine Skulptur von Aurora anzufertigen, während ich dort bin. Ich kann das Geld gebrauchen, jetzt, wo ich nicht weiß, ob ich überhaupt nach New York zurückkehren werde.«

Kathleen vergrub den Kopf in den Händen. »Oje. Die Geschichte wiederholt sich. Aber du hast recht: Die Vergangenheit hat nichts mit dir zu tun.«

»Wenn ich wüsste, was damals passiert ist, würde ich alles besser begreifen. So, wie die Dinge stehen, nehme ich Alexanders Angebot an. Was spricht dagegen?«

»Ja, was spricht dagegen...?«, wiederholte Kathleen mit leiser Stimme. »Wir tappen beide im Dunkeln. Ich habe keine Ahnung, was mit dir und Matt los ist, und du kannst nicht verstehen, wieso ich wegen deiner Verbindung mit den Lisles aus der Fassung gerate. Du sagst, der gute Alexander wird nicht da sein, wenn du in Dunworley House bist?«

»Nein, er muss weg.«

»Wie findest du Auroras Vater?«

»Er ist nett.« Grania zuckte mit den Achseln. »So gut kenne ich ihn nicht.«

»Ich halte ihn für einen anständigen Menschen, aber alle, die in Kontakt mit dieser Familie kommen, scheinen von ihr vergiftet zu werden.«

»Mam, bevor ich nicht weiß ...«

»Ja, ja.« Kathleen tätschelte traurig lächelnd die Hand ihrer Tochter.

»Es ist doch nur ein Monat«, sagte Grania. »Immerhin falle ich dir dann nicht mehr zur Last.«

»Grania, ich habe dich zehn Jahre lang nicht gesehen und freue mich, dich hier zu haben.«

»Danke, Mam. Ich wollte auch fragen, ob ich Aurora herbringen kann. Wenn du sie kennenlernst, verstehst du mich sicher besser. Sie ist ein reizendes Mädchen ...«

»Übertreib's nicht. Die Stimmung den Lisles gegenüber ist bei uns nicht die beste. Lass dir Zeit damit.«

»Okay.« Grania gähnte. »Entschuldige, ich hab nicht viel geschlafen.« Grania stand auf, spülte ihre Tasse, ging zu ihrer Mutter und gab ihr einen Kuss auf die Stirn. »Gute Nacht, Mam. Schlaf gut.«

»Du auch, Liebes.«

Sobald Grania oben war, gesellte Kathleen sich zu ihrem Mann im Wohnzimmer.

»Ich mach mir Gedanken über unser Mädchen«, erklärte sie und setzte sich seufzend in den Sessel gegenüber von John. »Sie will einen Monat lang in Dunworley House auf das Lisle-Kind aufpassen.«

»Ach.« John wandte sich vom Fernseher ab und seiner Frau zu.

»Was sollen wir tun?«, fragte Kathleen.

»Ich würde ihr nicht dreinreden. Sie ist erwachsen.«

»John, begreifst du denn nicht, was da passiert? Grania macht immer zu, wenn sie emotionale Probleme hat. Das tut sie jetzt auch. Ich sehe ihren Schmerz, komme aber nicht an sie heran.«

»So ist sie nun mal, Kathleen. Wie ihr Vater … Wir gehen unterschiedlich mit Problemen um; es gibt keine allgemein gültige Methode.«

»Findest du es nicht auch merkwürdig, dass sie keine Träne über den Verlust des Babys vergossen hat?«

»Wie gesagt: Wir haben alle unsere eigenen Methoden, über so etwas hinwegzukommen, Schatz. Lass sie einfach.«

»John«, beharrte Kathleen, »unsere Tochter überträgt ihre mütterlichen Gefühle auf dieses Kind. Für sie ist Aurora ein Ersatz für das, was sie verloren hat, und der Vater des Mädchens vermutlich ein Ersatz für Matt. Wenn sie ihre gesamte Energie auf die beiden verwendet, muss sie nicht über ihr eigenes Leben nachdenken.«

»Ich weiß, du willst unser Mädchen beschützen, aber ich sehe keine Möglichkeit, Grania zu helfen. Du etwa?«

»Nein«, antwortete Kathleen nach langem Schweigen und stand auf. »Ich gehe ins Bett.«

»Ich komme bald nach«, versprach John. Wenn Kathleen sich um eines ihrer geliebten Kinder sorgte, konnte er wenig sagen oder tun, um sie zu trösten, das war ihm klar.

Drei Tage später brachte Granias Bruder Shane sie nach Dunworley House.

Grania bedankte sich, als sie aus dem Wagen stieg.

»Keine Ursache. Sag Bescheid, wenn ich dich mit der Kleinen irgendwo hinbringen soll. Und pass auf dich auf.«

Grania betrat die Küche durch die hintere Tür, wo Aurora sie begeistert empfing.

»Endlich! Ich warte schon den ganzen Morgen auf dich!«

»Hast du etwa geglaubt, ich komme nicht?«

Aurora schürzte die Lippen. »Erwachsene versprechen oft etwas und tun es dann nicht.«

»Zu der Sorte gehöre ich nicht«, versicherte Grania ihr.

»Gut. Daddy hat gesagt, ich soll dir dein Zimmer zeigen. Es ist neben dem meinen, damit du dich nicht einsam fühlst.« Aurora nahm Granias Hand und zog sie aus der Küche, durch den Flur und die Treppe hinauf zu einem hübschen Zimmer mit einem großen schmiedeeisernen Bett und weißer Spitzentagesdecke. Die Wände waren rosa, und an dem Fenster mit dem atemberaubenden Blick hingen Vorhänge mit Blumenmuster.

»Rosa ist meine Lieblingsfarbe«, verkündete Aurora und sprang aufs Bett. »Deine auch?«

»Ich mag Rosa und Blau und Lila und …«, Grania setzte sich zu Aurora und kitzelte sie, »… Gelb und Rot und Orange und Grün …«

Aurora kicherte vergnügt. Da klopfte Alexander und trat ein.

»Was für ein Lärm.«

»Entschuldige, Daddy.« Aurora richtete sich auf. »Hoffentlich haben wir dich nicht gestört.«

»Nein, Liebes, habt ihr nicht.« Er verzog das leichenblasse Gesicht zu einem Lächeln, das eher einer Grimasse glich.

»Wenn Aurora Sie eine halbe Stunde aus ihren Fängen ließe, Grania, könnten wir vor meiner Abreise ein paar Dinge besprechen«, erklärte Alexander.

»Ja.« Grania wandte sich Aurora zu. »Hol doch mal die Schulbücher, von denen dein Vater gesprochen hat. Wir sehen uns dann in der Küche.«

Aurora nickte und verschwand artig in ihrem Zimmer, während Grania und Alexander nach unten in eine kleine Bibliothek gingen, die mit Schreibtisch und Computer ausgestattet war.

»Nehmen Sie Platz, Grania.«

Als Grania sich gesetzt hatte, reichte Alexander ihr ein Blatt

Papier. »Hier drauf stehen alle meine Telefonnummern. Ich habe Ihnen auch die meines Anwalts Hans aufgeschrieben. Wenn Sie mich nicht erreichen sollten, wenden Sie sich am besten an ihn. Er weiß Bescheid.«

»Darf ich fragen, wohin Sie fahren?«

»In die USA und anschließend vermutlich in die Schweiz...« Alexander zuckte mit den Achseln. »Tut mir leid, dass ich nicht genauer sein kann. Auf der Liste befinden sich die Nummern eines Elektrikers und eines Installateurs, für den Fall, dass es Probleme mit dem Haus gibt. Heizung und Wasser werden über eine Zeitschaltung neben dem Boiler in der Kammer bei der Küche gesteuert. Einmal die Woche bringt ein Gärtner Holz für den Kamin.«

»Gut«, sagte Grania. »Ich habe fürs Erste eine Putzkraft gefunden, die Tochter der Frau vom örtlichen Tante-Emma-Laden. Sie scheint sehr nett zu sein.«

»Danke, Grania. Ich habe Ihnen einen Scheck über einen meiner Ansicht nach angemessenen Betrag für Ihre Zeit bei Aurora und die Skulptur ausgestellt. Die Ausgaben für Lebensmittel, Reinemachefrau und Notfälle habe ich dazugerechnet. Die Einzelheiten finden Sie auf dieser Liste. Wenn Sie mehr brauchen sollten, setzen Sie sich bitte mit meinem Anwalt in Verbindung.«

Grania warf einen Blick auf den Scheck, der auf zwölftausend Euro lautete.

»Das ist viel zu viel... Ich...«

»Ihre Skulpturen verkaufen sich für mindestens zehntausend Dollar, Grania.«

»Ja, aber normalerweise möchte der Kunde vor der Zahlung das fertige Werk sehen.«

»Nicht nötig«, versicherte Alexander. »Ohne Sie könnte ich nicht wegfahren.«

»Ich mag Aurora wirklich sehr.«

»Das beruht auf Gegenseitigkeit. Seit dem Tod ihrer Mutter hat meine Tochter auf niemanden mehr so positiv reagiert wie auf Sie.«

Wieder trat dieser traurige Ausdruck in seine Augen, und fast hätte Grania die Hand ausgestreckt, um ihn zu trösten. »Ich passe gut auf sie auf.«

»Das ist mir klar. Ich muss Sie allerdings warnen... Wie soll ich das ausdrücken? Aurora behauptet manchmal, dass ihre Mutter sich noch im Haus aufhält.« Alexander schüttelte den Kopf. »Wir wissen beide, dass das die Hirngespinste eines einsamen Kindes sind. Hier gibt es keine Geister, aber wenn der Gedanke Aurora tröstet...«

»Ja«, pflichtete Grania ihm unsicher bei.

»Gut. Das wäre, glaube ich, alles. In etwa einer Stunde bringt ein Taxi mich zum Flughafen in Cork. Sie können meinen Wagen benutzen, wann immer Sie wollen. Die Schlüssel hängen am Schlüsselbrett in der Speisekammer.«

»Danke.« Grania stand auf. »Ich versuche, Aurora dazu zu bringen, dass sie sich mit ihren Schulbüchern beschäftigt.«

»Ich rufe an, sooft es geht«, versprach Alexander. »Bitte machen Sie sich trotzdem keine Sorgen, wenn Sie eine Weile nichts von mir hören. Ach, übrigens...«, er deutete auf die obere linke Schublade seines Schreibtisches, »...wenn mir etwas zustoßen sollte, finden Sie dort sämtliche Dokumente, die Sie benötigen. Mein Anwalt sagt Ihnen im Bedarfsfall, wo Sie den Schlüssel finden.«

»Wollen wir hoffen, dass der Fall nicht eintritt. Bis in einem Monat dann. Gute Reise.«

»Danke.«

Sie wandte sich der Tür zu.

»Grania?«

»Ja?«

Alexander schenkte ihr ein breites Lächeln. »Ich schulde Ihnen ein Abendessen, wenn ich wieder da bin. Sie haben mir buchstäblich das Leben gerettet.«

Grania verließ den Raum mit einem stummen Nicken.

Grania und Aurora sahen Alexanders Taxi vom Fenster in Auroras Zimmer aus nach. Grania legte ihr schützend den Arm um die Schulter, obwohl das Mädchen ruhig wirkte.

»Keine Sorge, ich bin nicht traurig. Ich bin's gewohnt, dass er weg ist. Und diesmal wird's auch nicht so schlimm, weil du da bist.« Aurora schlang die Arme um Granias Hals. »Grania?«

»Ja?«

»Könnten wir den Kamin im Wohnzimmer anzünden und Marshmallows rösten wie in dem Buch von Enid Blyton, das ich gerade gelesen habe?«

»Warum nicht? Solange du am Küchentisch eine Stunde lang rechnen übst, während ich das Abendessen koche. Abgemacht?« Grania streckte ihr die Hand hin.

Aurora schlug ein. »Abgemacht.«

Später am Abend, als Grania Aurora ins Bett gebracht und ihr vorgelesen hatte, ging sie ins Wohnzimmer. Während sie vor dem Kamin niederkniete, um das Feuer zu schüren, fragte sie sich, worauf sie sich eingelassen hatte. Ihre Entscheidung hatte mit Charleys Stimme in Matts und ihrem Loft zu tun. War es vernünftig, sich mit einem Mädchen, das sie kaum kannte, in Dunworley House zu verschanzen?

Hoffentlich rief Matt bei ihren Eltern an und erfuhr von ihrer Mutter, dass Grania nicht mehr bei ihnen war, sich von dem, was er ihr angetan hatte, nicht zerbrechen ließ, sondern sich bereits ein neues Leben aufbaute…

Sie ersetzte Matts Gesicht vor ihrem geistigen Auge durch das von Alexander. Wie war sein Blick zu interpretieren gewesen, als er sie zum Abendessen eingeladen hatte? Versuchte sie, sich in ihrem labilen Zustand an Worten aufzurichten, die nur aus Höflichkeit ausgesprochen worden waren? Grania seufzte. Sie würde einen Monat lang Zeit haben, sich darüber klar zu werden.

Sie schaltete die Lichter aus und ging nach oben, um ein Bad in der tiefen Wanne mit den Löwenfüßen zu nehmen.

Morgen, dachte sie, als sie sich in das große, bequeme Bett legte, würde sie Skizzen von Aurora anfertigen, um ein Gefühl für die Form ihres Gesichts zu bekommen.

Grania schloss die Augen.

Kathleen saß mit einer Tasse Tee am Küchentisch. Aus dem Wohnzimmer hörte sie, dass die Zehn-Uhr-Nachrichten zu Ende waren. Nach der Wettervorhersage würde John den Fernseher und das Licht ausschalten, in die Küche kommen, ein Glas mit Wasser füllen und dieses mit nach oben nehmen.

Kathleen ging zur hinteren Tür, öffnete sie und streckte den Kopf hinaus. In dem Haus auf den Klippen brannte kein Licht mehr. Grania schien schon im Bett zu sein. Kathleen schloss fröstelnd die Tür. Warum nur hatte sie ein so ungutes Gefühl? Als sie in die Küche zurückkehrte, füllte John an der Spüle sein Glas mit Wasser.

»Ich geh jetzt schlafen, Schatz. Kommst du mit?«, fragte er seine Frau.

Kathleen stieß einen tiefen Seufzer aus und rieb sich das Gesicht mit den Handflächen. »John, ich bin unruhig.«

John stellte das Wasserglas ab und nahm seine Frau in den Arm. »Was ist denn los? Es sieht dir gar nicht gleich, dich so aufzuregen.«

»Grania… Sie ist ganz allein da oben in dem Haus. Wahrscheinlich hältst du mich für albern, aber…« Sie hob den Blick. »…Du weißt, wie ich über die Lisles denke, welches Unheil sie über uns gebracht haben.«

»Ja.« John strich seiner Frau sanft eine graue Haarsträhne hinters Ohr. »Das ist lange her. Grania und das Kind gehören einer neuen Generation an.«

»Soll ich es ihr erzählen?«

John seufzte. »Ich kann nicht beurteilen, ob das eine gute oder schlechte Idee ist. Doch dass du ihr bis jetzt nichts erklärt hast, scheint dich aus der Fassung zu bringen. Wenn du meinst, dass dich das erleichtert, solltest du mit ihr reden. Nicht dass das etwas an der Situation ändern würde. Du weißt so gut wie ich, dass diese Generation keine Schuld an den Sünden ihrer Väter trägt.«

Kathleen legte den Kopf an die breite Brust ihres Mannes. »Ja, John. Aber was sie unserer Familie angetan haben…« Sie schüttelte den Kopf. »Sie hätten uns fast kaputt gemacht. Granias Augen glänzen, wenn sie von Auroras Vater spricht. Zwei Generationen ruiniert wegen dieser Familie, und ich muss zusehen, wie sich wieder das Gleiche abspielt.«

»Unsere Grania ist aus härterem Holz geschnitzt«, tröstete John sie. »Sie tut nichts, was sie nicht will.«

»Was, wenn sie *ihn* will?«

»Dagegen kannst du nichts machen. Grania ist erwachsen, kein Kind mehr, Kathleen. Er ist doch nicht mal bei ihnen im Haus. Sie passt in seiner Abwesenheit auf seine Tochter auf, nichts deutet darauf hin, dass…«

Kathleen löste sich von John. »Du täuschst dich! Ich habe ihren Blick gesehen. Was wird aus Matt, wenn sie sich in diesen Lisle verguckt? Vielleicht sollte ich Matt anrufen, ihn bitten zu kommen…«

»Kathleen, beruhige dich.« John seufzte. »Du darfst dich nicht in die Angelegenheiten deiner Tochter einmischen. Wir müssen warten, bis sie uns sagt, was sie uns verschweigt. Vielleicht erleichtert es dich, wenn du ihr über die Vergangenheit erzählst. Es kann nicht schaden, und Grania versteht besser, warum es dich so beunruhigt, wenn sie da oben ist.«

»Glaubst du?«

»Ja. Dann kann sie selbst entscheiden. Ich für meinen Teil muss jetzt jedenfalls ins Bett. Ich schwöre dir, dafür zu sorgen, dass ihr nichts passiert.«

Kathleen lächelte matt.

»Danke. Das weiß ich.«

Grania wurde durch ein lautes Geräusch geweckt. Sie setzte sich auf, schaltete das Licht ein, warf einen Blick auf die Uhr und stellte fest, dass es kurz nach drei war. Da nun völlige Stille herrschte, knipste sie das Licht aus, legte sich zurück und versuchte, wieder einzuschlafen.

Auf dem Flur knarrten die Bodendielen. Grania lauschte. Schritte, eine Tür wurde geöffnet. Grania stand auf und schaute hinaus. Eine Tür am anderen Ende des Flurs stand offen, ein schmaler Lichtstreifen fiel heraus. Grania ging hin und drückte sie ganz auf. Das Zimmer war in Mondlicht getaucht, das durch die hohen Fenster schien. In dem Raum war es eisig kalt. Mit wild klopfendem Herzen trat sie auf den Balkon hinaus.

Dort stand Aurora mit zum Meer ausgestreckten Armen, so, wie Grania sie das erste Mal gesehen hatte. »Aurora«, flüsterte Grania, der auffiel, dass das Geländer dem Kind nur bis zu den Oberschenkeln reichte. »Aurora.« Keine Reaktion. »Bitte komm rein, Liebes. Hier draußen holst du dir den Tod.« Sie spürte Auroras kalte Haut unter dem dünnen Nachthemd.

Aurora deutete in Richtung Meer. »Da ist sie… Siehst du sie?«

Als Grania zum Rand der Klippe blickte, stockte ihr der Atem. Eine schattenhafte Gestalt im Mondlicht, an genau der Stelle, an der sie Aurora das erste Mal begegnet war… Grania schluckte, schloss die Augen, öffnete sie wieder. Und sah nichts mehr. Voller Panik ergriff sie Auroras Arm.

»Aurora, komm sofort rein!«

Aurora wandte sich ihr mit leichenblassem Gesicht zu, lächelte stumm und ließ sich hinein und zurück zu ihrem Bett führen. Als Grania sie zudeckte, drehte sie sich um und schloss die Augen. Grania blieb bei ihr sitzen, bis ihr Atem regelmäßig ging und sie wusste, dass Aurora schlief. Dann schlich sie, selbst vor Kälte und Angst zitternd, hinaus und zu ihrem eigenen Zimmer.

Im Bett dachte sie über die Gestalt im Mondlicht nach.

Das hatte sie sich bestimmt eingebildet, oder? Grania, die keine Angst vor Unbekanntem empfand, hatte immer nur gelacht, wenn ihre Mutter von der Geisterwelt sprach.

Aber heute Nacht… da draußen auf den Klippen…

Grania seufzte. Wie albern.

Sie schloss die Augen.

7

Grania wachte nach acht auf und erinnerte sich mit Schaudern an die Ereignisse der Nacht.

Aurora saß bereits mit einer Schale Frühstücksflocken in der Küche. Als sie Grania erblickte, rief sie enttäuscht aus: »Ich wollte dir das Frühstück ans Bett bringen.«

»Danke, sehr lieb von dir, aber das kann ich mir selber machen.« Grania füllte den Kessel mit Wasser und stellte ihn auf den Herd. »Wie hast du geschlafen?«, erkundigte sie sich vorsichtig.

»Sehr gut, danke«, antwortete Aurora. »Und du?«

»Auch«, log Grania. »Möchtest du Tee?«

»Nein, danke. Ich trinke nur Milch.« Aurora löffelte Frühstücksflocken aus der Schale. »Manchmal habe ich seltsame Träume, Grania.«

»Tatsächlich?«

»Ja. Ich träume, dass ich meine Mutter sehe, draußen auf den Klippen.«

Grania setzte sich wortlos mit dem Tee zu ihr.

»Das ist nur ein Traum, oder? Mummy kann nicht zurückkommen, weil sie tot und im Himmel ist. Sagt Daddy.«

»Ja.« Grania legte tröstend eine Hand auf Auroras schmale Schulter. »Daddy hat recht. Menschen, die im Himmel sind, können nicht zurückkommen, egal, wie sehr man sich das wünscht…« Grania musste an ihr eigenes Baby denken, das nie das Licht der Welt erblickt hatte, und bekam feuchte Augen.

»Manchmal habe ich das Gefühl, dass sie da ist und ich sie sehe«, beharrte Aurora. »Aber wenn ich Daddy davon erzähle, schickt er mich zum Arzt, also sage ich nichts mehr.«

»Komm.« Grania zog Aurora auf ihren Schoß. »Deine Mummy hat dich sehr lieb gehabt. Selbst wenn Menschen nicht aus dem Himmel zurückkommen, kann man das Gefühl haben, sie sind da und kümmern sich um einen.«

»Du findest das nicht merkwürdig? Und du hältst mich nicht für verrückt?«

»Nein.« Grania strich ihr über die rotgoldenen Locken und küsste Aurora auf die Stirn. »Heute Morgen beschäftigen wir uns mit Schularbeiten, um deinem Daddy eine Freude zu machen. Und ich zeichne Skizzen von dir für die Skulptur. Dann haben wir am Nachmittag frei. Vorschläge?«

»Nein.« Aurora zuckte mit den Achseln. »Du?«

»Wir könnten auf ein Sandwich nach Clonakilty fahren und anschließend an den Strand gehen.«

Aurora klatschte begeistert in die Hände. »Ja, bitte. Ich liebe den Strand!«

»Gut, abgemacht.«

Aurora setzte sich artig an ihre Schulbücher, übte Rechnen und lernte Erdkunde. Grania fertigte Skizzen aus unterschiedlichen Blickwinkeln, bis sie ein Gefühl für Auroras Züge hatte. Einige Stunden später, sie kochte sich gerade einen Kaffee, merkte sie, was fehlte. »Aurora, gibt es im Haus ein Radio oder einen CD-Player?«, fragte sie. »Im Atelier höre ich gern Musik.«

»Mummy mochte Musik nicht«, stellte Aurora fest, ohne den Kopf zu heben.

Grania runzelte die Stirn. »Und ein Fernseher?«

»In unserem Haus in London hatten wir einen. Ich hab gern geschaut.«

»Daddy hat mir Geld dagelassen. Wollen wir einen kaufen?«
Aurora strahlte. »Ja, Grania.«

»Du meinst nicht, dass Daddy was dagegen hat?«

»Nein, in London hat er auch manchmal geschaut.«

»Dann besorgen wir uns einen in der Stadt, bevor wir an den Strand gehen, und ich bitte meinen Bruder Shane, ihn später für uns aufzustellen. Der kann so was.«

»Kaufen wir uns am Strand ein Eis?«

»Ja.« Grania lächelte.

Nachdem sie den Fernseher erworben hatten, aßen sie in Clonakilty zu Mittag und fuhren mit dem Auto zum Strand von Inchydoney, wo Aurora anmutig über den menschenleeren sauberen weißen Sand tanzte. Für ein Mädchen, das behauptete, noch nie eine Tanzstunde besucht zu haben, besaß sie ein atemberaubendes Talent.

»Du tanzt gern, stimmt's?«, fragte Grania, als die Kleine sich mit roten Wangen neben sie setzte.

»Ja.« Aurora verschränkte die Hände hinter dem Kopf und blickte hinauf zu den Wolken. »Ich kann es nicht richtig, aber …«

»Ja?«, hakte Grania nach.

»Mein Körper weiß genau, was er tun muss. Beim Tanzen vergesse ich alles und bin glücklich.« Plötzlich wurde Auroras Miene düster, und sie seufzte. »Ich wünschte, es könnte immer so sein wie jetzt.«

»Würdest du denn gern tanzen lernen, in Ballettstunden?«

»Ja. Als Daddy Mummy den Vorschlag gemacht hat, wollte sie nicht. Ich weiß nicht, warum.« Aurora rümpfte die Nase.

»Vielleicht warst du noch zu klein. Jetzt hätte sie sicher nichts mehr dagegen, oder?«

Grania war es wichtig, dass Aurora selbst die Entscheidung traf.

»Möglich … Wo könnte ich es lernen?«, fragte Aurora unsicher.

»In Clonakilty finden jeden Mittwochnachmittag Ballettkurse statt. Die habe ich selbst besucht.«

»Dann muss die Lehrerin jetzt ganz schön alt sein.«

»So alt auch wieder nicht, du Frechdachs«, widersprach Grania schmunzelnd. »Also, wie sieht's aus? Sollen wir morgen hingehen?«

»Brauche ich keine Ballettschuhe und so ein Ding, das Tänzerinnen tragen?«, erkundigte sich Aurora.

»Du meinst einen Body?« Grania überlegte. »Wir probieren's morgen einfach mal aus, und wenn du weitermachen möchtest, fahren wir wieder nach Cork und besorgen alles Nötige.«

»Lachen mich die anderen Mädchen nicht aus, wenn ich so, wie ich bin, komme?«

»Sobald sie dich tanzen sehen, merken sie nicht mehr, was du anhast.«

»Na schön«, meinte Aurora. »Aber wenn's mir nicht gefällt, muss ich nie wieder hin, ja?«

»Natürlich nicht.«

Am Abend stellte Shane den Fernseher im Salon auf. Aurora sprang aufgeregt um ihn herum, während er geduldig die Funktionsweise der Fernbedienung erklärte. Als Aurora sich vor das Gerät setzte, gingen Grania und Shane in die Küche.

»Möchtest du was trinken?«, fragte Grania. »Ich hab in der Stadt eine Flasche Wein gekauft.«

»Ein Gläschen. Du weißt ja, dass ich kein großer Weinkenner bin«, antwortete Shane und blickte sich um. »Hier müsste mal gestrichen werden, findest du nicht?«

»Stimmt. Das Haus hat in den vergangenen vier Jahren leer

gestanden. Vielleicht beschließt Alexander, es zu renovieren, wenn sie bleiben.«

»Ist ziemlich einsam.« Shane leerte das Glas mit zwei Schlucken wie ein Bier. »Ganz schön mutig, dass du mit der Kleinen allein hier wohnst. Für mich wär das nichts. Und Mam ist auch nicht besonders glücklich drüber.«

»Das hat sie mir deutlich genug gezeigt.« Grania schenkte ihm Wein nach. »Hast du eine Ahnung, woher ihre Abneigung gegen das Haus und die Familie rührt?«

»Nein.« Shane kippte das zweite Glas Wein wie das erste. »Hat sicher was mit der Vergangenheit zu tun. Zerbrich dir darüber nicht den Kopf, Grania. So ist sie nun mal. Letztes Jahr war ich kurz mit einer jungen Frau zusammen, deren Mutter mit Mam in die Schule gegangen ist und die sie nicht leiden konnte. Sie hat mir das Leben zur Hölle gemacht.« Shane schmunzelte. »Zum Glück war das nicht die Frau fürs Leben, und außerdem hat Mam das Herz am rechten Fleck.«

»Ja.« Grania seufzte. »Manchmal ist es allerdings schwierig rauszufinden, ob hinter ihren Gefühlen wirklich etwas steckt.«

»Sie hat gestern Abend mit Dad über dich geredet, also könntest du bald von ihr Besuch kriegen. Ich muss jetzt los; der Tee steht sicher schon auf dem Tisch. Sie mag es nicht, wenn wir zu spät kommen.« Shane stand auf. »Ruf mich über Handy an, wenn du was brauchst. Mam muss davon nichts erfahren.« Er verabschiedete sich mit einem Kuss auf die Wange von ihr. »Bis bald.«

Bevor Grania am Abend ins Bett ging, öffnete sie die Tür zu dem Zimmer mit dem Balkon, auf dem Aurora in der Nacht zuvor gestanden hatte. Als sie es betrat und das Licht einschaltete, stieg ihr leichter Parfümduft in die Nase. Grania nahm an der eleganten Frisierkommode eine hübsche Bürste aus Elfenbein mit den Initialen »L L« in die Hand. Zwischen den Borsten entdeckte sie ein langes rotgoldenes Haar. Grania bekam eine Gänsehaut.

Sie wandte sich von der Frisierkommode ab und dem Bett mit der Spitzentagesdecke und den hübschen Kissen zu, das aussah, als wartete es nur darauf, dass seine frühere Besitzerin sich darauf niederließ. Der schwere Mahagonischrank zog Grania magisch an. Sie öffnete ihn. Lilys Kleider befanden sich noch darin, und in ihnen hing der Duft ihres Parfüms.

»Du bist tot ... weg ...«

Grania sprach die Worte laut aus, als sie den Raum beim Verlassen verschloss. Dann ging sie zu ihrem Zimmer und verstaute den Schlüssel in ihrem Nachtkästchen. Im Bett überlegte sie, ob es Aurora guttat, dass das Zimmer ihrer Mutter seit deren Tod nicht verändert worden war und wie ein Schrein an sie erinnerte.

»Arme Kleine«, murmelte Grania müde.

Als Grania hochschreckte, sah sie, dass die Lampe auf dem Nachtkästchen noch brannte. Sie hörte Schritte vor ihrer Tür und schlich auf Zehenspitzen hin. Am Ende des Flurs stand Aurora und versuchte, die Klinke zum Zimmer ihrer Mutter herunterzudrücken.

Grania schaltete das Licht im Flur ein und trat zu ihr. »Aurora«, sagte sie leise und legte eine Hand auf ihre Schulter, »ich bin's, Grania.«

Aurora wandte sich ihr mit verwirrtem Gesichtsausdruck zu.

»Du hast geträumt. Geh zurück ins Bett.« Grania versuchte, sie von der Tür wegzuschieben, doch Aurora wehrte sich. »Aurora, wach auf! Du träumst«, wiederholte Grania.

»Warum geht die Tür nicht auf? Mummy ruft mich. Ich muss zu ihr. Wieso kann ich nicht rein?«

»Aurora.« Grania rüttelte sie sanft. »Wach auf, Liebes.« Es gelang ihr nur mit Mühe, die Finger der Kleinen von der Klinke zu lösen. »Komm, ich bring dich zurück ins Bett.«

Aurora sank schluchzend in Granias Arme. »Sie hat mich gerufen; ich hab sie gehört … Grania, ich hab sie gehört.«

Grania hob die zitternde Aurora hoch, trug sie zu ihrem Bett, wischte ihr die Tränen aus dem Gesicht und strich ihr übers Haar.

»Aurora, begreifst du denn nicht, dass alles nur ein Traum ist?«

»Ich höre sie, Grania, ich höre ihre Stimme.«

»Viele Menschen träumen lebhaft von geliebten Menschen, die sie verloren haben. Aurora, deine Mummy ist im Himmel.«

»Manchmal«, schniefte Aurora und wischte sich die Nase mit der Hand ab, »glaube ich, dass ich zu ihr in den Himmel kommen soll. Sie sagt, sie ist einsam. Alle halten mich für verrückt … aber das bin ich nicht, Grania, wirklich.«

»Ich weiß«, beruhigte Grania sie. »Mach jetzt die Augen zu. Ich bleibe bei dir, bis du eingeschlafen bist.«

»Ja, ich bin müde …« Aurora schloss artig die Augen, und Grania strich ihr über die Stirn. »Ich hab dich gern, Grania, und fühle mich sicher, wenn du bei mir bist«, murmelte sie.

Nach einer Weile schlief Aurora ein, und Grania kehrte erschöpft in ihr Zimmer zurück.

8

Am folgenden Nachmittag brachte Grania Aurora mit dem Wagen nach Clonakilty. »Wenn dir der Ballettunterricht nicht gefällt, musst du nicht mehr hin«, versprach sie ihr.

»Das Tanzen wird mir gefallen, das weiß ich, aber ich habe Angst, dass die anderen mich anstarren«, gestand Aurora. »Mädchen in meinem Alter scheinen mich nicht zu mögen.«

»Wart's ab. Wie meine Mutter immer sagt: Man sollte alles mal probiert haben.«

»Klingt gut«, stellte Aurora fest, als sie aus dem Auto stieg. »Meinst du, ich könnte sie kennenlernen?«

»Das lässt sich bestimmt machen. Ich treffe mich mit ihr auf einen Tee, während du in der Ballettstunde bist.«

Granias frühere Ballettlehrerin Miss Elva begrüßte Grania mit einem Kuss auf die Wange und Aurora mit einem freundlichen Lächeln. »Grania, schön, dich zu sehen. Und du musst Aurora sein.« Miss Elva ging vor der Kleinen in die Hocke und nahm ihre Hände. »Du weißt, dass du nach der schönen Prinzessin in *Dornröschen* benannt bist?«

Aurora machte große Augen. »Nein.«

»Komm, ich stelle dir die anderen Mädchen vor. In einer Stunde holt Grania dich wieder ab.«

»Gut.« Aurora folgte Miss Elva schüchtern ins Studio.

Grania verließ das Gebäude und folgte der schmalen, belebten Straße mit den für Irland typischen bunten Häusern zu O'Donovan's Café, in dem ihre Mutter auf sie wartete.

»Hallo, Mam, wie geht's?«, fragte Grania, drückte ihr einen Kuss auf die Wange und setzte sich ihr gegenüber.

»Gut, danke. Und dir?«

»Auch gut.« Nach einem Blick in die Speisekarte bestellte Grania eine Kanne Tee und ein Scone.

»Die Kleine hat heute ihre erste Ballettstunde?«

»Ja. Ich glaube, dass sie das Zeug zur Tänzerin hat. Sie bewegt sich so anmutig, dass ich mich manchmal dabei ertappe, wie ich sie anstarre.«

»Kein Wunder.« Kathleen seufzte. »Es liegt ihr im Blut.«

»Ach.« Grania hob fragend eine Augenbraue, als ihr Tee serviert wurde. »War ihre Mutter Tänzerin?«

»Ihre Großmutter. Sogar eine berühmte.«

»Es erstaunt mich, dass Aurora nichts davon erwähnt hat.« Grania biss in ihr Scone.

»Möglicherweise weiß sie es nicht. Und, wie läuft's in Dunworley House?«

»Gut.« Grania wollte ihrer Mutter von Auroras nächtlichen Ausflügen und der merkwürdigen Atmosphäre im Haus erzählen, ohne ihre Ablehnung zu verstärken. »Aurora scheint sich in meiner Gesellschaft wohlzufühlen und sich mir zu öffnen. Der Fernseher, den ich für sie gekauft habe, gefällt ihr. Ich habe das Gefühl, sie braucht ...«, Grania suchte nach dem richtigen Ausdruck, »... eine gewisse Normalität. Sie scheint den größten Teil ihres Lebens von der Außenwelt abgeschottet gewesen zu sein, und das finde ich ungesund. Ihre Einsamkeit gibt ihr zu viel Zeit für ihre Fantasien.«

»Fantasien?« Kathleen bedachte ihre Tochter mit einem spöttischen Lächeln. »Sie behauptet, ihre Mutter gesehen zu haben, stimmt's?«

»Wir wissen beide, dass sie träumt.«

»Du hast ihre Mutter nicht auf den Klippen beobachtet?«

»Mam, das ist doch nicht dein Ernst, oder?«

»Vielleicht schon. Ich selber hab sie noch nie gesehen, aber ich könnte dir ein paar Leute im Ort nennen, die schwören, sie hätten sie zu Gesicht bekommen.«

»Lächerlich.« Grania nippte an ihrem Tee. »Leider glaubt Aurora wirklich, dass ihre Mutter ihr erscheint. Sie schlafwandelt und sagt, sie hätte sie gerufen.«

Kathleen bekreuzigte sich und schüttelte den Kopf. »Was ihr Vater sich bloß dabei gedacht hat, sie hierherzubringen... Aber egal: Das geht uns nichts an. Auch wenn du auf die arme Kleine aufpassen musst.«

»Ich mag sie und helfe ihr, so gut ich kann«, sagte Grania. »Worüber wolltest du mit mir sprechen?«

»Nun...« Kathleen beugte sich ein wenig vor und senkte die Stimme. »Dein Daddy meint, ich soll dir erklären, warum deine Verbindung mit dieser Familie mich so aus der Fassung bringt.« Kathleen zog ein dickes Bündel Briefe aus ihrer Einkaufstasche.

Grania sah an den braunen Rändern, dass die Briefe alt waren. »Von wem sind die?«

»Von meiner Großmutter Mary.«

Grania runzelte nachdenklich die Stirn. »Hab ich die je kennengelernt?«

»Nein, leider nicht. Sie war eine wunderbare Frau; ich mochte sie sehr. Manche würden sagen, sie war in ihrem unabhängigen Wesen ihrer Zeit voraus. Ich glaube, du bist ein bisschen wie sie, Grania.« Kathleen schmunzelte.

»Ich fasse das mal als Kompliment auf, Mam.«

»So war's gemeint. Und Ähnlichkeit mit ihr hast du auch.« Kathleen öffnete den obersten Umschlag und reichte Grania ein kleines sepiafarbenes Foto. »Das ist sie, deine Uroma.«

Als Grania das Bild betrachtete, musste sie ihr zustimmen.

Zwar trug Mary eine Haube und altmodische Kleidung, doch ansonsten sah sie genauso aus wie Grania. »Wann wurde das aufgenommen, Mam?«

»Mary dürfte damals zwischen zwanzig und dreißig gewesen sein, also vermutlich in London.«

»In London? Was hat Mary dort gemacht?«

»Das werden dir die Briefe verraten.«

»Ich soll sie lesen?«

»Ja, wenn du begreifen möchtest, wie die Geschichte mit den Lisles begann. Außerdem hilft es dir vielleicht, die einsamen Abende da oben herumzubringen. Es wäre genau der richtige Ort, sie zu lesen, weil Mary auch dort gewesen ist.«

»Die Briefe erklären alles?«

»Das will ich damit nicht sagen. Sie sind nur der Anfang. Den Rest werde ich dir selber erzählen.« Sie warf einen Blick auf die Uhr. »Aber jetzt muss ich los.«

»Ich auch.« Grania winkte die Kellnerin herbei. »Geh du ruhig, die Rechnung übernehme ich.«

»Danke, Grania.« Kathleen stand auf und gab ihrer Tochter einen Kuss. »Pass auf dich auf. Bis bald.«

»Eins noch: Könnte ich Aurora mal zur Farm mitbringen? Sie würde dich gern kennenlernen und die Tiere sehen.«

»Meinetwegen.« Kathleen seufzte. »Aber bitte ruf vorher an.«

»Danke, Mam.« Grania lächelte, zahlte die Rechnung, steckte die Umschläge in ihre Handtasche und ging Aurora abholen. Als sie das Gebäude erreichte, sah sie, dass das Mädchen noch bei Miss Elva war. Die Lehrerin, die Grania durchs Fenster entdeckte, sagte etwas zu Aurora, die nickte. Wenig später trat Miss Elva aus dem Studio, um mit Grania zu sprechen.

»Wie macht sie sich?«, erkundigte sich Grania.

»Dieses Kind«, antwortete Miss Elva mit gesenkter Stimme,

als die anderen Schülerinnen aus dem Umkleideraum kamen, »ist erstaunlich. Aurora hat noch nie eine Ballettstunde besucht?«

»Das behauptet sie zumindest, und ich wüsste nicht, warum sie mich anlügen sollte.«

»Aurora hat wirklich alles, was man sich für eine Ballerina wünscht. Eine aufrechte Haltung, einen hohen Rist, die idealen Körpermaße ... Kaum zu glauben, was ich gerade erlebt habe, Grania.«

»Sie sollte also anfangen?«

»Ja. Und zwar schnell. Sie ist schon vier Jahre hintennach, und wenn ihr Körper weiblichere Formen annimmt, wird es schwieriger für sie zu lernen. Aber das hier ist nicht die richtige Klasse für Aurora. Sie würde nach ein paar Stunden alle überflügeln. Wenn ihre häusliche Situation es erlaubt, wäre ich bereit, ihr Privatstunden zu geben.«

»Ich weiß nicht, ob Aurora das möchte«, sagte Grania.

»Ich habe sie gerade gefragt. Sie ist begeistert. Wenn sie die Grundlagen der Technik verinnerlicht, könnte ich mir vorstellen, dass sie in ein paar Jahren einen Platz an der Royal Ballet School in London ergattert. Dürfte ich mit ihren Eltern sprechen?«

»Auroras Mutter ist tot und ihr Vater im Ausland. Ich passe auf sie auf. Ich würde Aurora gern selbst fragen, ob sie weitermachen will.«

Miss Elva nickte. Aurora gesellte sich zu ihnen.

»Hallo, Liebes. Miss Elva sagt, du hättest Spaß an der Stunde gehabt. Stimmt das?«, erkundigte sich Grania.

»Ja!« Aurora strahlte. »Es hat mir sehr gut gefallen.«

»Gut. Du möchtest also wiederkommen?«

»Natürlich. Miss Elva und ich haben schon darüber gesprochen. Ich darf doch, oder, Grania?«

»Vielleicht sollte ich zuerst deinen Daddy fragen, ob er was dagegen hat.«

»Okay«, stimmte Aurora zögernd zu. »Auf Wiedersehen, Miss Elva, und danke.«

»Bis nächste Woche, Aurora«, rief Miss Elva ihr nach, als Grania und Aurora zum Wagen gingen.

Am Abend erzählte Aurora aufgeregt von der Stunde, zeigte Grania, was sie gelernt hatte, drehte Pirouetten und vollführte Sprünge in der Küche, während Grania das Essen zubereitete.

»Wann fahren wir nach Cork, um die Ballettsachen zu kaufen? Morgen?«

»Ich möchte zuerst deinen Daddy fragen.«

»Wenn du meinst. Er hat nichts dagegen, oder?«

»Bestimmt nicht, aber ich will sicher sein. Soll ich dir eine Geschichte vorlesen?«

»Ja, bitte«, antwortete Aurora, als Grania sie an der Hand nahm und mit ihr nach oben ging. »Kennst du *Dornröschen* mit der Prinzessin, nach der ich benannt bin? Die Rolle möchte ich eines Tages tanzen«, sagte sie mit verträumtem Blick.

»Das wirst du, Liebes.«

Sobald Aurora eingeschlafen war, öffnete Grania die Tür zu Alexanders Arbeitszimmer, suchte seine Telefonnummer aus der Liste heraus und wählte sie. Sofort meldete sich die Mailbox.

»Hallo, Alexander, ich bin's, Grania Ryan. Tut mir leid, dass ich störe. Aurora geht es gut. Ich wollte fragen, ob es Ihnen recht ist, wenn sie Tanzunterricht nimmt. Die Probestunde heute hat ihr gut gefallen. Sie würde gern weitermachen. Könnten Sie mich zurückrufen oder mir eine SMS schicken? Wenn ich in den nächsten zwei oder drei Tagen nichts von Ihnen höre, gehe ich davon aus, dass Sie einverstanden sind. Ich hoffe, bei Ihnen ist alles in Ordnung. Wiederhören.«

Um elf Uhr legte sich Grania mit einem unguten Gefühl ins Bett. Fast rechnete sie damit, auf dem Flur Schritte zu hören, und sosehr sie sich auch bemühte: Sie konnte nicht einschlafen. Um drei Uhr – die Zeit, zu der sie in den vorangegangenen Nächten aufgewacht war – schlich Grania zu Aurora. Das Mädchen schlummerte tief und fest. Grania kehrte in ihr Zimmer zurück und wandte sich den Briefen zu, die ihre Mutter ihr gegeben hatte. Sie löste das Band um das Bündel, nahm den ersten heraus und begann zu lesen ...

Aurora

Das ist der Anfang der Geschichte; einige der Figuren kennen wir jetzt, unter ihnen auch mich. Wie immer stehe ich im Mittelpunkt. Rückblickend erkenne ich, was für ein altkluges Kind ich war.

Meine nächtlichen Ausflüge schildere ich nur, um zu zeigen, wie schmal der Grat zwischen Traum und Realität ist.

Wie gesagt, ich glaube an Magie.

Heute habe ich herausgefunden, dass ich sowohl nach einer Märchenprinzessin als auch nach einem Himmelsphänomen benannt bin. Der Gedanke gefällt mir. Trotzdem bin ich froh, dass mein zweiter Vorname nicht »Borealis« ist.

Nun bewegen wir uns in der Zeit zurück. Die Protagonisten der Gegenwart kennen wir bereits:

Grania, die um ihr verlorenes Kind trauert und dem Mann gegenüber, den sie liebt, gemischte Gefühle hegt. Mittlerweile ist mir klar, wie verletzlich sie war, ein leichtes Opfer für ein Kind, das sich nach einer Mutter sehnt.

Ein attraktiver Vater, der sich bemüht, mit der Situation fertig zu werden.

Kathleen, die um die Vergangenheit weiß und verzweifelt versucht, ihr Kind zu schützen.

Und Matt, hilflos den Frauen ausgeliefert.

Auf den folgenden Seiten begegnen wir zahlreichen Frauen und Männern – eine Besetzung, die einem Märchen alle Ehre machen würde. Damals waren düstere Zeiten, in denen ein Menschenleben wenig galt und es ums nackte Überleben ging.

Ich wünschte, ich könnte sagen, dass wir unsere Lektion gelernt haben.

Aber die meisten Menschen besinnen sich erst auf die Vergangenheit, wenn sie die gleichen Fehler gemacht haben wie ihre Vorfahren. Dann gilt ihre Meinung allerdings oft nichts mehr bei den Jungen. Weshalb die Menschheit immer mit Fehlern behaftet, aber auch faszinierend bleiben wird.

Kehren wir zu den Klippen über Dunworley Bay zurück, wo meine Geschichte begann ...

9

»Der Einberufungsbefehl ist gekommen. Morgen brechen wir zu den Wellington Barracks in London auf.«

Mary, die das Blau des Meeres genossen hatte – an jenem heißen Augusttag wirkte die sonst so trübe Dunworley Bay wie eine Postkartenidylle an der französischen Riviera –, blieb stehen und ließ Seans Hand los.

»Was?«, rief sie aus.

»Mary, Schatz, du hast wie ich gewusst, dass das kommen würde. Ich bin Reservist bei den Irish Guards; ich muss den Alliierten im Krieg gegen Deutschland helfen.«

»Wir wollten doch in einem Monat heiraten! Das Haus ist halb fertig! Du kannst nicht einfach gehen!«

Sean schmunzelte über ihr Entsetzen, obwohl die Nachricht auch ihn erschreckt hatte, denn sich eine Situation vorzustellen und sich ihr real gegenüberzusehen waren zwei Paar Stiefel.

»Mary, ich muss für mein Land kämpfen.«

»Sean Ryan!« Mary stemmte die Hände in die Hüften. »Es ist nicht dein Land, für das du kämpfen wirst, sondern das der Briten, die uns seit dreihundert Jahren unterdrücken.«

»Sogar Mr. Redmond hält uns an, für die Briten in den Krieg zu ziehen; du kennst doch den Gesetzentwurf, der uns Iren mehr Unabhängigkeit sichern wird. Sie haben uns einen Gefallen getan; eine Hand wäscht die andere.«

»Einen Gefallen! Indem sie den rechtmäßigen Eigentümern dieses Landes endlich ein Mitspracherecht bei der Regierung zugestehen?« Mary setzte sich auf einen Felsen, verschränkte die Arme und starrte aufs Meer hinaus.

»Fehlt nicht mehr viel, und du wirst Mitglied bei den Nationalisten, was?« Sean konnte ihr Bedürfnis, einen Sündenbock für die Katastrophe zu finden, die da über sie hereinbrach, durchaus verstehen.

»Wenn das hilft, dich bei mir zu behalten …«

Sean ging neben ihr in die Hocke und griff nach ihrer Hand, aber sie schob ihn weg. »Mary, bitte. Die Verwirklichung unserer Pläne verzögert sich doch nur.«

Mary hielt den Blick unverwandt aufs Meer gerichtet. Nach einer Weile stieß sie einen Seufzer aus. »Und ich dachte, diese Soldatensache ist bloß eine Gelegenheit für dich, eine Waffe in die Hand zu nehmen und ein bisschen anzugeben. Nie wäre ich auf die Idee gekommen, dass das einmal bitterer Ernst wird und ich dich verlieren könnte.«

»Schatz.« Wieder griff Sean nach ihrer Hand, und diesmal ließ sie ihn gewähren. »John Redmond hätte mich auch angefordert, wenn ich kein Reservist wäre. Im Gegensatz zu den anderen habe ich immerhin so etwas wie eine Ausbildung. Außerdem sind die Irish Guards eine ehrwürdige Institution. Ich werde im Kreis Gleichgesinnter sein, Mary. Wir bringen den Deutschen das Fürchten bei, und ich komme so schnell wie möglich zu dir nach Irland zurück.«

Langes Schweigen. »Sean, dafür gibt es keine Garantie, das weißt du so gut wie ich.«

Sean erhob sich. »Schau mich an, Mary. Ich bin über eins neunzig groß und habe Kraft. Dein Zukünftiger ist kein Waschlappen, der sich von ein paar dahergelaufenen Deutschen ins Bockshorn jagen lässt.«

Sie sah ihn mit Tränen in den Augen an. »Eine Kugel ins Herz fällt auch den stärksten Mann.«

»Mach dir keine Sorgen. Ich passe auf mich auf und bin eher wieder bei dir, als du denkst.«

Mary bemerkte seine Begeisterung. Während sie nur daran dachte, dass er möglicherweise sterben würde, träumte Sean vom Ruhm auf dem Schlachtfeld. »Du fährst also morgen nach London?«

»Ja. Wir werden von Cork nach Dublin gebracht. Von dort aus nehmen wir das Schiff nach England.«

Mary senkte den Blick. »Wann sehe ich dich wieder?«

»Ich weiß es nicht«, antwortete Sean. »Irgendwann kriege ich Heimaturlaub.« Seine Hand schloss sich um die ihre. »Der Zeitpunkt ist nicht gerade günstig, aber das lässt sich nicht ändern.«

»Wie wird dein Daddy ohne dich auf der Farm zurechtkommen?«, fragte Mary.

»Die Frauen werden tun, was sie in solchen Zeiten immer getan haben: die Arbeit der Männer übernehmen. Als mein Daddy im Burenkrieg war, hat meine Mammy sich hier großartig geschlagen.«

»Hast du es ihr schon gesagt?«

»Nein, ich wollte zuerst mit dir reden. Das Gespräch mit ihr steht mir noch bevor. Ach, Mary.« Sean legte die Arme um sie und zog sie zu sich heran. »Wir heiraten, sobald ich zurück bin. Begleitest du mich zur Farm?«

»Nein.« Mary schüttelte den Kopf. »Ich muss eine Weile allein sein. Geh und sag's deiner Mammy.«

Sean nickte, küsste sie auf die Stirn und richtete sich auf. »Ich komme später bei dir vorbei, zum ... Verabschieden.«

»Ja«, murmelte sie, als Sean sich entfernte. Sie wartete, bis er außer Sichtweite war, bevor sie den Kopf in die Hände stützte und zu weinen begann. Innerlich zürnte sie dem Gott, zu dem sie so viele Stunden gebetet hatte. Mary fiel nichts ein, was eine solche Katastrophe gerechtfertigt hätte.

In ihrem alten Leben – dem Leben bis vor zwanzig Minuten, bis zu Seans Mitteilung – wäre sie in weniger als vier Wochen Mrs. Sean Ryan geworden. Zum ersten Mal hätte sie ein eigenes Zuhause gehabt, eine Familie, gesellschaftliche Achtung und vor allen Dingen einen Mann, dem ihre Herkunft egal war, der sie um ihrer selbst willen liebte. Am Tag ihrer Hochzeit wäre ihre Vergangenheit ausgelöscht worden, und sie hätte nie wieder Böden geschrubbt für die Lisles in Dunworley House.

Nicht dass der junge Sebastian Lisle unfreundlich gewesen wäre. Er war knapp vier Jahre zuvor auf der Suche nach einem Mädchen für seinen Haushalt zu den Nonnen ihres Waisenhauses gekommen. Die vierzehnjährige Mary hatte die Mutter Oberin um eine Empfehlung gebeten. Diese war alles andere als begeistert gewesen – Mary war klug und fleißig, half den anderen Waisen beim Lesen und Schreiben und hätte nach dem Willen der Mutter Oberin den Schleier nehmen und den Rest ihres Lebens im Kloster verbringen sollen.

Das entsprach nicht Marys Vorstellungen; sie hegte zu große Zweifel an einem Gott, der so viel Leid zuließ, obwohl man ihr beigebracht hatte, dass Leid Teil des Weges in den Himmel und zu Gott war. Sie gab sich große Mühe, an Seine Güte zu glauben, doch ein Leben allein für Ihn, fern der Welt, hielt sie nicht für erstrebenswert.

Die Mutter Oberin hatte die Empfehlung schließlich ausgesprochen, weil sie wusste, dass die an allem interessierte Mary sich nicht mit dem Nonnendasein zufriedengeben würde. Über Marys Wunsch, als Dienstmädchen zu arbeiten, war sie jedoch nicht glücklich.

»Du solltest dir eine Stellung als Hauslehrerin suchen«, hatte sie vorgeschlagen. »Du hast eine natürliche Begabung für das Unterrichten von Kindern. Ich könnte mich erkundigen, ob irgendwo eine solche Stelle frei wird, wenn du achtzehn bist.«

Der vierzehnjährigen Mary erschien der Gedanke, vier Jahre zu warten, unerträglich. »Mutter Oberin, es ist mir egal, was ich mache. Bitte, ich würde Mr. Lisle gern kennenlernen, wenn er herkommt«, hatte Mary gebettelt.

Am Ende hatte die Mutter Oberin zugestimmt. »Gut, sprich mit ihm. Dann liegt es in Gottes Hand, ob er dich nimmt oder nicht.«

Von den sechs von der Mutter Oberin empfohlenen Mädchen hatte Sebastian Lisle schließlich sie gewählt.

Mary hatte ihre wenigen Habseligkeiten gepackt und das Kloster ohne Bedauern verlassen.

Wie von der Mutter Oberin vermutet, war Mary bei den Lisles unterfordert, doch nach den Jahren im Kloster scheute sie harte Arbeit nicht. Über das Zimmer im obersten Stock, das sie sich mit einer anderen Bediensteten teilte, konnte sie sich nach dem Klosterschlafsaal mit elf anderen Mädchen nur freuen.

Es dauerte nicht lange, bis dem Herrn des Hauses ihr Fleiß auffiel.

Schon nach wenigen Monaten wurde Mary befördert und durfte Sebastian Lisle und seine Gäste bedienen. Mary lauschte und lernte. Die Lisles stammten aus England und waren zweihundert Jahre zuvor nach Dunworley House gekommen, um die Kontrolle über die heidnischen Iren zu übernehmen, die das Land bewohnten, von dem die Briten glaubten, es gehöre ihnen. Mary gewöhnte sich an ihren Akzent, ihre merkwürdige Förmlichkeit und ihr unerschütterliches Gefühl der Überlegenheit.

Die Arbeit für den achtzehnjährigen Sebastian Lisle und seine Mutter Evelyn, die ihren Mann im Burenkrieg verloren und ihrem Sohn die Führung des Haushalts übertragen hatte, war nicht schwer. Mary erfuhr, dass Evelyn Lisle noch einen älteren Sohn namens Lawrence hatte, der wie sein Vater in den diplomatischen Dienst eingetreten war und sich im Ausland aufhielt. Die Lisles besaßen ein weiteres Domizil in London, ein prächtiges weißes Haus, das Mary von einem Gemälde kannte und sie an eine Hochzeitstorte erinnerte.

Eines Tages, träumte Mary, würde sie Irland verlassen und die Welt sehen. Bis dahin sparte sie das wenige Geld, das sie verdiente, und versteckte es unter ihrer Matratze.

Zwei Jahre später lernte sie Sean Ryan kennen.

Die Haushälterin, die erkältet war und nicht im strömenden Regen zur Farm hinuntergehen wollte, um Eier und Milch zu besorgen, schickte Mary.

Mary klopfte völlig durchnässt an der Tür von Dunworley Farmhouse.

»Kann ich Ihnen helfen?«, fragte eine tiefe Stimme hinter ihr. Mary drehte sich um und blickte in die freundlichen grünen Augen eines jungen Mannes. Er war ungewöhnlich groß und breitschultrig, ein richtiger Farmer, der zupacken konnte und mit einem durch dick und dünn gehen würde.

Nach dieser ersten Begegnung verbrachte Mary ihre Nachmittage nicht mehr mit Klippenspaziergängen. Sean holte sie mit dem Pferdewagen ab, und sie fuhren nach Rosscarberry, tranken Tee in Clonakilty oder gingen bei schönem Wetter den nahe gelegenen Strand entlang. Sie unterhielten sich über alles Mögliche. Mary besaß Klosterbildung, Sean wusste über die Landwirtschaft Bescheid. Sie tauschten sich über Irland und die Unruhen aus, diskutierten über ihre Hoffnungen und Träume für die Zukunft, auch über ihren Wunsch, Irland zu verlassen und ihr Glück in Amerika zu versuchen. Und manchmal redeten sie überhaupt nicht.

An dem Tag, als Sean Mary mit zu seinen Eltern nahm, zitterten Mary die Knie. Doch seine Mutter Bridget und sein Vater Michael hießen sie herzlich willkommen und wollten alles über Dunworley House erfahren. Dass sie Passagen aus der Bibel und sogar aus dem lateinischen Katechismus zitieren konnte, zauberte ein bewunderndes Lächeln auf ihre wettergegerbten Gesichter.

»Ein anständiges Mädel«, lautete Bridgets Urteil. »Wird Zeit, dass du heiratest, mein Junge.«

Nach anderthalb Jahren machte Sean ihr einen Heiratsantrag, und der Hochzeitstermin wurde für ein Jahr später festgelegt.

»Deine Mammy und ich haben uns über die Zukunft unterhalten«, sagte Seans Vater Michael einige Tage später nach ein paar Gläsern Kartoffelschnaps. »Unser Haus ist alt und feucht und klein. Wir sollten daran denken, ein neues zu bauen. Auf der anderen Seite der Scheune wäre ein guter Platz dafür. Deine Mutter und ich, wir sind zu alt zum Umziehen, aber wir müssen für dich und Mary, die Kinder, die eines Tages kommen werden, und für die Enkel planen.« Michael zeigte Sean eine Skizze. »Was hältst du davon?«

Sean begutachtete die Zeichnung – eine große Küche, ein Wohn- und Esszimmer und eine Innentoilette. Dazu vier Räume im ersten Stock und ein Speicher, den man in Wohnraum verwandeln konnte, wenn die Familie größer wurde. »Woher sollen wir das Geld dafür nehmen?«, erkundigte sich Sean.

»Mach dir darüber mal keine Gedanken, Sohn, ich hab was weggelegt. Und die Arbeitskraft kostet uns nichts. Wir bauen das Haus mit unseren eigenen Händen!«

»Das viele Geld und die Arbeit, und dann gehört es nicht mal uns«, wandte Sean ein. »Wir sind nur Pächter der Lisles.«

Michael nahm einen Schluck Kartoffelschnaps und nickte. »Ja, im Moment ist das so. Aber in den nächsten Jahren ändert sich was in Irland. Die Nationalisten werden von Tag zu Tag stärker, und die britische Regierung beginnt zuzuhören. Eines Tages werden die Ryans auf ihrem eigenen Grund und Boden stehen. Wir müssen an die Zukunft denken, nicht an die Vergangenheit. Wie findest du meine Idee?«

Als Sean Mary vom Vorhaben seines Vaters erzählte, klatschte sie vor Begeisterung in die Hände.

»Sean, eine Toilette im Haus! Und ein neues Zuhause für uns und unsere Kinder. Wann können wir anfangen?«

»Bald. Die Jungs aus der Gegend helfen mir.«

»Aber was wird aus unseren Plänen?«, fragte Mary. »Aus unserer Idee, die Welt zu sehen, nach Amerika zu gehen?«

»Ich weiß, ich weiß.« Sean legte seine Hand auf die ihre. »Die vergessen wir nicht. Trotzdem brauchen die Ryans ein ordentliches Dach über dem Kopf.«

»Wir hatten uns doch fest vorgenommen, hier wegzugehen«, erwiderte Mary.

»Alles zu seiner Zeit.«

Also legten sie mit Erlaubnis von Sebastian Lisle den Grundstein und zogen die ersten Mauern hoch. Mary ging oft daran vorbei und betrachtete sie voller Ehrfurcht.

»Mein Haus«, flüsterte sie ungläubig.

Sean arbeitete jede freie Minute daran, und je mehr es Form annahm, desto weniger redeten sie über Amerika. Jetzt drehten sich ihre Gespräche eher um die Möbel, die Sean in seiner Werkstatt schreinern wollte, und um die Gäste, die sie einladen würden, sobald sie verheiratet wären.

Da Mary keine eigene Familie hatte, wurde sie quasi von

der Seans adoptiert. Sie half seiner jüngeren Schwester Coleen beim Schreiben und seiner Mutter beim Backen und lernte von seinem Vater, wie man die Kühe molk.

Obwohl die Familie nicht reich war, brachten ihr die vierzig Hektar Grund ein regelmäßiges Einkommen. Dazu kamen Milch, Eier, Fleisch und Wolle von den Schafen. Michael und Sean arbeiteten von Sonnenaufgang bis Sonnenuntergang.

An den Mienen der Leute aus der Gegend, denen Mary vorgestellt wurde, sah sie, dass sie einen guten Fang gemacht hatte.

Und jetzt, dachte Mary, als sie die Tränen mit ihrem Tuch wegwischte, würde sie alles verlieren. Sean mochte glauben, dass er gesund und munter zu ihr zurückkehren würde, aber was, wenn nicht?

Mary seufzte. Sie hätte ahnen müssen, dass alles zu schön war, um wahr zu sein. Sie hatte bereits bei den Lisles gekündigt, um sich auf die Hochzeit vorbereiten zu können, und ihr Dienst würde im folgenden Monat enden. Unter den gegebenen Umständen fragte Mary sich, ob das die richtige Entscheidung gewesen war. Wenn sie bei den Ryans einzog und wartete, bis Sean aus dem Krieg zurückkam, hatte sie weder Unabhängigkeit noch eigenes Geld. Und wenn Sean nicht zurückkehrte, konnte es sein, dass sie als alte Jungfer unter dem Dach ihres toten Verlobten endete.

Mary blickte in Richtung Dunworley House. Die Haushälterin Mrs. O'Flannery konnte sie zwar nicht sonderlich leiden, schätzte aber ihren Fleiß und hatte bestürzt auf ihre Kündigung reagiert. Auch Sebastian Lisle und seine Mutter hatten ihr Bedauern ausgedrückt.

Mary ging über die Klippen zurück zum Haus. Bestimmt würde sie ihre Stellung behalten können. Jedenfalls bis Sean zurückkam. Entschlossen betrat sie die Küche, auch wenn ihr vor der Schadenfreude der Haushälterin graute.

10

Nach dem Abschied von Sean machte Mary sich wieder an die
Arbeit in Dunworley House.

In den folgenden Monaten erhielt sie über Sebastian Lisle,
der einmal die Woche die *Times* aus England bekam, Nachrichten von der Front. Hin und wieder trafen Briefe von Sean ein,
in denen er berichtete, dass er in Frankreich in der Nähe eines
Orts mit dem Namen Mons gekämpft habe. Seinen Worten
entnahm Mary, dass er sich in Gesellschaft der anderen »Micks«,
wie die Irish Guards genannt wurden, wohlfühlte. Soldaten aus
seinem Bataillon waren gefallen; er schrieb über Freunde, die er
verloren hatte oder die verwundet worden waren.

Hin und wieder besuchte Mary die Ryans, obwohl der Anblick des halbfertigen Hauses sie traurig stimmte.

Sie musste warten, bis sich ihr weiteres Schicksal entschied.

Neun Monate später wurden Seans Briefe seltener. Mary
schrieb ihm jede Woche, um ihn nach dem versprochenen
Heimaturlaub zu fragen. In seinem letzten Brief hatte er erwähnt, dass er vier Tage in der Londoner Kaserne der Irish
Guards verbracht habe – nicht genug Zeit, um nach West Cork
zu fahren. In der *Times* las Mary über den Tod Tausender alli-
ierter Soldaten bei Ypern.

Sebastian Lisle hatte Irland fünf Monate zuvor verlassen –
nicht an die Front, denn er litt unter Asthma –, sondern um im
Auswärtigen Amt Dienst zu tun.

Ein Schatten legte sich über Dunworley House; die drei Bediensteten mussten sich nur noch um Evelyn Lisle, nicht mehr um Gäste, kümmern und hatten wenig zu tun. Wie alle in Europa wartete Mary mit angehaltenem Atem.

Achtzehn Monate später kehrte Sebastian Lisle zurück. Es war eine Freude, jemanden bei Tisch bedienen zu können; Evelyn aß zum ersten Mal seit Langem wieder mit ihrem Sohn. Zwei Tage später rief Sebastian Mary in sein Arbeitszimmer.

»Sie wollten mich sprechen, Sir?«, sagte Mary.

»Ja.« Sebastians wässrig blaue Augen schienen tiefer in den Höhlen zu liegen; er wirkte verhärmt und ausgezehrt und doppelt so alt, wie er war. Seine roten Haare begannen, licht zu werden. »Wir bräuchten ein Hausmädchen für unser Londoner Domizil, und ich habe an dich gedacht, Mary. Was hältst du davon?«

Mary sah ihn erstaunt an. »Ich? Nach London?«

»Ja. Ich komme hier mit Mrs. O'Flannery und einer Tageskraft aus dem Ort zurecht. In London hingegen, wo mehr und mehr Mädchen in den Munitionsfabriken arbeiten und die Männer auch anderswo ersetzen, wird es immer schwieriger, gutes Personal für den Haushalt zu finden. Mein Bruder hat mich gefragt, ob ich jemanden bei uns in Irland wüsste, und da bist du mir eingefallen.«

»London …«, wiederholte Mary. Dort war Seans Kaserne. Vielleicht konnte sie ihn das nächste Mal, wenn er Heimaturlaub bekam, sehen. Sie musste die Gelegenheit beim Schopf packen.

»Gern, Sir. Wären meine Aufgaben denen hier vergleichbar?«

»Mehr oder weniger. Es ist ein sehr viel größeres Haus als dieses und hatte früher zwanzig Bedienstete. Inzwischen sind es nur noch zehn. Du bekommst eine schicke Uniform, ein Zimmer, das du dir mit einem anderen Hausmädchen teilst, und einen Lohn von dreißig Shilling im Monat. Einverstanden?«

»Ich denke schon, Sir.«

»Gut. Bitte lass es mich wissen, sobald du dich entschieden hast. Dann arrangiere ich deine Passage nach England.«

»Ja, Sir.«

Einige Tage später ging Mary zu Seans Eltern, um ihnen ihren Entschluss mitzuteilen. Es überraschte sie nicht, dass sie nicht allzu begeistert waren.

»Bridget«, versuchte Mary ihre künftige Schwiegermutter beim Tee zu trösten, »ich mache das doch hauptsächlich, damit ich Sean treffen kann, wenn er das nächste Mal Heimaturlaub bekommt.«

»Gut und schön, aber die Tochter meiner Cousine, die letztes Jahr nach London gegangen ist, sagt, dass die irischen Hausmädchen dort nicht sonderlich beliebt sind. Die Engländer blicken auf die Iren herab«, erklärte Bridget naserümpfend.

»Das ist mir egal. Dagegen weiß ich mich schon zu wehren.« Mary fiel es schwer, ihre Erregung zu verhehlen.

»Versprich mir, dass du, wenn der Krieg vorbei ist, hierher zu Sean kommst, ja?«, bat Bridget sie.

»Nirgendwo wäre ich lieber als an Seans Seite. Aber ich finde, ich sollte etwas Vernünftiges tun, während ich auf ihn warte, und Geld für unsere gemeinsame Zukunft beiseitelegen.«

»Pass auf dich auf in dieser Stadt der Heiden«, meinte Bridget nur.

»Keine Sorge, das tue ich.«

Mary verspürte nicht die geringste Angst, als sie die lange Reise antrat, zuerst nach Dublin, dann mit dem Schiff nach Liverpool und schließlich im überfüllten Zug in Richtung Süden, bis zu einem riesigen Bahnhof. Mary hievte ihre Tasche auf den Bahnsteig und schaute sich um. Man hatte ihr gesagt, sie würde von jemandem abgeholt werden, der ein Schild mit ihrem Namen hochhalte. Ihr Blick wanderte über ein Meer aus khakifarbenen Uniformen, bis sie schließlich einen Mann mit einem Stück Karton, auf dem ihr Name geschrieben stand, entdeckte.

»Hallo.« Sie begrüßte ihn mit einem Lächeln. »Ich bin Mary Benedict.«

Der Mann nickte ernst. »Folgen Sie mir bitte.«

Er brachte sie zu einem glänzenden schwarzen Wagen. Auf dem feinen Lederrücksitz fühlte sich Mary, die noch nie zuvor in einem Auto gesessen hatte, wie eine Prinzessin.

Durchs Fenster sah sie Gaslampen, zahllose Menschen auf den Gehsteigen, hohe Gebäude und Straßenbahnen. Die Frauen, das fiel ihr auf, trugen Röcke, unter denen ihre *Knöchel* hervorlugten. Sie folgten einem breiten Fluss. Leider war es zu dunkel, als dass sie viel hätte erkennen können. Der Fahrer bog nach rechts ab, weg vom Fluss, und auf einen großen Platz, an dem auf allen Seiten riesige weiße Häuser standen. Vor einer Reihe von Kutscherhäuschen hielt er an und gab ihr zu verstehen, dass sie aussteigen solle.

»Hier lang, bitte«, sagte er. »Das ist der Dienstboteneingang zu Cadogan House.« Er ging die Stufen hinunter und öffnete die Tür zu einem kleinen Eingangsbereich.

Dahinter lag eine warme Küche mit niedriger Decke. In deren Mitte stand ein Tisch, an dem mehrere Bedienstete in schicken Uniformen saßen.

»Das neue Dienstmädchen, Mrs. C.«, teilte der Fahrer einer korpulenten Frau am Kopfende des Tisches mit.

»Komm näher, damit ich dich besser sehen kann«, sagte die Frau zu Mary.

»Guten Tag, Ma'am.« Mary machte einen Knicks. »Ich bin Mary Benedict.«

»Und ich bin Mrs. Carruthers, die Haushälterin.« Nachdem die Frau Mary begutachtet hatte, nickte sie. »Immerhin wirkst du gesund. Das ist mehr, als ich über das letzte irische Mädchen bei uns sagen kann. Sie ist schon nach einer Woche an einer Bronchitis gestorben. Hab ich recht, Mr. Smith?« Sie wandte sich lachend dem Mann mit dem schütteren Haar neben ihr zu, wobei ihr üppiger Busen in Bewegung geriet.

»Ich bin noch nie krank gewesen, Ma'am«, erklärte Mary.

»Das ist ja schon mal was«, meinte Mrs. Carruthers.

Mrs. Carruthers sprach mit einem so seltsamen englischen Akzent, dass Mary Mühe hatte, sie zu verstehen.

»Du hast sicher Hunger. Ihr Iren habt immer Hunger.« Sie deutete auf einen Platz am Ende des Tisches. »Zieh dich aus und setz dich. Teresa, bring Mary einen Teller Eintopf.«

»Ja, Mrs. Carruthers.« Eine junge Frau mit Spitzenhäubchen und braunem Kleid erhob sich. Mary nahm den Hut ab, schlüpfte aus Handschuhen, Mantel und Tuch und hängte alles im Eingangsbereich auf, bevor sie sich setzte.

»Mary, du kannst wahrscheinlich nicht lesen und schreiben, oder?«, seufzte Mrs. Carruthers.

»Doch, Ma'am. Ich habe die Kleineren in meiner Klosterschule unterrichtet.«

»In der Schule, so, so«, sagte Mrs. Carruthers mit einem spöttischen Lächeln. »Dann bringst du mir sicher bald bei, wie ich den Tisch zu decken habe!«

Die anderen lachten pflichtschuldig. Ohne darauf zu achten, aß Mary, die nach der Reise tatsächlich hungrig war, ihren Eintopf.

»Du hast also für Mr. Lisles Bruder in seinem Haus in Irland gearbeitet«, bemerkte Mrs. Carruthers.

»Ja.«

»Keine Ahnung, wie sie dort zurechtkommen, aber du wirst feststellen, dass hier in London ein anderer Wind weht. Mr. Sebastian Lisle sagt, du wüsstest, wie man bei Tisch bedient. Stimmt das?«

»Ich denke schon.«

»Du teilst dir das Zimmer mit Nancy, unserem Mädchen für oben.« Mrs. Carruthers deutete auf die junge Frau neben Mary. »Frühstück gibt's um Punkt halb sechs; wenn du fünf Minuten zu spät kommst, kriegst du nichts mehr, ist das klar?«

Mary nickte.

»Deine Uniform liegt auf deinem Bett. Achte darauf, dass deine Schürze immer sauber ist. Mr. Lisle nimmt es sehr genau mit der Sauberkeit. Morgen nach dem Frühstück erkläre ich dir deine Aufgaben. Wenn Mr. Lisle hier ist, geht es in diesem Haushalt hektisch zu. Er ist ein bedeutender Mann und hat genaue Vorstellungen davon, wie die Dinge sein müssen. Zum Glück für dich ist er im Moment nicht da, aber auch in seiner Abwesenheit halten wir den Standard.«

Die Bediensteten erhoben sich.

»Nancy, zeig Mary euer Zimmer.«

»Ja, Mrs. C.«, sagte die junge Frau zu Mrs. Carruthers und zu Mary: »Komm mit.«

Wenig später schleppte Mary ihre Reisetasche die Stufen hinauf zu einem breiten Flur, wo ein riesiger Kronleuchter mit Glühbirnen von der Decke hing. Nach drei weiteren Treppen erreichten sie das Speichergeschoss. »Jesus, Maria und Josef!«, rief Mary aus. »Dieses Haus ist ja groß wie ein Palast!«

»Das da gehört dir«, erklärte Nancy, als sie einen Raum mit

zwei Betten betraten, und deutete auf das am Fenster. »Du bist nach mir gekommen, also kriegst du das, wo's zieht.«

»Danke.« Mary ließ ihre Tasche aufs Bett plumpsen.

»Das warme Wasser für die Waschschüssel holen wir abwechselnd, und unter dem Bett steht ein Nachttopf«, erläuterte Nancy, setzte sich auf ihr eigenes Bett und musterte Mary. »Du bist hübsch. Wieso hast du als Irin keine roten Haare?«

»Keine Ahnung«, antwortete Mary, packte ihre wenigen Habseligkeiten aus und verstaute sie in einem Schränkchen. »In Irland haben nicht alle rote Haare.«

»Alle Iren, die ich kenne, haben welche. Du hast schöne blaue Augen und blonde Haare. Färbst du die?«

Mary schüttelte den Kopf. »Färbemittel bekommt man bei uns nicht. Bei uns gibt's nicht mal Strom.«

»Na so was. Ich könnte nicht mehr ohne leben, obwohl's in meiner Kindheit auch keinen gab. Deswegen hab ich so viele Geschwister!«, kicherte sie. »Hast du einen Freund?«

»Ja, der kämpft gegen die Deutschen. Ich habe ihn achtzehn Monate lang nicht gesehen.«

»Auch andere Mütter haben attraktive Söhne. Besonders hier in London.«

»Für mich gibt's keinen anderen.«

»Warte nur, bis du ein paar Monate in der Stadt gelebt hast. Hier verbringen viele einsame junge Soldaten ihren Heimaturlaub, die ihren Sold für hübsche Mädchen ausgeben wollen.« Nancy zog sich aus. Dabei kam ein Korsett zum Vorschein, das kaum ihre üppigen Brüste und Hüften bändigen konnte. Als sie ihre langen blonden Haare löste, ähnelte sie einem Putto. »Wenn wir gleichzeitig frei haben, zeige ich dir alles. Es gibt jede Menge zu sehen.«

»Wie sind die Herrschaften?«, erkundigte sich Mary, als sie sich ins Bett legte.

»Eine Herrin haben wir nicht. Mr. Lisle lebt allein, jeden-falls wenn er hier ist. Bis jetzt scheint er sich noch in keine Lady verguckt zu haben. Vielleicht hat er einfach kein Glück bei den Damen!«

»Sein Bruder Sebastian ist auch nicht verheiratet«, sagte Mary und zog die dünne Decke bis zum Kinn hoch, um sich gegen die Zugluft zu schützen.

»Mrs. Carruthers meint, der Herr könnte ein Spion sein«, erzählte Nancy. »Aber egal, was er macht: Es ist wichtig. Immer kommen berühmte Leute zum Essen. Einmal war sogar Lloyd George höchstpersönlich da! Kannst du dir das vorstellen? Der britische Premierminister in unserem Esszimmer?«

»Heilige Maria, Mutter Gottes! Dann muss ich ihn vielleicht bei Tisch bedienen?«, fragte Mary entsetzt.

»Ich stelle mir die berühmten Leute immer auf dem Klo vor, dann hab ich keine Angst mehr vor ihnen.«

Mary schmunzelte. Nancy begann, ihr zu gefallen. »Wie lange bist du schon im Dienst?«, erkundigte sie sich.

»Seit meinem elften Lebensjahr. Da hat meine Ma mich zum Nachttopfausleeren geschickt. Igitt. Egal, ob Dame oder Dienstmädchen – Pisse und Scheiße stinken bei allen gleich.«

Mary fielen die Augen zu; sie schlief ein, während Nancy weitererzählte.

11

In den ersten Wochen lernte Mary viel über das Leben in Cadogan House. Es wurde im großen Stil geführt, auch wenn der Herr nicht da war. Mary staunte über die riesigen Räume, die großen Fenster mit den dicken Damastvorhängen, die eleganten Möbel und die gewaltigen Kamine mit den Spiegeln darüber.

Die anderen Bediensteten nahmen Mary trotz der Witze über ihre irische Herkunft sehr freundlich auf. Nancy erwies sich als gute London-Führerin, da sie ihr gesamtes Leben in dieser Stadt verbracht hatte. Sie begleitete Mary mit der Straßenbahn zum Piccadilly Circus, aß mit ihr unter der Statue des Eros heiße Maroni und zeigte ihr die Mall und den Buckingham Palace. Im Lyons Corner House, wo zwei junge Soldaten ihnen »nachschauten«, wie Nancy es ausdrückte, tranken sie Tee und gönnten sich Biskuittörtchen. Nancy hätte ihre Blicke gern erwidert, doch davon wollte Mary nichts wissen.

Mary liebte diese neue, aufregende Welt. Die hellen Lichter und das Getümmel von London ließen fast vergessen, dass das Land sich im Krieg befand. Bis zu diesem Zeitpunkt war das britische Territorium verschont geblieben, und abgesehen davon, dass Frauen Straßenbahnen und Busse lenkten und hinter Ladentheken bedienten, wirkte die Stadt unverändert.

Bis die Zeppeline kamen.

Mary wurde wie alle anderen mitten in der Nacht von lauten Detonationen geweckt. Die Deutschen bombardierten das East End; dabei kamen zweihundert Menschen um. Plötzlich herrschte hektische Aktivität in London. Abwehrballons stiegen zum Himmel auf, die Konturen von Maschinengewehren zeichneten sich auf den hohen Gebäuden ab, und die Keller der Häuser wurden zu Luftschutzbunkern umfunktioniert.

Im Sommer 1917 – Mary befand sich seit mehr als einem Jahr in London – erklangen die Sirenen regelmäßig. Die Bediensteten flüchteten sich in den Keller, wo sie bei Kerzenlicht trockene Kekse aßen und Karten spielten, während oben Abwehrfeuer ratterte. Mrs. Carruthers saß auf ihrem Holzstuhl, der eigens von der Küche nach unten gebracht worden war, und trank heimlich aus ihrer Schnapsflasche, um ihre Nerven zu beruhigen. Doch Mary fürchtete sich selbst in den schlimmsten Momenten, in denen einer der Zeppeline direkt über ihnen zu sein schien, nicht. Sie fühlte sich unbezwingbar, als könnten sie ihr nichts anhaben.

Eines Morgens im Frühjahr 1918 erhielt Mary endlich einen Brief von Sean. Obwohl er ihre neue Adresse kannte, hatte sie bis dahin keine Antwort von ihm bekommen. Sie wusste nicht, wo er sich aufhielt und ob er überhaupt noch lebte. Jedes Mal, wenn Nancy und sie sich schick machten, um an ihrem freien Tag in die Stadt zu gehen und sich zu amüsieren, plagten sie Gewissensbisse.

Wenn sie ehrlich war, konnte sie sich kaum noch an Sean erinnern. Sie öffnete den Brief und las ihn.

Frankreich

17. März

Liebe Mary,
    mir geht es gut, obwohl der Krieg nun schon ewig zu dauern scheint. Bald habe ich eine Woche Heimaturlaub.

Aus Deinen Briefen weiß ich, dass Du in London arbeitest. Ich melde mich bei Dir, wenn ich dort bin.

Mary, Liebes, wir müssen beide fest daran glauben, dass dieser Krieg bald vorbei ist und wir miteinander zu unserem Leben in Dunworley zurückkehren können.

Du bist das Einzige, was mir über die Tage und Nächte hinweghilft.

Alles Liebe,

Sean

Mary las den Brief fünfmal, bevor sie sich aufs Bett setzte und die weiße Wand anstarrte.

»Was ist los?«, fragte Nancy.

»Sean. Er kriegt bald Heimaturlaub und will mich besuchen.«

»Gütiger Himmel!«, rief Nancy aus. »Dann gibt es ihn also wirklich.«

»Ja.«

»Wenn er schon drei Jahre an der Front ist, scheint er gegen die deutschen Kugeln gefeit zu sein. Die meisten Soldaten überstehen die ersten Wochen nicht. Du kannst dich glücklich schätzen, dass er noch am Leben ist. Gott allein weiß, wie viele tausend junge Männer wir in diesem Krieg verloren haben. Wir werden alle als alte Jungfern enden. Lass deinen Sean nicht mehr los, du Glückspilz!«, riet Nancy ihr.

Ein paar Wochen später, Mary schürte gerade das Feuer im Kamin des Salons, streckte der Dienstbote Sam den Kopf zur Tür herein.

»Draußen steht ein Ryan, der dich sehen möchte, Mary. Ich hab ihn nach hinten geschickt.«

Mary bedankte sich. Mit zitternden Knien ging sie die Stufen hinunter, betend, dass niemand sich in der Küche aufhielt, so dass sie ein paar Minuten mit Sean allein sein könnte. Doch natürlich waren die anderen Bediensteten neugierig und hatten sich dort versammelt.

Mary durchquerte die Küche, so schnell sie konnte, aber Nancy erreichte die hintere Tür vor ihr. Die Hände in die Hüften gestemmt, lächelte sie den ausgezehrten Soldaten auf der Schwelle an.

»Das ist also Sean«, stellte sie fest. »Er scheint mit dir reden zu wollen.«

»Ja«, sagte Mary.

»Für einen Iren sieht er ziemlich gut aus«, flüsterte Nancy Mary zu, bevor sie sich entfernte.

Zum ersten Mal seit dreieinhalb Jahren blickte Mary Sean in die Augen.

»Mary, ich kann's gar nicht glauben, dich leibhaftig zu sehen. Komm, umarm deinen Verlobten.« Sean traten Tränen in die Augen, als er die Arme ausbreitete.

Er roch anders und doch wie immer. Sie spürte, wie dünn er geworden war.

»Mary, du bist es wirklich, hier in London. Und ich halte dich in meinen Armen… Du ahnst nicht, wie oft ich davon geträumt habe. Lass dich anschauen.« Sean legte die Hände auf ihre Schultern und musterte sie. »Du bist noch schöner geworden.«

»Ach was.« Mary wurde rot. »Ich hab mich nicht verändert.«

»Kannst du dir heute freinehmen? Ich habe nur zwei Abende in London.«

»Heute ist eigentlich nicht mein freier Tag, Sean, aber ich frage Mrs. Carruthers, ob ich weg darf.«

Sie wandte sich der Küche zu, doch er hielt sie zurück. »Zieh dich an, wir machen einen Spaziergang. Ich frage sie selber. In London wird einem Soldaten nur selten eine Bitte abgeschlagen.«

Und tatsächlich: Als Mary in ihrem besten Rock und ihrem neuen Hut wieder in die Küche kam, saß Sean mit Mrs. Carruthers am Tisch, ein Glas Gin in der Hand. Sie und die anderen lauschten aufmerksam seinen Berichten von der Front.

»Sie verraten uns nichts«, beklagte sich Mrs. Carruthers. »Wir wissen nicht, was los ist.«

»Noch sechs Monate, dann haben wir sie besiegt, Mrs. Carruthers. Die Deutschen erleiden mehr Verluste als wir. Wir wissen jetzt, wie wir gegen sie vorgehen müssen.«

»Wollen wir's hoffen. Alles ist knapp, und es wird jeden Tag schwieriger, Essen auf den Tisch zu bringen.«

»Keine Sorge, Mrs. Carruthers. Unsere tapferen Soldaten verteidigen dieses Land; nächstes Weihnachten bringe ich Ihnen persönlich eine Gans«, versprach Sean mit einem Augenzwinkern.

Mrs. Carruthers sah Mary schmunzelnd an. »Du hast dir einen anständigen jungen Mann ausgesucht, Fräulein. Verschwindet, ihr zwei. Ihr wollt doch sicher keine Sekunde des Fronturlaubs mit einem alten Weib wie mir vergeuden!«

»Mrs. Carruthers, für Frauen wie Sie kämpfen wir Jungs.« Sean sah Mary an. »Fertig?«

»Ja.« Mary drehte sich zu Mrs. Carruthers um. »Wann muss ich wieder zurück sein?«

»Nimm dir so viel Zeit, wie du möchtest. Nancy macht es sicher nichts aus, für dich einzuspringen, oder, Nancy?«

»Nein, Mrs. C.«, antwortete Nancy widerwillig.

»Es ist wirklich sehr nett von Ihnen, dass Sie Mary freigeben, Mrs. Carruthers. Um Punkt zehn ist sie wieder da, das verspreche ich«, sagte Sean.

Mary und Sean verließen das Haus und blieben vor dem Kutscherhäuschen stehen.

»Ich hatte völlig vergessen, wie charmant du sein kannst, Sean Ryan. Sogar den alten Drachen hast du bezirzt. Wo sollen wir hingehen?«

Sean zuckte mit den Achseln. »Du kennst dich in London besser aus als ich, Mary. Das muss ich dir überlassen.«

»Wir sollten uns ein ruhiges Plätzchen suchen. Setzen wir uns eine Weile in den Garten gegenüber. Da stört uns niemand.«

Sean nahm ihre Hände in die seinen. »Mir ist alles recht, solange ich in deine schönen Augen schauen kann.«

Sie überquerten die Straße, öffneten das schmiedeeiserne Tor des Gartens und setzten sich auf eine Bank.

»Ach, Mary.« Sean küsste Marys Hände. »Du ahnst nicht, was es mir bedeutet, dich zu sehen. Ich ...« Er schluckte.

»Was ist, Sean?«

»Ich ...«

Er begann zu schluchzen. Mary wusste nicht, was sie sagen oder wie sie ihm helfen sollte.

»Entschuldige, Mary ...« Sean wischte sich die Tränen weg. »Ich muss mich zusammenreißen ... Die Hölle, durch die ich gegangen bin ... Und da sitzt du, schön wie eh und je. Ich kann es nicht erklären.«

»Erzähl einfach, Sean. Ich hör dir zu, auch wenn ich dir vielleicht nicht helfen kann.«

Sean schüttelte den Kopf. »Ich hatte mir geschworen, nicht zu weinen, wenn ich dich sehe, aber ... Mary, wo soll ich anfangen? Ich habe mir mehr als einmal den Tod gewünscht, weil das Leben ...«, seine Stimme kippte, »... unerträglich war.«

Mary streichelte sanft seine Hand. »Sean, ich bin da. Egal, was du sagst: Ich halte es aus.«

»Der Gestank der Toten, der verrottenden Leichen… Ich habe ihn jetzt noch in der Nase. Sie liegen im Schlamm, und alle trampeln drüber – Leichenteile, wohin man blickt. Dazu der Geruch nach Gas und Rauch und die ewige Knallerei Tag und Nacht, die einem Angst macht.« Sean stützte den Kopf in die Hände. »Es gibt keine Verschnaufpausen, Mary. Man springt jedes Mal mit dem Wissen aus dem Schützengraben, dass man im besten Fall den Freund verliert, im schlimmsten selbst stirbt. So übel wäre das übrigens gar nicht gewesen. Dann wäre ich nach fast dreieinhalb Jahren wenigstens dieser Hölle entronnen!«

Mary sah ihn entsetzt an. »Sean, wir hören bloß, dass unsere Jungs sich gut schlagen, dass wir siegen.«

»Ach, Mary.« Sean hörte auf zu schluchzen. »Natürlich sagen sie euch nichts von dem Leid. Sie würden keinen mehr in die Gräben bringen, wenn die Wahrheit bekannt wäre.« Er hob den Kopf. »Ich sollte dir das alles nicht erzählen.«

»Sean.« Mary strich ihm über die borstigen Haare. »Doch, das ist wichtig. Ich soll deine Frau werden, sobald der Krieg vorbei ist. Es kann nicht mehr lange dauern, oder?«

»Das denke ich seit dreieinhalb Jahren jeden Tag und bin immer noch an der Front.«

Sie schwiegen eine Weile.

»Mary«, sagte Sean schließlich, »ich habe vergessen, wofür wir kämpfen. Und ich weiß nicht, ob ich in den Schützengraben zurückkann.«

»Es ist bald vorbei«, versicherte Mary ihm, »und dann kommst du mit mir nach Dunworley in unser schönes neues Haus.«

»Du darfst meiner Mutter nichts davon sagen.« Sean sah sie an. »Versprichst du mir das, Mary? Sie soll sich keine Sorgen machen. Du hast recht.« Er ergriff ihre Hand und drückte sie so fest, dass das Blut aus ihren Fingern wich. »Es ist bald vorbei. Das muss es einfach.«

Als Mary einige Stunden später nach Cadogan House zurückkehrte und in ihr Zimmer hinaufschlich, wurde sie von Nancy begrüßt, die im Bett sitzend auf sie wartete.

»Und? Wie war's? Ich hab Mrs. C. noch nie so erlebt. Er ist wirklich charmant, dein Sean.«

»Ja, stimmt.« Mary zog sich müde aus.

»Wo wart ihr? Ist er mit dir tanzen gegangen?«

»Nein.«

»Hat er dich zum Essen in einen Klub ausgeführt?«

Mary schlüpfte in ihr Nachthemd. »Nein.«

»Was habt ihr dann gemacht?«, fragte Nancy.

Mary legte sich ins Bett. »Wir haben uns in den Garten gegenüber gesetzt.«

»Ihr seid nirgendwo hingegangen?«

»Nein, Nancy.« Mary schaltete das Licht aus. »Wir waren nirgends.«

12

Am folgenden Abend holte Sean Mary noch einmal von Cadogan House ab. Sie fuhren mit der Straßenbahn zum Piccadilly Circus, wo sie sich unter die Erosstatue setzten und Fish and Chips aßen.

»Ich wünschte, ich könnte länger bleiben und dir etwas Besonderes bieten, Mary.«

»Das ist etwas Besonderes für mich, Sean.« Mary küsste ihn auf die Wange. »Hier nimmt niemand von uns Notiz.«

»Mir ist alles recht, solange es dir gefällt«, sagte Sean und stopfte hungrig Pommes in den Mund. »Mary, entschuldige wegen gestern. Ich wollte dir nicht mit meinem Gejammer auf die Nerven gehen.«

»Zerbrich dir darüber mal nicht den Kopf, Sean. Es musste raus. Gut, dass du es mir erzählt hast.«

»Aber jetzt möchte ich nicht mehr drüber reden. Ich stecke wieder früh genug in diesem Schlamassel. Erzähl mir von dir und deinem Leben in London.«

Sie tat ihm den Gefallen, während sie Hand in Hand zum St. James's Park gingen.

»Mary, nicht mehr lange, dann können wir nach Hause«, sagte Sean nach einer Weile. »Du willst doch zurück nach Dunworley, oder? Ich meine …«, Sean breitete die Arme aus, »… es ist nicht gerade London.«

»Stimmt«, pflichtete Mary ihm bei. »Aber wir sind beide erwachsener geworden. Und die Welt hat sich auch verändert. Wir werden uns gemeinsam ein Leben aufbauen, egal, wo.«

»Ach, Mary.« Sean küsste sie und löste sich wieder von ihr. »Ich muss mich zusammenreißen.« Er atmete tief durch. »Wir sollten zurückgehen, damit du keine Schwierigkeiten mit Mrs. Carruthers kriegst.«

Sie schlenderten durch die um elf Uhr abends noch immer belebten Straßen. »Erinnert mich an Clonakilty an einem verregneten Sonntagabend«, meinte Sean grinsend. »Wie findest du Lawrence Lisle? Ist er so lasch wie sein Bruder? Grund und ein großes Haus hat er ja.«

»Keine Ahnung«, antwortete Mary. »Ich habe ihn seit meiner Ankunft nicht mehr gesehen.«

»Wo ist er?«

»Das weiß keiner so genau. Er arbeitet für die britische Regierung im Ausland, angeblich in Russland.«

»Du hast wahrscheinlich gehört, was da im Moment los ist. Wenn dein Mr. Lisle sich tatsächlich in Russland rumtreibt, kommt er bestimmt bald zurück. Die Bolschewiken gewinnen von Tag zu Tag mehr Macht.« Sean seufzte. »Was für ein Chaos überall. Wo das noch hinführen wird…«

Als sie Cadogan House erreichten, blieben sie eine Weile am oberen Ende der Stufen stehen, weil sie nicht wussten, wie sie sich voneinander verabschieden sollten.

»Drück mich, Mary, und gib mir die Kraft, in die Hölle zurückzugehen«, murmelte Sean, als sie die Arme um ihn legte.

»Ich liebe dich, Sean«, flüsterte sie. »Komm heil wieder, ja?«

»Nun hab ich's so lange geschafft… Ich schreibe dir, so oft ich kann. Mach dir keine Gedanken, wenn du erst mal nichts von mir hörst. Es könnte schwierig werden.«

»Keine Sorge. Gott schütze dich. Auf Wiedersehen, Sean.«

Mary wischte ihre Tränen an Seans Mantel ab und stellte sich auf die Zehenspitzen, um ihn zu küssen.

»Auf Wiedersehen, Liebes. Nur der Gedanke an dich hält mich aufrecht.«

Sean wandte sich, ebenfalls Tränen in den Augen, von ihr ab und entfernte sich mit hängenden Schultern.

»Keine Ahnung, was du hast«, beklagte sich Nancy ein paar Tage später, als sie beide im Bett lagen. »Wahrscheinlich hat's damit zu tun, dass dein Sean da war und wieder wegmusste, oder?«

»Ja«, seufzte Mary. »Was er mir von der Front erzählt hat … Ich kriege die Bilder nicht aus dem Kopf.«

»Vielleicht hat er übertrieben, um Mitleid zu schinden und sich einen Extrakuss zu erschleichen.«

»Das glaube ich nicht, Nancy«, entgegnete Mary. »Ich wünschte, es wäre so, aber Sean lügt nicht.«

»Nach allem, was in den Zeitungen steht, wird's bald vorbei sein. Dann kann er dich in den Sumpf zurückbringen, aus dem ihr beide gekommen seid«, scherzte Nancy. »Hast du Lust auf einen Schaufensterbummel und ein Tässchen Tee bei Lyons am Donnerstag? Das muntert dich auf.«

»Lass mich erst sehen, wie's mir geht.«

»Wie du meinst.«

Mary versuchte zu schlafen. Seit dem Abschied von Sean drei Tage zuvor quälten sie die schrecklichen Bilder, die seine Schilderungen in ihrem Kopf erzeugt hatten. Seitdem fielen ihr auch die zahllosen Männer mit Augenklappen, einem Bein oder einem Arm in London auf. Am Nachmittag hatte sie einen Soldaten mitten auf dem Sloane Square Passanten anbrüllen hören, als hätte er den Verstand verloren. Sean hatte gesagt, dass das permanente Granatfeuer die Kameraden in den Wahnsinn treibe.

Die Zeitungen waren voll von Berichten über die bolschewistische Revolution in Russland und die Verhaftung mehrerer Mitglieder der Zarenfamilie. In der Küche munkelte man, dass Mr. Lisle bald nach Hause kommen würde. Mrs. Carruthers hatte ein Telegramm erhalten, in dem stand, dass sie alles vorbereiten solle. Sie verfiel sofort in hektische Betriebsamkeit und wies Mary und Nancy an, das Silber so lange zu putzen, bis Smith, der Butler, zufrieden war.

»Als ob Mr. Lisle es merken würde, wenn seine Teelöffel ein paar Flecken haben!«, rief Nancy verärgert aus. »Nach seinem Aufenthalt in Russland könnte ich mir vorstellen, dass er froh ist, wieder in seinem eigenen Bett zu liegen.«

Vier Tage später informierte die übermüdete Mrs. Carruthers die Bediensteten, dass Mr. Lisle um drei Uhr morgens zurückgekehrt sei.

»Seitdem habe ich kein Auge zugetan«, klagte sie. »Wirklich«, fügte sie mit einem vielsagenden Blick auf Smith hinzu, »wer hätte das von ihm gedacht? Mary, Mr. Lisle und ich erwarten dich um Punkt elf im Salon.«

»Habe ich etwas falsch gemacht?«, fragte Mary nervös.

»Nein, Mary, du nicht … Zieh eine saubere Uniform an und achte darauf, dass keine Haare unter deiner Haube hervorlugen.«

»Ja, Mrs. C.«

»Was das wohl zu bedeuten hat?«, fragte Nancy, als Mrs. Carruthers die Küche verlassen hatte. »Sie ist völlig aufgelöst. Warum wollen sie dich sehen?«

»Das werde ich dir in ein paar Stunden sagen können«, antwortete Mary.

Um Punkt elf Uhr klopfte Mary an der Tür zum Salon, die Mrs. Carruthers ihr öffnete.

»Komm herein, Mary.«

Mary trat ein. Am Kamin stand ein groß gewachsener Mann, der starke Ähnlichkeit mit seinem jüngeren Bruder Sebastian hatte, jedoch besser aussah als dieser.

»Guten Morgen. Ich bin Lawrence Lisle... Mary, nicht wahr?«

»Ja, Sir.« Sie machte einen Knicks.

»Mary, wir befinden uns in einer... heiklen Situation. Mrs. Carruthers meint, du könntest uns helfen.«

»Ich tue mein Bestes, Sir. Sobald ich weiß, worum es geht«, fügte Mary unsicher hinzu.

»Mrs. Carruthers sagt, du wärst im Waisenhaus eines Klosters aufgewachsen.«

»Ja, Sir.«

»Und in dem Kloster hast du dich um die jüngeren Kinder gekümmert?«

»Ja, Sir.«

»Du magst also Kinder?«

»Ja, Sir, ich liebe sie.«

»Sehr gut.« Lawrence Lisle nickte. »Ich habe von meiner Reise ein kleines Mädchen mit nach Hause gebracht, dessen Mutter wie die armen Frauen, die ihre Kinder auf der Schwelle des Klosters ablegen, nicht in der Lage ist, dafür zu sorgen. Sie hat mich gebeten, das bis auf Weiteres für sie zu erledigen.«

»Verstehe, Sir.«

»Ich habe mich mit Mrs. Carruthers darüber beraten, ein Kindermädchen einzustellen, aber sie hat vorgeschlagen, diese Aufgabe vorübergehend dir zu übertragen. Im Moment wirst du als Dienstmädchen kaum gebraucht, und daran wird sich mit ziemlicher Sicherheit in den kommenden Monaten nicht viel ändern. Mrs. Carruthers und ich möchten, dass du dich ab sofort um das Kind kümmerst.«

»Verstehe, Sir. Wie alt ist es, Sir?«

Lawrence überlegte. »Das Mädchen dürfte nicht mehr als vier oder fünf Monate alt sein.«

»Gut, Sir, und wo ist die Kleine?«

»Da.«

Er deutete auf einen kleinen Korb auf einer Chaiselongue am anderen Ende des Salons. »Sieh sie dir ruhig an.«

»Ja, Sir.«

Als Mary zu dem Korb hinüberging und vorsichtig hineinspähte, fügte Lawrence hinzu: »Ich finde sie sehr hübsch, obwohl ich nicht viel Erfahrung mit kleinen Kindern habe. Und sie ist ziemlich brav. Auf der Reise von Frankreich hierher hat sie kaum einen Mucks getan.«

Mary betrachtete die dichten, dunklen Haare und die helle, makellose Haut. Die Kleine schlief, den Daumen im Mund, tief und fest.

»Ich habe sie vor einer Stunde gefüttert«, teilte Mrs. Carruthers Mary mit. »Wenn sie Hunger hat, kräht sie ordentlich. Du weißt, wie man ein Kleinkind wickelt und mit der Flasche füttert?«

»Natürlich, Mrs. C. Wie heißt sie denn?«

Lawrence zögerte kurz, bevor er antwortete: »Anna. Sie heißt Anna.«

»Was für ein hübsches Kind«, flüsterte Mary. »Sir, ich kümmere mich gern um sie.«

»Gut, dann wäre das also geregelt.« Lawrence wirkte erleichtert. »Die Kleine schläft im zweiten Stock; das Kinderzimmer ist bereits hergerichtet. Du wohnst bei ihr, damit du sie jederzeit füttern kannst. Fürs Erste bist du sämtlicher Pflichten im Haushalt enthoben. Du und Mrs. Carruthers, ihr kauft alles Nötige: Kinderwagen, Kleidung und so weiter.«

»Hat sie denn nichts anzuziehen, Sir?«

»Die Mutter hat ihr für die Reise eine kleine Tasche mitgegeben. Mehr besitzt sie nicht. Ich würde vorschlagen«, er deutete auf die Tür, »dass du sie und deine Sachen gleich nach oben bringst.«

»Darf ich fragen, aus welchem Land die Kleine stammt?«, erkundigte sich Mary.

Lawrence Lisle runzelte die Stirn. »Offiziell kommt das Kind aus England. Falls irgendjemand – auch von den Bediensteten – fragt: Sie ist die Tochter eines engen Freundes von mir, dessen Frau bei der Geburt krank wurde. Und ihr Vater ist einen Monat später im Kampf gefallen. Ich habe die Vormundschaft übernommen, bis ihre Mutter kräftig genug ist, sich selbst um sie zu kümmern. Hast du das verstanden, Mary?«

»Ja, Sir. Ich verspreche Ihnen, so gut wie möglich auf Anna aufzupassen.«

Mary machte einen Knicks, verließ den Raum und trug den Korb in den zweiten Stock hinauf. Oben wartete sie, bis Mrs. Carruthers sich zu ihr gesellte.

Mrs. Carruthers führte sie den Flur hinunter zu einem Zimmer mit Blick auf den Garten gegenüber. »Ich gebe euch dieses Zimmer, weil es am weitesten von Mr. Lisles weg ist. Egal, was er sagt: Wenn das Kind Hunger hat, brüllt es, und ich möchte nicht, dass er gestört wird.«

Mary staunte über den schönen Raum mit Frisierkommode, bequemem schmiedeeisernem Bett und Tagesdecke.

»Bild dir ja nichts ein, Fräulein«, ermahnte Mrs. Carruthers sie. »Das Zimmer kriegst du nur vorübergehend, weil du dich in der Nacht um das Kind kümmern musst. Mr. Lisle stellt bestimmt so bald wie möglich ein Kindermädchen ein. Aber im Krieg ist es schwer, ein gutes zu finden. Sei dankbar, dass ich dich für diese Aufgabe vorgeschlagen habe. Enttäusch mich nicht.«

»Ich werde mir Mühe geben, Mrs. C.«, versicherte Mary ihr. »Für die Kleidung der Kleinen müssen wir kein Geld ausgeben. Ich kann mit Nadel und Faden umgehen und nähe gern.«

»Gut. Hol deine Sachen aus deinem alten Zimmer. Gleich nebenan sind eine Toilette und ein Bad. Du brauchst jetzt keinen Nachttopf mehr, du Glückspilz.«

»Danke für die Chance, Mrs. C.«

»Obwohl du aus Irland kommst, bist du ein anständiges Mädchen, Mary.« Mrs. Carruthers ging zur Tür und blieb stehen. »Irgendwas ist an der Sache faul. Als du mit dem Kind weg warst, hat Mr. Lisle mich gebeten, Smith zu rufen, damit der einen kleinen Koffer in den Speicher bringt. Er soll dort für die Mutter des Mädchens aufbewahrt werden, bis sie ihn holt. Das Kind sieht mir überhaupt nicht englisch aus«, stellte sie mit einem Blick in den Korb fest. »Dir?«

»Die dunklen Haare und die helle Haut sind ungewöhnlich, das stimmt«, pflichtete Mary ihr bei.

»Ich wette, sie ist eins von diesen Russenkindern«, mutmaßte Mrs. Carruthers. »Aber das werden wir wohl nie erfahren.«

»Wichtig ist erst mal nur, dass die Kleine sich bei uns sicher fühlen kann«, sagte Mary.

Wenig später war Mary mit ihrer Schutzbefohlenen allein und setzte sich, den Korb neben sich, aufs Bett, um Annas winziges Gesicht zu betrachten. Die Kleine schlug die braunen Augen auf, als hätte sie das gespürt.

»Hallo, Anna«, begrüßte Mary sie und nahm ihre Hand. »Ich soll auf dich aufpassen.«

Es war Liebe auf den ersten Blick.

13

In den folgenden Monaten erhielt Mary nur noch einen Brief von Sean, in dem er ihr mitteilte, die Alliierten würden bald die Oberhand gewinnen. Mary schrieb ihm jede Woche und betete jeden Abend für ihn.

Trotzdem galten ihre Gedanken nun nicht mehr nur Sean, sondern auch dem Mädchen, um das sie sich kümmerte. Sie war vierundzwanzig Stunden am Tag mit der Kleinen zusammen. Morgens nach dem Füttern schlief Anna draußen im Garten, während Mary ihre Windeln und die winzigen Kleidungsstücke wusch, die sie für sie genäht hatte. Nachmittags legte sie Anna in den großen Kinderwagen und machte mit ihr einen Spaziergang in den Kensington Gardens, wo sie sich in die Nähe der Peter-Pan-Statue setzte und dem Klatsch der Kindermädchen lauschte, die sich dort mit ihren Schützlingen versammelten.

Die anderen sprachen nicht mit ihr – Mary wusste, dass sie sie ihrer Dienstmädchenuniform wegen verachteten.

Wenn Lawrence Lisle nicht zu Hause war, fütterte Mary die Kleine in der Küche, wo die Bediensteten sie bestaunten. Anna stand gern im Mittelpunkt; sie saß aufrecht auf ihrem Kinderstuhl aus Holz, schlug mit dem Löffel auf den Tisch und sang dazu. Jeder neue Schritt ihrer Entwicklung wurde von ihrem Publikum bewundernd zur Kenntnis genommen. Alle liebten Anna.

Abends nähte Mary Kleider für die Kleine, bestickte die

Krägen und häkelte Jäckchen und Söckchen. Anna gedieh prächtig und bekam rosige Pausbacken.

Lawrence Lisle warf nur hin und wieder einen kurzen Blick ins Kinderzimmer, um sich nach ihrem Wohlergehen zu erkundigen. Mary bedauerte es, dass er ihren Versuchen, ihm Anna zu präsentieren, kaum Beachtung schenkte.

Eines Abends im Oktober, als Mary neben Annas Bettchen saß, machten Gerüchte über den baldigen Sieg der Alliierten die Runde. Aufgrund der guten Neuigkeiten herrschte Aufregung im Haus. Alle hielten gespannt den Atem an, ob es tatsächlich zum Waffenstillstand kommen würde.

Wie viele Frauen, deren Männer an der Front waren, hatte Mary sich das Kriegsende oft vorzustellen versucht. Jetzt schien es unmittelbar bevorzustehen.

Als Anna im Schlaf murmelte, strich Mary ihr über die Wange.

»Was wird aus dir werden, wenn ich nicht mehr da bin, um auf dich aufzupassen?«, fragte Mary mit Tränen in den Augen.

Drei Wochen später wurde endlich der Waffenstillstand verkündet. Mrs. Carruthers erklärte sich bereit, einige Stunden auf Anna aufzupassen, während Mary, Nancy und Sam mit Tausenden von anderen Londonern feierten. Mary ließ sich in der Fahnen schwenkenden und singenden Menge die Mall entlang zum Buckingham Palace treiben. Alle jubelten, als zwei Gestalten auf den Balkon traten – Mary war zu weit weg, um sie erkennen zu können, wusste aber, dass es König George und seine Frau, die wie sie Mary hieß, waren.

Nancy küsste Sam, und Mary wurde von starken Armen umfasst.

»Ist das nicht wunderbar, Miss?«, fragte der Soldat und wirbelte sie herum. »Der Beginn einer völlig neuen Welt.«

Nancy und Sam trafen sich mit einer Gruppe, die die Mall zum Trafalgar Square ging, um weiterzufeiern. Mary kehrte allein nach Hause zurück, ohne wirklich an der allgemeinen Begeisterung teilzuhaben, denn das Ende des Kriegs bedeutete das Ende ihrer Zeit mit Anna.

Einen Monat später erhielt sie einen kurzen Brief von Seans Mutter Bridget. Alle jungen Männer, die den Krieg überlebt hatten, waren wieder zu Hause in Dunworley. Nur Sean nicht. Jemand erinnerte sich, ihn in der letzten Schlacht an der Somme lebend gesehen zu haben, doch eine Woche zuvor hatte Bridget ein Schreiben vom War Office bekommen, in dem stand, dass ihr Sohn offiziell als vermisst gelte.

Mary benötigte einige Minuten, um den Inhalt des Briefs zu begreifen. Sean war vermisst, vielleicht sogar tot? Mary wusste, dass in Frankreich beim Aufbruch der Soldaten nach Hause Chaos ausgebrochen war. Noch immer waren viele verschollen. Sie konnte nur hoffen.

Während der Rest der Welt zum ersten Mal seit fünf Jahren wieder einen Blick in die Zukunft wagte, hatte Mary das Gefühl, dass die ihre genauso ungewiss war wie eh und je. Sie sah keinen Sinn darin, nach Irland zurückzukehren, bevor sie nichts über Seans Verbleib wusste. Hier in London hatte sie wenigstens zu tun, und das Geld unter ihrer Matratze wurde von Monat zu Monat mehr.

»Es ist das Beste, wenn ich hier bei dir bleibe, stimmt's?«, murmelte sie, während sie Anna badete. »Solange Sean nicht da ist, zieht mich nichts nach Irland.«

Vor Weihnachten wurden allmählich wieder Gäste nach Cadogan House eingeladen. Eines Morgens Mitte Dezember rief Lawrence Lisle Mary in den Salon.

»Mary, nimm Platz.«

Sie hob überrascht eine Augenbraue und setzte sich unsicher, weil sich dies in Gegenwart der Herrschaften für Bedienstete nicht schickte.

»Ich wollte dich fragen, wie Anna sich macht.«

»Wunderbar. Sie krabbelt schon. Ich habe meine liebe Mühe, ihr nachzukommen, weil sie so schnell ist! Bald kann sie laufen, und dann haben wir ein Problem«, erzählte Mary begeistert.

»Gut, gut. Mary, dir ist vermutlich aufgefallen, dass das Haus zu neuem Leben erwacht. Deshalb brauchen wir wieder jemanden, der bei Tisch bedient.«

Mary sank der Mut. »Ja, Sir.«

»Das war früher deine Aufgabe.«

»Ja, Sir.« Mary senkte den Blick.

»Mrs. Carruthers hat den Eindruck, dass du Geschick im Umgang mit Anna beweist und eine enge Beziehung zu ihr aufgebaut hast, die gut für das Kind ist. Deshalb möchte ich dich fragen, wie deine Pläne aussehen, Mary. Es tut mir leid zu hören, dass dein Verlobter vermisst wird. Ich möchte dir anbieten, offiziell das Kindermädchen der Kleinen zu werden. Vorausgesetzt, du kehrst nicht sofort nach Irland zurück, sobald dein Verlobter auftaucht.«

»Ich weiß nicht, ob er das jemals tut. Solange er weg ist, würde ich sehr gern weiter auf Anna aufpassen. Falls er jedoch tatsächlich nach Hause kommt, müsste ich wahrscheinlich mit ihm heim nach Irland. Das sollten Sie wissen, Sir.«

Lawrence Lisle überlegte kurz. »Mit dem Problem können wir uns beschäftigen, wenn es aktuell wird, nicht wahr?«

»Ja, Sir.«

»Wir müssen jeden Tag nehmen, wie er kommt. Mrs. Carruthers versichert mir, dass du dich ausgezeichnet um Anna kümmerst. Wenn du mein Angebot annimmst, erhältst du zehn

Shilling im Monat mehr, und Mrs. Carruthers besorgt dir eine Uniform. Ich möchte nicht, dass meine Freunde denken, ich würde nicht alles in meiner Macht Stehende für das Kind tun.«

»Danke, Sir. Ich verspreche Ihnen, mich weiter bestmöglich um Anna zu kümmern. Sie ist so ein hübsches Mädchen. Vielleicht kommen Sie einmal ins Kinderzimmer, um sie sich anzusehen. Oder soll ich sie zu Ihnen bringen?«, erbot sie sich.

»Bring sie gelegentlich zu mir. Danke, Mary, weiter so. Würdest du nun Mrs. Carruthers bitten hereinzukommen, damit wir über die Einstellung eines neuen Dienstmädchens sprechen können?«

»Natürlich, Sir.« Mary stand auf und ging zur Tür, wo sie sich umwandte. »Sir, glauben Sie, die Mutter der Kleinen wird sie jemals abholen?«

Lawrence schüttelte seufzend den Kopf. »Das bezweifle ich sehr.«

Mary ging beschwingten Schrittes, jedoch auch mit schlechtem Gewissen in die Küche. Vielleicht hatte sie ihren geliebten Sean verloren, aber immerhin war ihr Anna geblieben.

Die Monate vergingen. Mary stand mit anderen verzweifelten Frauen, die noch immer ihre Männer vermissten, vor dem Schreibtisch eines Beamten im War Office. Der Mann suchte auf seiner Liste nach Seans Namen.

»Tut mir leid, Madam, nichts Neues. Feldwebel Ryan ist nach wie vor nicht aufgefunden worden, weder lebend noch tot.«

»Ist er möglicherweise noch am Leben und hat das Gedächtnis verloren?«

»Könnte gut sein, Madam. Gedächtnisverlust tritt bei vielen Soldaten auf. Allerdings hätte man ihn vermutlich aufgespürt, wenn er am Leben wäre. Die Uniform der Irish Guards ist sehr auffällig.«

»Sollten seine Familie und ich weiter auf seine Heimkehr hoffen?«

Der Blick des Mannes verriet, dass er diese Frage mehrmals täglich hörte.

»Solange keine … äh … Leiche identifiziert ist, besteht Hoffnung. Allerdings weiß ich nicht, wie lange. Wenn Feldwebel Ryan in den kommenden Wochen nicht gefunden wird, setzt sich das War Office mit Ihnen in Verbindung, und sein Status ändert sich in ›Vermisst, vermutlich tot‹.«

»Verstehe. Danke.«

Sechs Monate später erhielt Mary einen Brief vom War Office:

Sehr geehrte Miss Benedict,
bezugnehmend auf Ihre Anfrage über den Verbleib von Feldwebel Sean Michael Ryan habe ich die traurige Pflicht, Ihnen mitzuteilen, dass die Jacke mit seiner Erkennungsmarke und seinen Ausweispapieren in einem feindlichen Schützengraben an der Somme in Frankreich entdeckt wurde. Obwohl seine sterblichen Überreste bisher nicht gefunden werden konnten, gehen wir bedauernd davon aus, dass Feldwebel Ryan im Kampf für sein Land gefallen ist.

Wir übermitteln Ihnen und seiner Familie, die wir gesondert benachrichtigen, unser aufrichtiges Beileid. Feldwebel Ryan hat sich so tapfer geschlagen, dass er in Kriegsberichten erwähnt wurde.

Es wird erwogen, Feldwebel Ryan posthum für seine Tapferkeit auszuzeichnen.

Wir wissen, dass das ein schwacher Trost für den Verlust eines geliebten Menschen ist, aber der Krieg konnte nur durch Männer wie Feldwebel Ryan in zufriedenstellender Weise beendet werden. Ohne sie wäre ein Frieden nicht möglich gewesen.

Hochachtungsvoll,

Edward Rankin

Mary brachte Anna in die Küche und bat Mrs. Carruthers, eine Stunde lang auf sie aufzupassen, weil sie einen Spaziergang machen wollte.

Mrs. Carruthers' Gesicht nahm einen mitfühlenden Ausdruck an, als sie Marys leichenblasses Gesicht sah.

»Schlechte Nachrichten?«

Mary nickte. »Ich brauche ein bisschen frische Luft«, sagte sie mit leiser Stimme.

»Nimm dir frei, so lange du möchtest. Anna und ich, wir kommen schon zurecht, was?«, meinte Mrs. Carruthers mit einem Blick auf die Kleine. »Tut mir leid für dich, meine Liebe.« Sie legte eine Hand auf Marys Schulter. »Er war ein anständiger Kerl. Ich weiß, wie sehr du all die Jahre auf seine Rückkehr gewartet hast.«

Mary nickte benommen und trat in den Eingangsbereich, um Mantel und Stiefel anzuziehen. Mrs. Carruthers' Mitleid hatte ihr die Tränen in die Augen getrieben.

Mary setzte sich in die Gartenanlage gegenüber, wo sie spielende Kinder und Arm in Arm vorbeischlendernde Paare beobachtete. Diese neue Welt im Frieden, die es den Menschen erlaubte, nach Glück zu streben und schlichte Freuden zu genießen, war eine Welt, zu deren Erhalt und Schutz Sean beigetragen hatte, ohne selbst an ihr teilhaben zu können.

Mary saß immer noch auf der Bank, als die Dämmerung hereinbrach und die anderen Besucher den Garten verließen. Sie durchlitt Kummer, Angst, Wut ... und vergoss mehr Tränen als je zuvor in ihrem Leben.

Den Brief las sie bestimmt zwanzigmal.

Sean… dieser Riese von einem Mann… So stark und so jung…

Tot.

Weg. Kein sanftes Lächeln oder Lachen mehr…

Und keine Liebe.

Als Mary sich ein wenig beruhigt hatte, dachte sie darüber nach, was das für sie bedeutete. Sie waren nicht verheiratet gewesen, also stand ihr keine Witwenrente zu. Das Leben, das sie sich erträumt hatte, würde nicht stattfinden.

Allein, zum zweiten Mal verwaist.

Mary war sich sicher, dass Seans Eltern sie, wenn sie nach Irland zurückkehrte, mit offenen Armen aufnehmen würden. Aber wie sah ihr Leben dann aus? Obwohl Mary nicht die Absicht hegte, einen Ersatz für Sean zu finden, wusste sie, dass jedes Lachen von ihr für die trauernden Eltern bitter wäre; sie würde sie immer an ihren Verlust erinnern.

Mary rieb sich das Gesicht, weil sie in der kühlen Märzluft zu frieren begann. Sie stand auf und blickte sich um. Mary musste an den Nachmittag denken, als sie mit Sean in dem Garten gesessen hatte.

»Auf Wiedersehen, mein Lieber. Gott segne dich. Träum was Schönes«, flüsterte sie und kehrte nach Cadogan House zurück.

14

Anna war mittlerweile fast drei Jahre alt, hatte dichte schwarze Haare, die mit ihrer elfenbeinfarbenen Haut kontrastierten, und entzückte mit ihrer natürlichen Anmut den gesamten Haushalt. Sogar Lawrence Lisle ließ sie sich nun von Mary in den Salon bringen, wo sie den Knicks machte, den Mary ihr beigebracht hatte.

Anna schien zu ahnen, dass der Fremde, der sie hin und wieder zu sich rief, für sie wichtig war. Jedenfalls gab sie sich große Mühe, ihn zu bezirzen, schenkte ihm ihr schönstes Lächeln und ließ sich von ihm umarmen.

Körperlich entwickelte sie sich prächtig, doch sie konnte noch nicht richtig sprechen und gab lediglich monotone Laute von sich. Mary versuchte, sich keine Sorgen zu machen.

»Wie geht's mit dem Sprechen voran?«, fragte Lawrence Lisle eines Tages, als Anna bei ihm im Salon saß.

»Langsam, Sir, aber meiner Erfahrung nach dauert das eben seine Zeit.«

Zum Abschied schlang Anna die Arme um Lisles Schultern.

»Sag ›Auf Wiedersehen‹ zu mir, Anna«, ermutigte Lisle sie.

»Auf W-Wiedersehen«, stotterte Anna.

Lisle runzelte die Stirn. »Noch mal, Anna.«

»Auf W-Wiedersehen.«

»Hm … Mary, für mich klingt das, als würde Anna stottern.«

»Nein, nein«, versicherte ihm Mary nervös, obwohl Lawrence Lisle nur ihre eigenen Befürchtungen in Worte gefasst hatte. »Ihre Zunge muss sich noch an die Sprache gewöhnen.«

»Nun, du kennst dich aus mit kleinen Kindern, aber behalte das im Auge.«

»Ja, Sir, das tue ich.«

In den folgenden Monaten, als Anna mehr Wörter lernte, wurde ihr Sprachfehler zu offensichtlich, als dass man ihn einer Entwicklungsverzögerung hätte zuschreiben können. Mary zerbrach sich den Kopf darüber und holte Rat in der Küche ein.

»Da lässt sich wohl nichts machen«, sagte Mrs. Carruthers mit einem Achselzucken. »Sie sollte in Gegenwart von Mr. Lisle nicht zu viel reden. Du weißt ja, dass die feinen Leute Unvollkommenheiten bei ihren Nachkommen hassen. Da Anna fast so etwas wie ein eigenes Kind für ihn ist, würde ich es ihm verheimlichen, so gut es geht.«

Mary holte sich ein Buch zu dem Thema aus der örtlichen Bibliothek, aus dem sie erfuhr, dass Nervosität Stottern verstärkte. Als Annas wichtigste Bezugsperson bemühte Mary sich, sehr deutlich zu sprechen, so dass Anna die Laute gut hören und nachformen konnte.

In der Küche amüsierte man sich, wenn Mary die Worte überdeutlich artikulierte und die anderen Bediensteten ermunterte, es ihr gleichzutun.

»Wenn du nicht aufpasst, kriegt die Kleine einen irischen und einen Cockney-Akzent«, warnte Mrs. Carruthers Mary schmunzelnd. »Ich an deiner Stelle würde mich nicht einmischen.«

Doch Mary gab sich weiter große Mühe mit dem Kind. Mrs. Carruthers Rat folgend, brachte sie Anna bei, in Gegenwart von Lawrence Lisle zu schweigen, weil sie hoffte, dass ihr natürlicher Charme und ein anmutiger Knicks das Problem kaschierten. Gleichzeitig übte sie mit Anna die wenigen Wörter, die sie für ein einfaches Gespräch brauchte.

Mr. Lisle äußerte sich mehrmals über Annas Wortkargheit, was Mary mit einem Achselzucken abtat.

»W-Warum darf ich nicht mit ihm reden, M-Mary?«, flüsterte Anna, wenn Mary sie aus dem Salon zurück ins Kinderzimmer brachte.

»Irgendwann darfst du das, Liebes«, tröstete Mary sie.

Anna schien daraufhin ihre eigene Art der Verständigung mit ihrem Vormund zu entwickeln.

Einige Monate später klopfte Mary wieder einmal an der Salontür, um Anna nach der üblichen halben Stunde mit Lawrence Lisle abzuholen.

»Herein.«

Lawrence Lisle stand am Kamin, den Blick auf Anna gerichtet, die sich zu Musik vom Grammofon durch den Raum bewegte.

»Schau nur, wie sie tanzt«, flüsterte er fasziniert. »Anna scheint die Schritte instinktiv zu kennen.«

»Ja, sie tanzt gern.«

»Mit ihrem Körper drückt sie sich viel besser aus als mit Worten«, stellte Lawrence fest.

»Was für eine Musik ist das, Sir? Sie ist wunderschön.«

»*Der sterbende Schwan*. Das Ballett habe ich einmal in der Choreografie von Fokin vom Kirow in St. Petersburg gesehen…«, schwärmte er.

Als die Musik endete, scharrte die Nadel weiter über die Platte.

Lawrence riss sich selbst aus seinen Tagträumen. »Anna, du tanzt hervorragend«, lobte er das Mädchen. »Würdest du gern Stunden nehmen?«

Obwohl Anna nicht begriff, was er sie fragte, nickte sie.

Mary sah unsicher zuerst Anna, dann Lawrence an. »Glauben Sie nicht, dass sie noch ein bisschen jung ist für Tanzstunden, Sir?«

»Aber nein. In Russland fangen sie in diesem Alter an. Ich kenne viele in London lebende russische Emigranten. Bei denen werde ich mich nach einem passenden Lehrer für Anna erkundigen.«

»Gut, Sir.«

»Ich mag d-dich, Mr. Lisle«, verkündete Anna da mit einem strahlenden Lächeln.

Lawrence Lisle war verblüfft über diesen unerwarteten Beweis ihrer Zuneigung. Mary nahm Anna an der Hand und schob sie zur Tür, bevor sie noch mehr sagen konnte.

»Mary, hältst du es für angemessen, wenn sie mich ›Mr. Lisle‹ nennt? Das klingt so … förmlich.«

»Haben Sie einen anderen Vorschlag, Sir?« fragte Mary.

»Vielleicht wäre ›Onkel‹ unter den gegebenen Umständen passender? Schließlich bin ich ihr Vormund.«

»Ausgezeichnete Idee, Sir.«

Anna wandte sich ihm noch einmal zu und verabschiedete sich von ihm: »G-Gute Nacht, Onkel.«

Zwei Wochen später betrat Mary ein helles Ballettstudio voller Spiegel an der King's Road in Chelsea. Die Lehrerin, Prinzessin Astafieva, eine hagere Frau mit Turban, die eine Sobranie in der Zigarettenspitze rauchte und einen langen bunten Seidenrock trug, wirkte exotisch und distanziert.

Anna umklammerte beim Anblick der merkwürdigen Frau Marys Hand fester.

»Mein Freund Lawrence sagt, die Kleine kann tanzen.«

»Ja, Madam«, antwortete Mary nervös.

»Dann legen wir jetzt Musik auf und schauen uns an, wie

sie sich macht. Zieh den Mantel aus, Kind«, wies sie Anna an, während sie der Frau am Klavier ein Zeichen gab zu spielen.

»Tanz so, wie du es vor Onkel Lawrence tust«, flüsterte Mary und schob Anna in die Mitte des Raums. Anna sah aus, als würde sie gleich in Tränen ausbrechen, doch als sie die Musik hörte, begann sie sich anmutig wie immer dazu zu bewegen.

Zwei Minuten später klopfte Prinzessin Astafieva mit ihrem Stock auf den Holzfußboden des Studios, und die Pianistin hörte auf zu spielen.

»Lawrence hat recht. Sie bewegt sich ganz natürlich zur Musik. Ich nehme sie. Bringen Sie Anna jeden Mittwoch um drei Uhr hierher.«

»Ja, Madam. Würden Sie mir sagen, was sie braucht?«

»Erst einmal nur ihren Körper und ihre nackten Füße. Bis Mittwoch also.« Prinzessin Astafieva marschierte mit einem Nicken aus dem Raum.

Mary musste Anna überreden, wieder zu der Prinzessin zu gehen. Sie bestach sie mit einem rosafarbenen Tüllrock, den sie für sie nähte, und der Aussicht auf Tee und Biskuittörtchen am Sloane Square nach der Stunde.

Die anderen Bediensteten hatten die Stirn gerunzelt ob Lawrence Lisles Einfall.

»Er lässt sie in die Tanzstunde gehen, bevor sie richtig laufen und sprechen kann!«, hatte Mrs. Carruthers kopfschüttelnd bemerkt. »Daran ist nur seine Zeit in Russland schuld. Ständig spielt er diese grässliche Musik vom Grammofon. Hat irgendwas mit sterbenden Schwänen zu tun, glaube ich.«

Als Mary Anna nach ihrer ersten Stunde abholte, lächelte die Kleine. Beim versprochenen Tee erzählte Anna ihr, dass sie gelernt habe, ihre Füße in eine merkwürdige Position zu bringen, wie bei einer Ente.

»Sie ist gar k-keine Hexe, Mary.«

»Du bist sicher, dass du wieder hinwillst?«, erkundigte sich Mary.

»Ja.«

Im Frühjahr 1926 feierte Anna ihren achten Geburtstag. Da Lawrence Lisle nicht wusste, wann sie tatsächlich geboren war, hatte er einfach einen Tag Mitte April gewählt.

Mary beobachtete voller Stolz, wie Anna den Kuchen anschnitt, den Lisle für sie gekauft hatte. Anna hielt es vor Spannung kaum noch aus, als sie sein Geschenk aufmachte. In dem Päckchen befand sich ein Paar rosafarbener Ballettschuhe.

»D-Danke, Onkel, die sind wunderschön. K-Kann ich sie gleich anziehen?«, fragte Anna.

»Nach dem Essen. Sie sollen doch keine Schokoladenflecken kriegen, oder?«, ermahnte Mary sie mit einem Augenzwinkern.

»Genau, Mary. Zieh sie später an und tanz im Salon für mich, Anna«, schlug Lawrence vor.

»G-gern, Onkel«, antwortete Anna lächelnd. »Vielleicht magst du ja mit mir t-tanzen?«, neckte sie ihn.

»Das bezweifle ich«, antwortete er schmunzelnd, nickte seinen Bediensteten zu, die sich im Esszimmer versammelt hatten, und verließ den Raum.

Eine Stunde später betrat Anna den Salon in ihren neuen rosafarbenen Ballettschuhen.

Mary schloss lächelnd die Tür hinter ihr. Die Verbindung zwischen Lawrence und Anna war stärker geworden. Wenn er fürs Auswärtige Amt unterwegs war, wartete Anna am Fenster ihres Zimmers auf seine Rückkehr. In ihrer Gegenwart glänzten seine Augen, und seine mürrische Miene verschwand, wenn sie die Arme um ihn schlang.

Sie hätte keinen fürsorglicheren leiblichen Vater haben können, bemerkte Mary oft in der Küche. Er wollte sogar eine Hauslehrerin für sie einstellen. »Es ist das Beste, wenn sie zu Hause unterrichtet wird. Sie soll nicht wegen ihrer Stotterei gehänselt werden«, erklärte er.

Das Ballett war Annas ganze Leidenschaft. Sie freute sich auf die Stunden und übte jeden Tag.

Wenn Mary sie wegen ihrer mangelnden Konzentration im Unterricht rügte, grinste Anna breit. »W-Wenn ich erwachsen bin, muss ich nichts über G-Geschichte wissen, weil ich die beste B-Ballerina der Welt werde! Und du kommst zur P-Premiere, wenn ich in *Schwanensee* tanze, Mary!«

Die nötige Entschlossenheit, ihren Traum zu verwirklichen, dachte Mary, besaß Anna. Und Prinzessin Astafieva war der Meinung, dass Anna auch das nötige Talent mitbrachte.

Als Mary Anna zum Baden holen wollte, drehte diese in ihrem Zimmer Pirouetten.

»Weißt du was? Ich werde D-Diaghilews B-Ballets Russes mit der Prinzessin und Onkel Lawrence in C-Covent Garden sehen! Alicia M-Markova tanzt die Aurora in *D-Dornröschen*! Wie findest du das?«

»Ich freu mich für dich, Liebes.«

»Onkel Lawrence sagt, morgen kaufen wir ein neues K-Kleid für mich! Ich m-möchte eins aus Samt mit einem großen, breiten B-Band um den B-Bauch«, erklärte sie.

»Dann müssen wir sehen, ob wir so etwas für dich auftreiben«, sagte Mary. »Aber jetzt ab in die Badewanne.«

Der Abend, an dem Lawrence Lisle Anna das erste Mal ins Ballett mitnahm, veränderte ihrer aller Leben.

Nach der Vorstellung kehrte Anna, das Programm in der Hand, mit glänzenden Augen nach Hause zurück. »Miss

M-Markova war wunderschön«, schwärmte sie, als Mary sie ins Bett brachte. »Ihr P-Partner Anton Dolin hat sie über den K-Kopf gehoben, als würde sie nichts wiegen. Prinzessin Asta-fieva sagt, sie kennt Miss M-Markova. Vielleicht lerne ich sie eines T-Tages auch kennen. Stell d-dir das vor.« Sie legte das Programm unter ihr Kissen. »G-Gute Nacht, Mary.«

»Gute Nacht, Liebes«, flüsterte Mary. »Träum was Schönes.«

Einige Tage später betrat Mrs. Carruthers aufgeregt die Küche.

»Mr. Lisle ist im Salon. Ich soll ihm den Nachmittagstee bringen. Er hat ...«, Mrs. Carruthers machte eine dramatische Pause, »... *Damenbesuch.*«

Die anderen Bediensteten spitzten die Ohren.

»Wer ist sie? Wissen Sie das?«, fragte Nancy.

»Nein. Vielleicht täusche ich mich, aber da war so etwas in seinen Augen, als er sie angesehen hat ... tja ...« Mrs. Car-ruthers zuckte mit den Achseln. »Ich habe das Gefühl, unser eingefleischter Junggeselle wandelt auf Freiersfüßen.«

In den folgenden Wochen schien sich Mrs. Carruthers' Ver-dacht zu erhärten. Elizabeth Delancey kam regelmäßig zu Besuch. Gemeinsam setzten die Bediensteten die Informati-onsteilchen zu einem Ganzen zusammen. Offenbar war Mrs. Delancey die Witwe eines alten Freundes von Lawrence Lisle aus seiner Zeit in Eton. Ihr Mann, ein Offizier der britischen Armee, war wie Sean an der Somme gefallen.

»Diese Mrs. Delancey ist mir schon eine!«, ereiferte sich das Dienstmädchen eines Nachmittags, als es das Teetablett aus dem Salon in die Küche brachte. »Sie hat sich beklagt, dass die Scones trocken sind. Das soll ich der Köchin sagen.«

»Für wen hält die sich!«, rief Mrs. Carruthers aus. »Bei mir hat sie sich gestern über die Flecken auf dem Spiegel im Salon

beschwert. Ich soll mich drum kümmern, dass das Hausmädchen sorgfältiger putzt.«

»Mit dem langen Gesicht sieht sie aus wie ein Pferd«, meinte
Nancy.

»Eine Schönheit ist sie nicht gerade«, pflichtete Mrs. Carruthers ihr bei, »und obendrein fast so groß wie Mr. Lisle. Aber
mich stört eher ihr Charakter. Sie drängt sich in sein Leben.
Wenn sie dauerhaft bleibt, wird's schwierig für uns, das prophe-
zeie ich euch!«

»Seit sie da ist, bittet er Anna nicht mehr in den Salon«,
bemerkte Mary. »Im letzten Monat hat er sie kaum gesehen.
Anna fragt mich die ganze Zeit, warum er sie nicht mehr holt.«

»Sie ist kalt wie ein Fisch und erträgt keine Götter neben
sich. Wir wissen alle, wie sehr Mr. Lisle Anna mag. Sie ist sein
Augapfel, und das gefällt ihr nicht«, erklärte Mrs. Carruthers.

»Was passiert, wenn er sie heiratet?« Mary sprach aus, was
alle dachten.

»Dann haben wir ein Problem«, antwortete Mrs. Carruthers
mit grimmiger Miene.

Drei Monate später ließ Mr. Lisle das Personal in den Salon
kommen. Elizabeth Delancey stand neben ihm, als er stolz verkündete, dass sie heiraten würden.

An jenem Abend war die Stimmung in der Küche gedämpft. Alle Bediensteten wussten, dass ihre kleine Welt im
Begriff war, sich zu verändern. Als neue Herrin des Hauses
würde Elizabeth Delancey das Regiment übernehmen, und das
Personal würde ihr unterstehen.

»Magst du Mrs. D-Delancey?«, fragte Anna Mary, als diese
ihr eine Gutenachtgeschichte vorlas.

»Ich kenne sie kaum, aber wenn Onkel Lawrence sie mag,
ist sie sicher in Ordnung.«

»Sie sagt, ich rede k-komisch und bin … k-klapperdürr. Was heißt das, M–Mary?«

»Dass du ein hübsches kleines Mädchen bist, Liebes«, tröstete Mary sie, während sie sie zudeckte.

»Sie sagt, ich muss sie ›T-Tante‹ nennen, wenn sie Onkels Frau ist. Sie w-wird doch nicht meine M-Mutter, oder, Mary? Ich weiß, du bist nicht meine Mutter, aber du k-kommst mir so vor.«

»Zerbrich dir darüber nicht den Kopf. Ich werde immer für dich da sein. Gute Nacht, träum was Schönes.« Mary küsste Anna auf die Stirn.

Als sie das Licht ausschaltete und das Zimmer verlassen wollte, hörte sie Annas Stimme aus der Dunkelheit.

»Mary?«

»Was ist, Liebes?«

»Ich g-glaube, sie m-mag mich nicht.«

»Unsinn! Wie könnte jemand dich nicht mögen? Nun hör auf zu grübeln und mach die Augen zu.«

Die Hochzeit fand in einer Kirche in der Nähe des Ortes in Sussex statt, in dem die Eltern von Elizabeth Delancey lebten. Mary begleitete Anna. Die Nichten der künftigen Mrs. Lisle fungierten als Brautjungfern.

Cadogan bekam einen Monat, den die Frischvermählten in Südfrankreich verbrachten, Verschnaufpause. Doch am Tag ihrer Rückkehr musste das Haus vom Keller bis zum Speicher blitzblank sein.

»Ich lasse mir von dieser Frau nicht vorwerfen, dass ich ihr neues Zuhause nicht in einen tadellosen Zustand gebracht hätte«, murmelte Mrs. Carruthers.

Mit ungutem Gefühl zog Mary Anna zur Begrüßung ihres Onkels und ihrer neuen Tante ihr bestes Kleid an.

Mr. und Mrs. Lisle trafen zum Tee ein. Die Bediensteten stellten sich im Eingangsbereich auf und klatschten verhalten. Die neue Herrin wechselte einige Worte mit jedem. Anna wartete mit Mary am Ende der Reihe, um ihren Knicks zu machen. Mrs. Lisle nickte Anna nur kurz zu, bevor sie, gefolgt von Lawrence Lisle, im Salon verschwand.

»Sie möchte morgen mit allen einzeln sprechen«, schnaubte Mrs. Carruthers später. »Mit dir auch, Mary. Gott steh uns bei!«

Am folgenden Morgen betraten die Bediensteten einer nach dem anderen den Salon zu einem Gespräch mit ihrer neuen Herrin. Mary wartete unruhig draußen, bis sie an der Reihe war.

»Guten Morgen, Mary«, begrüßte Elizabeth Lisle sie.

»Guten Morgen, Mrs. Lisle. Herzlichen Glückwunsch zur Vermählung.«

»Danke. Ich möchte dir mitteilen, dass ich von jetzt an alle Entscheidungen fällen werde, die Mr. Lisles Mündel betreffen. Mr. Lisle ist sehr beschäftigt im Auswärtigen Amt.«

»Ja, Mrs. Lisle.«

»Mir wäre es lieber, wenn du mich ›Ma'am‹ nennen würdest, Mary. Das bin ich von zu Hause gewohnt.«

»Ja … Ma'am.«

Elizabeth ging zum Schreibtisch, auf dem die Kladden mit der monatlichen Buchführung ausgebreitet lagen. »Die übernehme ich von Mrs. Carruthers. Beim Durchsehen bin ich zu dem Schluss gelangt, dass in puncto Finanzen eine gewisse Nachlässigkeit herrscht in diesem Haushalt, die so schnell wie möglich behoben werden muss. Drücke ich mich klar genug aus?«

»Ja, Ma'am.«

Mrs. Lisle setzte ihre Hornbrille auf und warf einen Blick in die Kladde. »Die Kosten für Anna betragen mehr als hundert

Shilling im Monat. Kannst du erklären, wofür dieses Geld aus-
gegeben wird?«

»Anna besucht zweimal wöchentlich die Ballettstunde,
Ma'am, das macht vierzig Shilling im Monat. Außerdem kommt
jeden Morgen eine Hauslehrerin, die fünfzig Shilling monatlich verlangt. Dazu ihre Kleidung und …«

»Genug!«, herrschte Mrs. Lisle sie an. »Es liegt auf der
Hand, dass dieses Kind verwöhnt wird. Darüber unterhalte ich
mich heute Abend mit Mr. Lisle. Das Mädchen ist acht, nicht
wahr?«

»Ja, Ma'am.«

»Dann halte ich zwei Ballettstunden wöchentlich nicht für
angemessen.« Mrs. Lisle hob seufzend die Augenbrauen. »Du
kannst gehen, Mary.«

»Ja, Ma'am.«

»Mary, warum kann ich nicht mehr zweimal die Woche in die
B-Ballettstunde?«, fragte Anna. »Eine reicht nicht!«

»Vielleicht später wieder, Liebes. Im Moment kann Onkel
Lawrence sich das nicht leisten.«

»Aber er ist d-doch gerade b-befördert worden! Und in der
Küche reden alle von dem D-Diamantkollier, das er T-Tante
gekauft hat. Da tun ihm zehn Shilling die Woche b-bestimmt
nicht weh.« Die Erregung verstärkte ihr Stottern, und sie brach
in Tränen aus.

»Beruhige dich, Liebes.« Mary nahm sie in den Arm. »Die
Nonnen haben immer gesagt, ich soll dankbar sein für das, was
ich habe. Eine Stunde bleibt dir ja noch.«

»Aber d-die reicht nicht!«

»Dann wirst du eben in der Zwischenzeit fleißiger üben
müssen. Bitte reg dich nicht auf.«

Doch Anna war untröstlich.

Nach der Hochzeit hielt Lawrence Lisle sich nur noch selten zu Hause auf. Wenn er da war, wartete Anna voller Ungeduld, dass er sie in den Salon rief. Mary brach es fast das Herz, wenn sie ihr enttäuschtes Gesicht sah.

»Er m-mag mich nicht mehr. Er m-mag nur noch T-Tante Elizabeth. Und t-tut alles, was sie sagt.«

Die Bediensteten waren ganz ihrer Meinung.

»Sie hat ihn genau da, wo sie ihn haben wollte«, seufzte Mrs. Carruthers. »Ich hätte nicht gedacht, dass Mr. Lisle so grausam sein könnte. Arme Kleine. Er würdigt Anna kaum noch eines Blickes.«

»Bestimmt würde er sich von Mrs. Lisle eine Ohrfeige einhandeln, wenn er es täte«, bemerkte Nancy. »Wahrscheinlich hat er genauso viel Angst vor ihr wie wir. Sie hat immer was auszusetzen, egal, was man macht. Wenn das so weitergeht, hätte ich gute Lust zu kündigen. Heutzutage finden Frauen auch anderswo Arbeit, sogar gut bezahlte.«

»Stimmt«, pflichtete Mrs. Carruthers ihr bei. »Meine Freundin Elsie sagt, gleich auf der anderen Seite des Platzes suchen sie eine Haushälterin. Vielleicht stelle ich mich da vor.«

Mary lauschte ihnen traurig. Sie wusste, dass sie nicht einfach gehen konnte.

Die Bediensteten lebten in einem permanenten Zustand der Anspannung, weil sie wussten, dass sie die neue Mrs. Lisle niemals zufriedenstellen konnten. Zuerst kündigte das Dienstmädchen, dann die Köchin. Smith, der Butler, beschloss, sich aufs Altenteil zurückzuziehen. Mary bemühte sich, so gut es ging, mit Anna aus der Schusslinie zu bleiben. Sie durfte Anna nicht begleiten, wenn diese in den Salon gerufen wurde, und wartete nervös vor der Tür, bis sie, oft tränenüberströmt, wieder herauskam. Elizabeth Lisle kritisierte Anna, wenn sie stotterte, die Haarschleife nicht richtig gebunden war oder sie

Schmutzspuren auf der Treppe hinterließ – immer war Anna schuld.

»Sie hasst m-mich«, weinte Anna sich eines Abends bei Mary aus.

»Sie hasst dich nicht, Liebes, sie ist einfach so. Bei allen.«

»Schön ist das aber nicht, oder, Mary?«

Da konnte Mary ihr nicht widersprechen.

15

Im Herbst 1927, Anna war neun, wurde Lawrence Lisle als britischer Konsul nach Bangkok versetzt. Elizabeth Lisle wollte ihm drei Monate später folgen.

»Immerhin müssen wir sie jetzt nur noch ein paar Wochen ertragen«, lautete Mrs. Carruthers' Kommentar. »Mit ein bisschen Glück kommen sie erst in einigen Jahren zurück.«

»Vielleicht stirbt sie an einer Tropenkrankheit und kommt gar nicht wieder«, meinte Nancy.

Lawrence Lisle verabschiedete sich ziemlich kurz und spröde von Anna, weil seine Frau neben ihm stand und jede seiner Gesten beobachtete.

Sie umarmte er. »Schatz, wir sehen uns in Bangkok.«

»Ja. Mach dir keine Sorgen. Ich sorge schon dafür, dass der Haushalt in deiner Abwesenheit gut geführt wird.«

Zwei Tage später rief sie Mary in den Salon.

»Mary...« Elizabeth Lisle rang sich ein schmallippiges Lächeln ab. »Ich wollte dir mitteilen, dass wir deine Dienste nicht mehr benötigen. Angesichts meiner baldigen Abreise nach Bangkok habe ich beschlossen, Anna in ein Internat zu geben. Mr. Lisle und ich werden mindestens fünf Jahre in Bangkok sein. In dieser Zeit brauchen wir dieses Haus nicht. Es wäre Geldverschwendung, das Personal in unserer Abwesenheit weiterzubeschäftigen. Mir ist klar, dass du dich die letz-

143

ten neun Jahre um Anna gekümmert hast und die Trennung für euch hart wird. Deshalb bekommst du einen Monatslohn. Wenn ich Anna Ende der Woche in ihre neue Schule bringe, verlässt du Cadogan House. Ich sage ihr morgen Bescheid. Ich halte es für das Beste, wenn du vorerst nichts darüber verlauten lässt, dass du gehst. Wir wollen ja nicht, dass das Kind hysterisch reagiert.«

Mary klangen die Ohren. »Aber ... Ma'am, ich kann mich doch von ihr verabschieden, oder? Sie darf nicht denken, dass ich sie im Stich lasse. Bitte, Mrs. Lisle ... Ich meine, Ma'am«, flehte Mary.

»Anna kommt schon zurecht. Du bist nicht ihre leibliche Mutter. Sie wird mit Mädchen ihres Alters und ihrer Schicht zusammen sein«, fügte Elizabeth Lisle hinzu.

»Und was ist mit den Ferien?«

»Wie viele Waisen oder Kinder, deren Eltern im Ausland leben, bleibt sie in der Schule.«

»Das heißt, die Schule wird ihr neues Zuhause?«, fragte Mary entsetzt.

»So könnte man es ausdrücken, ja.«

»Darf ich ihr wenigstens schreiben?«

»Nein. Unter den gegebenen Umständen würde sie das zu sehr aus der Fassung bringen.«

Mary wusste, dass sie nicht weinen durfte. »Kann ich wenigstens erfahren, wohin Sie sie bringen?«

»Ich halte es für das Beste, wenn du das nicht weißt, denn dann gerätst du nicht in Versuchung, Kontakt mit ihr aufzunehmen. Ich habe alles für die Schule organisiert. Du musst nur noch ihre Kleidung mit Namensschildchen versehen und ihren Koffer und deine eigenen Sachen packen.« Elizabeth Lisle erhob sich. »Als Mündel von Mr. Lisle und mir kann sie nicht das ganze Leben lang von Bediensteten aufgezogen werden. Das Mädchen muss für später Manieren und Anstand lernen.«

»Ja, Ma'am«, presste Mary hervor.

»Du kannst gehen, Mary.«

Mary blieb an der Tür stehen. »Was ist mit ihren Ballettstunden? Kann sie sie an der Schule fortsetzen? Sie ist so begabt... das sagen alle... Und Mr. Lisle war es so wichtig...«

»Als seine Frau und Vormund des Kindes in Abwesenheit meines Mannes handle ich in seinem Namen und entscheide, was das Beste für Anna ist.«

Mary, die wusste, dass es keinen Sinn hatte, weiter mit ihr zu diskutieren, verließ den Raum.

Da Mary Anna nichts über ihre unmittelbar bevorstehende Trennung verraten durfte, bemühte sie sich, sie zu trösten, während sie Namensschildchen in die Schuluniform nähte und alles zurechtlegte, was sie ins Internat mitnehmen würde.

»Ich will nicht weg in d-die Schule, Mary. Ich will nicht weg von d-dir, den anderen und meinen B-Ballettstunden.«

»Das weiß ich, Liebes, aber Onkel und Tante halten es für das Beste. Vielleicht fühlst du dich in Gesellschaft anderer Mädchen deines Alters ja auch wohl.«

»Was b-brauche ich sie, wenn ich d-dich und meine Freunde in der K-Küche habe? Mary, ich habe Angst. Bitte sag T-Tante, dass sie mich nicht wegschicken soll. Ich verspreche, immer artig zu sein«, bettelte Anna. Mary legte die Arme um das schluchzende Mädchen. »Du sagst doch der P-Prinzessin, dass ich in den Ferien wieder d-da bin, oder? Sag ihr, ich übe auch in der Schule f-fleißig und enttäusche sie nicht.«

»Natürlich.«

»Die Z-Zeit wird schnell vergehen. B-Bis zu den Ferien dauert's nicht lange, und dann b-bin ich wieder bei dir.«

Mary hatte Mühe, die Tränen zurückzuhalten, als sie hörte, wie Anna sich selbst Mut zuzusprechen versuchte. »Nein, es dauert nicht lange.«

»Und d–du wartest hier auf mich, Mary? Was machst du, wenn ich weg b–bin? Du wirst d–dich furchtbar langweilen.«

»Vielleicht gönne ich mir einen kleinen Urlaub.«

»Aber sei w–wieder da, wenn ich von d–der Schule heimkomme, ja?«

»Ja, Liebes, das verspreche ich dir.«

An dem Tag, als Anna ins Internat aufbrechen sollte, klopfte es um neun Uhr morgens an Marys Tür.

»Herein.«

Anna trug ihre neue Schuluniform, die so groß gekauft war, dass sie hineinwachsen konnte. Sie schien fast darin zu ertrinken, und ihr herzförmiges Gesicht wirkte erschöpft und blass.

»T–Tante meint, ich soll dir auf W–Wiedersehen sagen. Sie will unten keine Szene.«

Mary nickte und umarmte sie. »Mach mir keinen Kummer, ja?«

»Ich versuch's, M–Mary, aber ich hab A–Angst.« Annas Stottern war in der vergangenen Woche schlimmer geworden.

»Ein paar Tage, dann gefällt's dir dort, da bin ich mir sicher.«

»Nein. Ich w–werd's hassen«, murmelte sie. »Schreibst d–du mir jeden T–Tag?«

»Natürlich.« Mary schob sie sanft von sich weg und sah sie lächelnd an. »Nun geh mal lieber.«

Anna nickte. »Ja. Auf W–Wiedersehen, M–Mary.«

»Auf Wiedersehen, Liebes.«

Mary blickte Anna nach. Als Anna die Tür erreichte, wandte sie sich noch einmal zu ihr um. »W–Wenn die anderen

M-Mädchen mich nach meiner M-Mutter fragen, erzähle ich ihnen von dir. Ist d-dir das recht?«

»Ach, Anna, natürlich.«

Anna nickte traurig.

»Vergiss nicht«, sagte Mary, »eines Tages wirst du eine große Ballerina sein. Halt an deinen Träumen fest, ja?«

»Ja.« Anna lächelte matt. »Ich v-versprech's.«

Mary sah von ihrem Fenster aus zu, wie Anna Elizabeth Lisle zum Wagen folgte, der sich kurz darauf entfernte. Zwei Stunden später waren Marys Sachen ebenfalls gepackt. Elizabeth Lisle hatte ihr den letzten Lohn ausgezahlt, und mithilfe von Mrs. Carruthers hatte Mary ein Zimmer in einer Pension in Baron's House einige Kilometer entfernt reserviert, in dem sie bleiben wollte, bis sie wieder in der Lage war, klarer zu denken und Entscheidungen zu fällen.

Um weitere tränenreiche Abschiede zu vermeiden, hinterließ Mary für Mrs. Carruthers und Nancy Briefe auf dem Küchentisch. Dann nahm sie ihren Koffer, öffnete die hintere Tür und tat den ersten Schritt in eine ungewisse Zukunft.

Aurora

So ist die arme, gutherzige Mary also von der bösen Stiefmutter auf die Straße gesetzt worden. Vielleicht ist sie das Aschenputtel meiner Geschichte und Anna die kleine Waise, der es zwar nicht an Geld, wohl aber an Liebe mangelt und die nun im Internat allein zurechtkommen muss.

Marys Briefe an ihre künftige Schwiegermutter Bridget, die Grania bis tief in die Nacht hinein gelesen hatte, endeten hier. Ich kann verstehen, warum Marys Stolz sie daran hinderte, Seans Eltern weiter zu schreiben.

Als Grania die Lektüre der Briefe beendet hatte, ging sie zu ihrer Mutter und bat sie, ihr zu erzählen, was später aus Mary geworden war. Dabei wurden wieder unzählige Tassen Tee getrunken; denn Tee spielte eine große Rolle in unserem Leben im Farmhaus von Dunworley.

Heute trinke ich kaum noch welchen, weil mir davon wie von den meisten Dingen übel wird.

Aber ich schweife ab. In jedem guten Märchen findet die traurige Prinzessin am Ende das Glück bei ihrem Prinzen.

Mich interessiert jedoch mehr, was nach dem »Und sie lebten glücklich und zufrieden bis an ihr Lebensende« geschieht.

Prinzessin Aurora aus Dornröschen beispielsweise erwacht nach hundertjährigem Schlaf. Gütiger Himmel! Rein rechnerisch ist sie hundertsechzehn Jahre alt und ihr Prinz achtzehn. Was für ein Altersunterschied! Ganz abgesehen davon, dass sie mit einer ziemlich veränderten Welt konfrontiert ist.

Ich gebe der Beziehung keine allzu guten Chancen.

Aber so sind Märchen nun mal. Zurück zu Mary, deren Prüfungen denen Prinzessin Auroras meiner Ansicht nach vergleichbar sind. Vorausgesetzt natürlich, sie begegnet ihrem Prinzen.

Nun, wir werden sehen ...

16

Am schlimmsten fand Mary, dass sie so viel Zeit zum Nachdenken hatte. Bisher waren sämtliche Tage in den neunundzwanzig Jahren ihres Lebens mit Arbeiten für andere ausgefüllt
gewesen. Jetzt gehörte ihre Zeit ihr, und sie zog sich endlos
dahin.

Außerdem wurde ihr klar, dass sie sich bislang immer in Gesellschaft anderer Leute befunden hatte, weswegen sie sich in
ihrem winzigen Zimmer unerträglich einsam fühlte. Gedanken
an ihre Verluste – ihre Eltern, ihr Verlobter und das Mädchen,
das sie geliebt hatte wie ihr eigenes Kind – quälten sie, wenn
sie vor dem Gasofen saß. Anderen mochte es gefallen, wenn
keine Glocke und kein lautes Klopfen an der Tür sie weckten, aber für Mary war es schwierig, nicht mehr »gebraucht«
zu werden.

An Geld mangelte es ihr nicht, weil sie in den fünfzehn Jahren bei den Lisles Ersparnisse angesammelt hatte, die leicht fünf
Jahre reichten. Sie hätte sich eine weit behaglichere Bleibe leisten können als das Zimmerchen.

An den meisten Nachmittagen saß Mary in Kensington Gardens, wo sie wie früher die Kindermädchen mit ihren Schützlingen beobachtete. Und wie früher redeten sie nicht mit ihr.

In ihren düstersten Momenten glaubte Mary, dass es niemanden gab, den es interessierte, ob sie lebte oder nicht. Sie
war unwichtig und ersetzbar, sogar für Anna, der sie so viel
Liebe geschenkt hatte. Mary wusste, dass das Mädchen sich an-

passen und ein neues Leben beginnen würde. So war das immer bei jungen Leuten.

Zum Zeitvertreib nähte Mary sich in den einsamen Abendstunden eine neue Garderobe. Sie erwarb eine Singer-Nähmaschine und saß beim Licht einer schwachen Gaslampe an dem kleinen Tisch am Fenster mit Blick auf die Colet Gardens. Beim Nähen musste sie nicht nachdenken, und der kreative Prozess tröstete sie. Wenn ihr rechter Arm vom Drehen des Rads an der Maschine müde wurde, machte sie eine Pause und schaute hinaus. Oft sah sie einen Mann, der an einem Laternenpfahl direkt unter ihrem Fenster lehnte. Er wirkte jung – nicht älter als sie selbst – und stand stundenlang, den Blick in die Ferne gerichtet, dort.

Nach einer Weile wartete Mary bereits darauf, dass er kam, für gewöhnlich gegen sechs Uhr abends. Manchmal blieb er bis zum frühen Morgen.

Die Gegenwart dieses einsamen jungen Mannes tröstete Mary, obwohl sie den Eindruck hatte, dass er nicht ganz richtig im Kopf war.

Die Tage wurden kürzer, und der junge Mann stand nach wie vor am Laternenpfahl. Während Mary sich in die warmen Kleider hüllte, die sie sich genäht hatte, schienen die sinkenden Temperaturen ihn nicht zu beeindrucken.

Eines Abends im November, als Mary vom Tee mit Nancy spät nach Hause kam, blieb sie stehen, um ihn genauer zu betrachten. Er war groß gewachsen und hatte feine Züge, eine Adlernase und ein stolzes Kinn, und seine Haut schimmerte fahl im Licht der Laterne. Er war hager, fast schon ausgezehrt, doch Mary erkannte, dass er mit ein bisschen Fleisch auf den Knochen ziemlich gut ausgesehen hätte. Vom Fenster ihrer Wohnung aus behielt sie ihn weiter im Blick. Sie fragte sich, wie er in der bitteren Kälte so lange still stehen konnte. Als

Mary frierend den Gasofen anzündete und sich ein Tuch um die Schultern legte, kam ihr eine Idee.

Eine Woche später ging sie zu dem jungen Mann hinunter.

»Ich habe da etwas für Sie, was Sie warm hält, wenn Sie den Laternenpfahl stützen.« Mary reichte ihm ein Bündel und wartete eine ganze Weile auf eine Reaktion. Als sie sich gerade wieder entfernen wollte, wandte er ihr matt lächelnd den Kopf zu.

»Ein Wollmantel, damit Sie nicht frieren«, erklärte sie.

»F-Für mich?«, fragte er mit rauer Stimme.

»Ja. Ich wohne da oben.« Mary deutete zu dem erleuchteten Fenster hinauf. »Ich habe Sie beobachtet. Weil ich nicht möchte, dass Sie vor meiner Tür an Unterkühlung sterben, habe ich den Mantel für Sie genäht.«

Er schaute zuerst den Mantel, dann sie an. »F-Für mich?«, wiederholte er.

»Ja. Würden Sie ihn nun endlich nehmen? Er ist ziemlich schwer.«

»Aber … Ich habe kein G-Geld dabei. Ich k-kann Ihnen nichts dafür geben.«

»Den schenke ich Ihnen. Ich kann es nicht ertragen, Sie hier unten zittern zu sehen, wenn ich es oben warm und gemütlich habe. Nehmen Sie ihn«, drängte sie ihn.

»D-Das ist schrecklich n-nett von Ihnen, Miss …?«

»Mary. Ich heiße Mary.«

Er nahm den Mantel und probierte ihn vor Kälte zitternd an.

»Er p-passt genau! Wie k-konnten Sie …?«

»Sie stehen ja jeden Abend hier unten.«

»D-Das ist das schönste Geschenk, das ich je b-bekommen habe.«

Mary fiel auf, dass der Mann zwar stotterte, aber mit dem gleichen Oberschichtakzent wie Lawrence Lisle sprach.

»Jetzt kann ich ruhiger schlafen. Gute Nacht, Sir.«

»G-Gute Nacht, M-Mary. Und ... danke.«

»Keine Ursache«, sagte sie und ging zurück ins Haus.

Einige Wochen später, als Mary beinahe schon zu dem Schluss gekommen war, dass sie der Einsamkeit nur entfliehen konnte, wenn sie nach Irland zurückkehrte und als alte Jungfer bei Seans Familie endete, traf sie sich am Piccadilly Circus mit Nancy.

»Himmel, siehst du schick aus!«, rief Nancy aus, als sie Tee und Buttertoast bestellten. »Wo hast du den neuen Mantel her? So einen habe ich in einer Zeitschrift gesehen, der kostet ein Vermögen. Hast du eine Erbschaft gemacht?«

»Ich habe ihn einfach von der Abbildung in der Illustrierten kopiert.«

»Du hast ihn *selber* genäht?«

»Ja.«

»Ich wusste, dass du gut mit der Nadel umgehen kannst, aber der Mantel sieht aus wie das Original!«, stellte Nancy voller Bewunderung fest. »Könntest du mir auch einen machen?«

»Sicher, wenn du mir sagst, in welcher Farbe.«

»Wie wär's mit scharlachrot? Würde mir das stehen?« Sie strich sich die blonden Locken zurück.

»Sogar sehr gut«, antwortete Mary. »Allerdings müsste ich für das Material was verlangen.«

»Natürlich. Und für deine Arbeitszeit. Wie viel?«

Mary überlegte. »Na ja, zehn Shilling fürs Material und ein paar Shilling fürs Nähen...«

»Einverstanden!« Nancy klatschte begeistert in die Hände. »Sam führt mich nächsten Donnerstag aus. Ich glaube, er will mir einen Heiratsantrag machen. Könntest du den Mantel bis dahin fertig kriegen?«

»Eine Woche …« Mary überlegte. »Ja, warum nicht?«

»Ach, Mary, danke! Du bist ein Schatz.«

Der rote Mantel markierte einen Wendepunkt in Marys Leben. Nancy zeigte ihn ihren Freundinnen, und schon bald standen sie vor Marys Tür Schlange. Sogar ihre junge Nachbarin Sheila, die in einem der schicken Warenhäuser in der Nähe des Piccadilly Circus arbeitete, war Marys Mantel aufgefallen. Sie hatte Mary auf der Straße angesprochen und sie gebeten, einen für sie zu schneidern. Als Sheila eines Abends zur Anprobe zu Mary kam, unterhielten sich die beiden noch bei einer Tasse Tee.

»Du solltest dich als Schneiderin niederlassen, Mary. Du hast Talent.«

»Danke. Aber findest du es richtig, mit etwas Geld zu verdienen, das einem Spaß macht?«

»Natürlich! Ich habe viele Freundinnen, die bereit wären, dich dafür zu bezahlen, dass du ihnen etwas nach der neuesten Mode nähst. Wir wissen doch alle, was die Sachen im Laden kosten.«

»Ja.« Mary schaute aus dem Fenster auf den jungen Mann, der in seinem schwarzen Wollmantel am Laternenpfahl stand. »Kennst du den jungen Mann da unten?«

Sheila blickte ebenfalls hinunter.

»Mein Vermieter sagt, seine Freundin hätte vor dem Krieg hier gewohnt. Sie wollte Krankenschwester im St. Thomas's Krankenhaus werden, wurde an der Somme von einem scheuenden Pferd niedergetrampelt und ist gestorben. Und er ist mit Granatenschock zurückgekommen, der Arme.« Sheila seufzte. »Von den zweien wäre ich, glaube ich, lieber sie. Sie muss wenigstens nicht mehr leiden. Anders als er, der Tag für Tag den Schrecken neu erlebt.«

»Hat er denn ein Zuhause?«

»Anscheinend ist seine Familie sehr wohlhabend. Er wohnt bei seiner Patentante in Kensington. Sie hat ihn bei sich aufgenommen, weil seine Eltern ihn, verwirrt, wie er ist, nicht mehr wollten. Armer Kerl. Was für eine Zukunft bleibt jemandem wie ihm?«

»Ich weiß es nicht«, seufzte Mary. »Immerhin scheint es ihn zu trösten, wenn er hier sein kann.«

Mary wohnte inzwischen fast dreieinhalb Monate in dem Haus gegenüber von Colet Gardens. Jetzt waren ihre Tage ausgefüllt mit Anproben und dem Nähen von Mänteln, Blusen, Röcken und Kleidern. Sie spielte mit dem Gedanken, eine Assistentin einzustellen und in eine größere Wohnung mit einem Raum nur für die Arbeit zu ziehen. Obwohl ihr weniger Zeit zum Nachdenken blieb, hätte sie doch gern einen Brief an Anna begonnen, um ihr alles zu erklären. Doch sie wusste, dass es das Beste für Anna war, wenn sie schwieg.

Immer wenn Selbstmitleid sie zu übermannen drohte, schaute sie zu dem jungen Mann am Laternenpfahl hinunter.

Da die bestellten Kleidungsstücke vor Weihnachten fertig sein mussten, blieb Mary keine Zeit zu überlegen, wie sie das Fest ohne Anna verbringen würde. Nancy hatte Mary für den ersten Weihnachtsfeiertag nach Cadogan House eingeladen.

»Es wird unser letztes Weihnachten dort sein«, hatte Nancy gesagt. »Im Januar müssen wir alle gehen. Die blöde Kuh hätte uns sicher vor Weihnachten auf die Straße gesetzt, wenn nicht noch genug zu tun gewesen wäre.«

»Ist sie nach Bangkok abgereist?«, fragte Mary.

»Ja, letzten Monat. Da haben wir sofort ein richtig schönes

Fest in der Küche gefeiert! Sam und ich haben gute Stellen als Butler und Haushälterin in Belgravia ergattert. Ich weine dieser Küche keine Träne nach. Aber die Kleine tut mir leid. Sie hatte sich so auf Weihnachten daheim gefreut. Wie Menschen so grausam sein können! Und Männer so blind, dass sie auf solche Frauen reinfallen«, fügte Nancy hinzu.

Mary arbeitete die Nacht vor Heiligabend durch, um sicherzustellen, dass ihre Kunden die bestellte Kleidung rechtzeitig erhielten. Um vier Uhr nachmittags, als das letzte Teil abgeholt war, sank sie erschöpft in den Sessel beim Ofen. Leises Klopfen an der Tür ließ sie aufschrecken.

»Hallo?«

»Ich bin's, Sheila, von nebenan. Du hast Besuch.«

Mary ging zur Tür. Sie traute ihren Augen nicht, als sie sah, wer neben Sheila stand.

»Mary!« Anna umarmte Mary so fest, dass sie fast keine Luft mehr bekam.

»Jesus, Maria und Josef! Anna, was machst du denn hier? Wie hast du mich gefunden?«

»Du kennst sie also?«, fragte Sheila lächelnd. »Sie saß ganz verloren vor der Tür.«

»Natürlich kenne ich sie. Das ist meine Anna.« Mary traten Freudentränen in die Augen.

»Dann lasse ich euch mal allein. Scheint, als hätte sich für dich gerade ein Weihnachtswunsch erfüllt, Mary.«

»Ja.«

Mary schloss lächelnd die Tür, schob Anna zu einem Stuhl und drückte sie darauf. »Erzähl mir genau, wie du hergekommen bist. Ich dachte, du bist im Internat.«

»J-Ja, aber … Ich b-bin weggelaufen und gehe nie w-wieder zurück!«

»Anna, nun red keinen Unsinn. Das meinst du nicht so, oder?«

»D-Doch. Und w-wenn du versuchst, mich zu zwingen, laufe ich w-wieder weg. Die Schulleiterin ist schrecklich, die anderen Mädchen sind schrecklich! Ich muss immerzu Lacrosse spielen. Das schadet meinen K-Knien und ist noch schrecklicher als alles andere! Ach, Mary!« Anna vergrub das Gesicht in den Händen. »Ich hab mich so auf die W-Weihnachtsferien gefreut und darauf, endlich d-dich und die andern in C-Cadogan House zu sehen. Da hat mich die D-Direktorin zu sich ins B-Büro gerufen und mir gesagt, dass ich nicht heim darf. Mary, bitte, ich w-will da nicht mehr hin, b-bitte.«

Anna brach in Tränen aus.

Mary hob sie auf ihren Schoß, und Anna legte den Kopf an ihre Brust.

Als sie sich ein wenig beruhigt hatte, sagte Mary: »Anna, wir müssen die Schulleiterin informieren, dass es dir gut geht. Es würde mich nicht wundern, wenn sie die Polizei eingeschaltet hat.«

»Ich b-bin erst heute Morgen w-weggelaufen«, erklärte Anna. »Mrs. G-Grix, die Schulleiterin, ist über W-Weihnachten bei ihrer Schwester auf J-Jersey. Die Aufseherin soll auf mich aufpassen, aber die trinkt so viel G-Gin, dass sie mich doppelt sieht.«

Mary schmunzelte. »Dann müssen wir uns mit der Aufseherin in Verbindung setzen. Schließlich wollen wir nicht, dass sie sich Sorgen macht, oder?«

»Solange du mir v-versprichst, ihr nicht zu sagen, wo ich bin. Sonst holt sie mich, und ich w-will nicht zurück. Lieber sterbe ich.«

Mary wusste, dass sie an jenem Abend nicht mehr vernünftig mit der erschöpften Anna würde reden können. »Ich sage ihr nur, dass du wohlbehalten in Cadogan House aufgetaucht bist und wir uns nach Weihnachten bei ihr melden. Wie ist das?«

Anna nickte widerstrebend.

»Du siehst aus, als könntest du ein Bad vertragen. Es ist nicht ganz so wie in Cadogan House, aber immerhin bist du hinterher sauber.«

Mary brachte Anna zum Gemeinschaftsbad am anderen Ende des Flurs und ließ Wasser in die Wanne ein. Sie fragte Anna, wie sie den Weg nach London und Colet Gardens gefunden habe.

»Das w-war leicht«, antwortete Anna. »Ich k-kenne die Station, weil wir mal einen Ausflug nach L-London gemacht haben, St. Paul's anschauen. Ich hab mich aus der Schule geschlichen und bin mit dem Zug nach W-Waterloo gefahren. Von d-dort hab ich einen B-Bus zum Sloane Square genommen und bin den restlichen Weg nach C-Cadogan House zu Fuß gegangen. Da hat Mrs. C-Carruthers mich in ein T-Taxi zu dir gesetzt.«

»Du wusstest doch, dass das Haus geschlossen wird. Was hättest du gemacht, wenn niemand dort gewesen wäre?« Mary half Anna aus der Wanne und legte ein Handtuch um sie.

»So weit hab ich nicht g-gedacht«, gab sie zu. »Ich w-weiß, dass der Riegel am K-Küchenfenster kaputt ist. Ich hätte es aufmachen und reinklettern können. Aber Mrs. C-Carruthers war da und hat mir gesagt, wo du w-wohnst.«

Fast bewunderte Mary Anna, die in den vergangenen vier Monaten erwachsener geworden war und Eigeninitiative entwickelt hatte.

Mary brachte Anna zurück in ihr Zimmer. »Leg du dich ins Bett. Ich gehe runter und frage, ob ich das Telefon meines Vermieters benutzen darf. Ich will Mrs. Carruthers sagen, dass sie

die Aufseherin in der Schule anrufen und sie beruhigen soll.«
Mary sah Annas besorgten Blick. »Nein, wir verraten ihr nicht,
dass du bei mir bist. Außerdem sind wir morgen sowieso zum
Weihnachtsessen in Cadogan House.«

Annas Miene hellte sich auf. »Wirklich? W-Wie schön. Sie
fehlen mir alle sehr.«

Sobald Anna im Bett lag, fielen ihr die Augen zu.

»Schlaf gut, Liebes. Morgen ist Weihnachten.«

17

In Cadogan House sammelten die Bediensteten kleine Geschenke für Anna. Als sie am folgenden Morgen mit Mary eintraf, wurde sie von den sechs verbliebenen Mitgliedern des Personals voller Freude begrüßt. Wie immer am Weihnachtstag kochte Mrs. Carruthers mittags für alle. Nachdem Anna ihre Geschenke ausgepackt hatte, setzten sie sich in die Küche, um die Gans zu essen. Hinterher erhob sich Nancy und zeigte stolz den funkelnden Edelstein am Ringfinger ihrer linken Hand. »Sam und ich wollen heiraten.«

Sam holte aus dem Keller eine Flasche Port zum Anstoßen.

Nach dem gemeinsamen Aufräumen schlug Nancy vor, im Salon Scharade zu spielen.

»Ja!« Anna klatschte begeistert in die Hände.

Auf der Treppe fragte Mary: »Findet ihr die Idee wirklich gut?«

»Wer sollte uns daran hindern, sie umzusetzen?«, fragte Mrs. Carruthers, beschwipst von Gin und Port, mit einem verächtlichen Schnauben zurück. »Schließlich hat uns die junge Herrin eingeladen, nicht wahr, Anna?«

Um acht Uhr kehrten sie vergnügt und zufrieden in die Küche zurück.

Mrs. Carruthers wandte sich an Mary. »Bleibst du heute Nacht mit Anna hier?«

»Darüber habe ich mir noch keine Gedanken gemacht«, gestand Mary.

»Bring sie doch in ihr altes Zimmer und komm dann nach unten zu mir. Ich mache uns einen Tee.«

Mary nickte und ging mit Anna hinauf.

»Was für ein wunderbarer T-Tag! Eins der schönsten W-Weihnachten, die ich je erlebt habe!«, schwärmte Anna oben.

»Das freut mich, Liebes. Ich hatte es mir auch nicht so herrlich vorgestellt. Gute Nacht, träum was Schönes.«

»Gute Nacht, Mary. Mary?«

»Ja?«

»Du und Nancy und Sam und Mrs. C-Carruthers... Ihr seid meine F-Familie, stimmt's?«

»Ich denke schon«, antwortete Mary und verließ das Zimmer.

»Was wollen wir nun mit dem kleinen Fräulein machen?«, fragte Mrs. Carruthers, als Mary sich an den Küchentisch setzte und einen Schluck Tee nahm.

»Ich weiß es nicht«, seufzte Mary.

»Wir sollten Mr. und Mrs. Lisle mitteilen, dass Anna hier ist.«

»Ja, das sollten wir«, pflichtete Mary ihr bei. »Aber ich habe Anna versprochen, dass sie nie mehr ins Internat zurückmuss. Sie würde wieder weglaufen.«

»Stimmt. Vielleicht sollten wir Mr. Lisle sagen, wie unglücklich Anna in der Schule ist.«

»Und wie schaffen wir es, dass seine Frau nichts davon erfährt?«, erkundigte sich Mary.

»Wir müssen auf unser Glück vertrauen. Könntest du ihm ein Telegramm schicken?«

»Selbst wenn Mrs. Lisle es nicht abfängt, spricht er mit ihr darüber. Und sie sorgt dafür, dass Anna so schnell wie möglich ins Internat zurückkommt.«

»Dann weiß ich auch keine Lösung«, sagte Mrs. Carruthers. »Mr. Lisle hat sich für die arme Anna als schlechter Vormund erwiesen.«

»Deshalb darf ich sie nicht auch noch im Stich lassen.« Mary nippte wieder an ihrem Tee. »Sie sagt, dass die anderen Mädchen sie schikanieren und die Lehrer wegsehen. Alle wissen Bescheid, dass sie Waise ist, und hänseln sie wegen ihrer Stotterei. Wie kann ich ihr helfen?«, fragte Mary verzweifelt.

»Ich mag Anna sehr und möchte nicht, dass sie leidet. Aber heute Abend finden wir keine Lösung mehr. Ich würde vorschlagen, dass wir uns eine Mütze voll Schlaf gönnen, und morgen früh überlegen wir weiter.«

»Ich würde alles tun, um sie vor Unheil zu bewahren«, sagte Mary.

»Das weiß ich, Mary.«

In jener Nacht lief Mary hellwach in ihrem Zimmer hin und her und dachte darüber nach, wie sie Anna helfen könnte.

Am Morgen war Mary bereits um sechs Uhr in der Küche. Mrs. Carruthers gesellte sich gähnend zu ihr. Sie brühten sich einen Tee auf und setzten sich an den Tisch.

»Ich habe nachgedacht ...«

»Ich auch, allerdings ohne befriedigendes Ergebnis«, sagte Mrs. Carruthers.

»Ich hätte da möglicherweise eine Idee. Aber zu ihrer Verwirklichung müssten Sie mir ein paar Dinge verraten ...«

Vierzig Minuten später waren sie bei der dritten Tasse Tee.

Mrs. Carruthers, deren Handflächen vor Aufregung feucht wurden, seufzte. »Mary, das ist gefährlich. Und bestimmt illegal. Wenn es schiefgeht, könntest du im Gefängnis landen.«

»Ja, Mrs. C., aber etwas anderes fällt mir nicht ein für Anna. Und Sie dürften uns nicht verraten.«

»Du weißt, dass du dich auf mich verlassen kannst. Ich mag das Mädchen genauso gern wie du.«

»Noch eine Frage: Hat Mr. Lisle damals etwas von einer Geburtsurkunde erwähnt?«

»Nein, davon war nie die Rede«, antwortete Mrs. Carruthers.

»Gibt es überhaupt einen Hinweis auf ihre Identität?«

»Mr. Lisle hat seinerzeit einen kleinen Koffer mitgebracht. Angeblich von der Mutter der Kleinen.«

»Wo ist der jetzt?«

»Oben im Speicher, denke ich. Die Mutter ist nie gekommen, um ihn zu holen.« Mrs. Carruthers zuckte mit den Achseln.

»Glauben Sie, ich könnte nachsehen, ob er noch da ist?«, fragte Mary.

»Warum nicht, vielleicht befindet sich darin ja ein Hinweis auf Annas Herkunft. Soll ich Sam bitten, auf den Speicher zu gehen und ihn zu suchen?«

»Wenn Sie so nett wären, Mrs. C. Außerdem bräuchte ich eine Schriftprobe von Elizabeth Lisle und einen Bogen Papier mit dem Briefkopf der Lisles.«

»Es ist dir also ernst, Mary? Na ja, lieber du als ich«, murmelte Mrs. Carruthers. »Ich hole die Kladden, die Mrs. Lisle mir damals abgenommen hat, weil ihr meine Buchhaltung zu schlampig war.«

Später am Tag kehrte Mary mit Anna in ihre Wohnung zurück. Sobald Anna eingeschlafen war, setzte Mary sich an den Schreibtisch. Nun dankte sie Gott dafür, dass sie in der Kindheit viele Stunden damit zugebracht hatte, die Bibel abzuschreiben, um Schrift und Orthografie zu üben. Der Kladde hatte Mary entnommen, dass die Schulgebühren für den nächsten Abrechnungszeitraum vor Mrs. Lisles Aufbruch nach Bangkok bezahlt worden waren.

Als Mary sich sicher genug fühlte, nahm sie den Füllfeder-halter von Elizabeth Lisle, den Mrs. Carruthers ihr gegeben hatte, und begann zu schreiben.

Drei Tage später, als Doreen Grix, die Leiterin von Annas Schule, von ihrer Schwester auf Jersey zurückkehrte, entdeckte sie folgenden Brief in ihrer Post:

Cadogan House,
Cadogan Place,
London, SW1

26. Dezember 1928

Sehr geehrte Mrs. Grix,
leider musste ich meine Abreise nach Bangkok wegen eines Todesfalls in der Familie bis nach Weihnachten ver-schieben, und plötzlich stand mein Schützling Anna vor der Tür. Da sie unter der Trennung von meinem Mann und mir zu leiden scheint, haben wir beschlossen, dass Anna mich nach Bangkok begleitet. Mir ist klar, dass wir dadurch die für den nächsten Abrechnungszeitraum be-reits bezahlten Gebühren verlieren. Bitte schicken Sie eventuelle Briefe an meine Londoner Adresse c/o Mrs. J. Carruthers, meine Haushälterin, die sie mir nach Bang-kok nachsendet.
    Hochachtungsvoll,
    Elizabeth Lisle

Doreen Grix weinte dem Mädchen keine Träne nach. Anna Lisle war ein seltsames kleines Ding, das der Schule keinen Nut-zen brachte und während der Ferien versorgt werden musste.
    Die Schulleiterin heftete den Brief ab und erachtete das Thema als abgeschlossen.

Einige Tage später, als alle Bediensteten das Haus verlassen hatten, um ihre neuen Stellen anzutreten, und nur noch Mrs. Carruthers da war, kehrte Mary nach Cadogan House zurück. Anna, die sie bei Sheila ließ, hatte sie erklärt, sie wolle nach Kent zu ihrer Schulleiterin fahren und ihr erklären, dass Anna nicht ins Internat zurückkehren würde.

Mary traf Mrs. Carruthers im Obergeschoss an, wo sie Bettzeug in große Koffer packte.

»Ich bin gekommen, um mich von Ihnen zu verabschieden«, sagte sie.

Mrs. Carruthers wischte sich den Schweiß von der Stirn und richtete sich auf. »Dann machst du es also wirklich?«

Mary nickte. »Mir bleibt keine andere Wahl.«

»Solange du dir über die Risiken im Klaren bist. Weiß Anna, dass sie nie mehr nach Cadogan House zurückkehren darf?«

»Nein.« Mary seufzte. »Halten Sie meine Entscheidung für falsch?«

»Manchmal müssen wir unserem Herzen folgen. Ich wünschte, ich wäre in jungen Jahren dem meinen gefolgt.« Mrs. Carruthers sah mit schmerzerfülltem Blick aus dem Fenster. »Ich war einmal mit einem Mann zusammen, mit dem ich ein Kind hatte. Als der Mann sich aus dem Staub gemacht hat, musste ich Geld verdienen und habe das Kind zur Adoption freigegeben. Diesen Schritt bereue ich bis heute.«

»Das tut mir leid. Ich hatte keine Ahnung …«

»Woher auch? Ich habe es dir ja nie erzählt. Du liebst Anna wie eine Mutter. Dein Vorgehen ist in ihrem Interesse, wenn auch nicht unbedingt in deinem eigenen. Wenn du erwischt wirst …«

»Ich weiß.«

»Du weißt auch, dass ich dich nicht verraten werde?«

»Ja.«

»Aber dir ist klar, dass wir uns, sobald du deinen Plan in die Tat umgesetzt hast, nicht mehr treffen können. Ich würde sonst als Komplizin bei einer Kindesentführung gelten, und ich habe keine Lust, meine letzten Jahre in Holloway zu verbringen.«

»Ja«, sagte Mary, »das kann ich verstehen. Danke.« Einem plötzlichen Instinkt folgend, umarmte sie Mrs. Carruthers.

»Hör auf damit, sonst kommen mir die Tränen. Geh jetzt lieber.«

»Ja.«

»Viel Glück!«, rief Mrs. Carruthers Mary nach, als diese die Tür erreichte.

Mary verließ das Haus, während Mrs. Carruthers hineinging, um sich eine weitere Tasse Tee zu kochen. Erst da bemerkte sie den kleinen Lederkoffer, der an der hinteren Tür stand. Sie schaute noch einmal hinaus, doch Mary war schon weg. »Tja, zu spät«, murmelte sie und nahm den Koffer, um ihn wieder in den Speicher zu bringen.

Zwei Stunden später stieg Mary in Tunbridge Wells aus und erkundigte sich nach dem Weg zum nächstgelegenen Postamt, wo sie sich in die Warteschlange stellte.

»Ich möchte ein Telegramm nach Bangkok aufgeben«, erklärte sie der jungen Frau am Schalter, als sie an der Reihe war. »Hier sind Adresse und Text.«

»Gern, Miss«, sagte die Frau und warf einen Blick auf ihre Preisliste. »Nach Bangkok, das macht sechs Shilling Sixpence.«

»Danke.« Mary zählte das Geld ab und schob es ihr hin. »Wann kommt es an?«

»Spätestens heute Abend. Wir senden alle Telegramme nach Schalterschluss.«

»Und wann ist eine Antwort zu erwarten?«

»Sobald der Empfänger sie schickt. Kommen Sie morgen Nachmittag wieder. Vielleicht ist bis dahin etwas für Sie da.«

Mary nickte. »Danke.«

Sie verbrachte die Nacht in einer Pension, die sie den ganzen Tag über nicht verließ, damit möglichst wenige Menschen sie sahen. So blieben ihr viele Stunden zum Grübeln.

Auf dem Papier tötete sie das Kind, das sie liebte. Und in der Realität raubte sie ihm seine Chance auf eine Zukunft bei einer wohlhabenden Familie.

Doch ihr Instinkt sagte Mary, dass Anna sich kaum Hoffnungen darauf machen konnte, von ihrem Vormund und seiner Frau wirklich in die Familie aufgenommen zu werden. Außerdem würden bis zu ihrer Rückkehr aus Bangkok fünf Jahre vergehen. Fünf Jahre, die Anna, wenn Mary nichts unternahm, einsam und verlassen an einem Ort zubringen würde, den sie hasste. Als Mary am folgenden Tag mit wild pochendem Herzen zum Postamt ging, war ihr klar, dass das Gelingen ihres Plans von der Erleichterung der Lisles über Annas Verschwinden aus ihrem Leben abhing.

Elizabeth Lisle betrat das Büro ihres Mannes mit dem Telegramm in der Hand. Sie bemühte sich um eine angemessen schockierte und kummervolle Miene.

»Ich fürchte, ich habe sehr traurige Nachrichten.«

Lawrence Lisle nahm, erschöpft von der schwülwarmen Bangkoker Nacht, das Telegramm entgegen, las es schweigend und stützte den Kopf in die Hände.

»Ich weiß, Schatz, ich weiß.« Elizabeth legte tröstend eine Hand auf seine Schulter. »Was für eine Tragödie.«

»Meine Anna … mein armes kleines Mädchen …« Ihm traten Tränen in die Augen. »Ich muss sofort nach England, mich um die Beerdigung kümmern.«

Er weinte sich an Elizabeths Schulter aus.

»Ich hatte ihrer Mutter versprochen, auf sie aufzupassen, Elizabeth. Es war falsch, sie in England zu lassen… Sie hätte uns begleiten sollen.«

»Mir war von Anfang an klar, wie zerbrechlich Anna ist. Sie war so blass und schmal, und dann noch dieses Stottern. Schrecklich, dass an der Schule diese Grippewelle aufgetreten ist. Sie besaß nicht genug Kraft, sich dagegen zu wehren. Wenn sie uns begleitet hätte, wäre sie möglicherweise einer der vielen Tropenkrankheiten hier zum Opfer gefallen.«

»Aber dann wäre sie wenigstens bei uns gewesen und nicht in diesem verdammten Internat«, jammerte Lawrence.

»Lawrence, ich kann dir versichern, dass ich sie keiner Institution anvertraut hätte, bei der sie nicht in guten Händen gewesen wäre«, erklärte Elizabeth. »In dem Telegramm steht, dass die Schulleiterin Anna sehr mochte.«

»Entschuldige, Liebes«, sagte Lawrence hastig. »Du hast keinen Fehler gemacht. Nein, es war meine Schuld. Und jetzt ist Anna tot… Mein Gott. Ich muss so schnell wie möglich nach England! Wenigstens im Tod muss ich für sie da sein, wenn ich sie schon im Leben im Stich gelassen habe.«

»Mach dir keine Gewissensbisse. Du hast getan, was viele andere nicht getan hätten: ihr ein Zuhause und Zuneigung geschenkt und sie zehn Jahre lang wie dein eigenes Kind behandelt.« Elizabeth kniete neben seinem Stuhl nieder und nahm seine Hände in die ihren. »Lawrence, du kannst nicht zu der Beerdigung. Die Reise nach England dauert sechs Wochen. Annas Seele soll so schnell wie möglich ihren Frieden finden. Die Schulleiterin bietet uns an, alles für uns zu erledigen. Anna zuliebe sollten wir ihr Angebot annehmen.«

Lawrence nickte erst nach einer ganzen Weile. »Du hast recht«, sagte er traurig.

»Ich beantworte das Telegramm für dich«, versprach Elizabeth mit sanfter Stimme. »Die Schulleiterin schlägt den örtlichen Friedhof als letzte Ruhestätte vor, wenn du keine anderen Wünsche hast.«

Lawrence blickte seufzend zum Fenster des Konsulats hinaus. »Ich weiß nicht einmal, welchen Glauben Anna hatte. Ich habe so vieles nicht gefragt... Ja, wir machen, was die Schulleiterin vorschlägt.«

»Dann danke ihr für ihr freundliches Angebot und bitte sie, die nötigen Arrangements zu treffen.«

»Ja, Liebes.«

»Lawrence, da wäre noch etwas anderes, was ich dir sagen muss.« Elizabeth schwieg kurz. »Eigentlich wollte ich warten, aber unter den gegebenen Umständen könnte es dir helfen.« Sie erhob sich. »In sieben Monaten werden wir selbst ein Kind haben.«

Lawrence sah seine Frau mit großen Augen an. »Das ist ja wunderbar! Bist du sicher?«

»Ja.«

Er stand ebenfalls auf und legte die Arme um sie. »Entschuldige, aber das ist alles ein bisschen viel.«

»Das kann ich verstehen.«

Lawrence strich seiner Frau über die Haare. »Wenn es ein Mädchen wird, nennen wir es ›Anna‹, nach dem Kind, das wir verloren haben.«

»Natürlich, Schatz.« Elizabeth rang sich ein Lächeln ab. »Wenn du meinst.«

Mary nahm das Telegramm von der jungen Frau hinter dem Schalter entgegen. Ihre Hände zitterten, als sie hinausging und sich auf die nächste Bank setzte, um es zu lesen. Von der Antwort der Lisles hing wirklich alles ab.

LIEBE MRS. GRIX (STOP) DIE NACHRICHT VON ANNAS AB-
LEBEN STIMMT UNS SEHR TRAURIG (STOP) DA ES UNS BEI-
DEN UNMÖGLICH IST NACH HAUSE ZURÜCKZUKEHREN
SIND WIR DANKBAR FÜR IHRE HILFE BEI DER ORGANISA-
TION DER BEISETZUNG (STOP) WIR NEHMEN IHREN VOR-
SCHLAG AN (STOP); BITTE INFORMIEREN SIE UNS ÜBER DIE
KOSTEN (STOP) DANKE FÜR IHRE FREUNDLICHKEIT UND
GÜTE GEGENÜBER ANNA (STOP) ELIZABETH LISLE (STOP)

Mary stieß einen Seufzer der Erleichterung aus, obwohl sie
von Anfang an bezweifelt hatte, dass Lawrence und Elizabeth
Lisle ein Schiff nach England besteigen würden. Mary zückte
ihren Stift und entwarf eine Antwort auf der Rückseite des
Telegramms. Ein paar lose Enden mussten noch verknüpft
werden. Wie sie aus den Sherlock-Holmes-Romanen wusste,
die sie so liebte, waren Details wichtig. Zehn Minuten später
kehrte sie ins Postamt zurück und reichte der jungen Frau hinter dem Schalter den Text.

»Ich komme in ein paar Tagen wieder, um mich nach der
Antwort zu erkundigen«, sagte Mary, als sie ihr das Geld für das
Telegramm gab.

»Die können Sie sich auch nach Hause zustellen lassen; das
wäre bequemer«, schlug die junge Frau vor.

»Ich stecke mitten im Umzug und weiß noch nicht genau,
wie meine neue Adresse lautet«, erklärte Mary hastig. »Außerdem macht es mir nichts aus, ein paar Schritte zu Fuß zu gehen.«

»Wie Sie meinen.« Die Frau wandte sich dem nächsten
Kunden zu.

Beim Verlassen des Postamts dachte Mary bereits darüber
nach, wie sie ihr neues Leben mit ihrer geliebten Anna gestalten würde.

Elizabeth Lisle brachte ihrem Mann das Telegramm ins Büro.

»Mrs. Grix organisiert alles für Anna. Sie schreibt, dass wir ihr für die Beerdigung nichts überweisen müssen, weil wir die Gebühren für dieses Schuljahr bereits beglichen haben. Falls nach Abzug aller Kosten noch etwas übrig bleibt, schickt sie uns das Geld. Die Beisetzung findet innerhalb einer Woche statt; sie informiert uns über die genaue Stelle, an der Anna beigesetzt wird, so dass wir ihr Grab besuchen können, wenn wir in England sind. Annas Sterbeurkunde sendet sie nach Cadogan House.«

»Sterbeurkunde … das arme Kind. Ich …«

Als Lawrence sah, wie seine Frau sich an einem Stuhl festhielt, eilte er zu ihr. »Liebes, das war sicher alles sehr belastend für dich in deinem Zustand.« Er schob sie auf den Stuhl und legte seine Hände auf ihre. »Es ist, wie es ist, und wie du ganz richtig sagst, habe ich alles in meiner Macht Stehende für Anna getan. Sprechen wir also nicht mehr davon. Ich muss jetzt an das Leben denken, nicht an den Tod.«

18

»Anna, Liebes«, sagte Mary, als sie vor dem Gasofen Buttertoast aßen, »ich habe mit der Leiterin deiner Schule gesprochen. Sie weiß, dass du nicht zurückkommst.«

Anna strahlte. »Wunderbar!« Dann runzelte sie die Stirn. »Hast du Onkel und T-Tante Bescheid gesagt?«

»Ja, sie sind einverstanden«, log Mary und holte tief Luft. Anna durfte die Wahrheit nie erfahren.

»Siehst d-du? Ich hab dir doch gesagt, dass Onkel mich nicht zwingt, d-dort zu bleiben, wenn ich unglücklich bin. Wann können wir zurück nach C-Cadogan House?« Anna biss in ihren Buttertoast.

»Das ist nicht so einfach. Wie du weißt, bleibt das Haus geschlossen, solange Onkel und Tante in Bangkok sind. Sie können nicht für dich allein den gesamten Haushalt in Cadogan House aufrechterhalten. Verstehst du das?«

»Ja, natürlich. Und w-wo soll ich wohnen?«

»Sie haben vorgeschlagen, dass du bei mir bleibst.«

Anna blickte sich in dem kleinen Raum um. »Für immer?«

»Meine Freundin Sheila von nebenan heiratet nächsten Monat und zieht aus. Der Vermieter sagt, wenn wir wollen, kriegen wir ihre Wohnung. Das sind zwei Schlaf- und ein Wohnzimmer, eine Küche und ein eigenes Bad. Wir sollten sie uns anschauen.«

»Gut«, meinte Anna. »Dann müssen wir den armen M-Mann am L-Laternenpfahl nicht allein lassen.«

Mary sah Anna erstaunt an. »Er ist dir aufgefallen?«

»Ja. Ich habe mit ihm g-geredet. Er sieht so traurig und einsam aus da d-draußen.«

»Du hast mit ihm *gesprochen*?«

»Ja.« Anna kaute an ihrem Toast.

»Hat er dir eine Antwort gegeben?«

»Er hat gesagt, dass es immer k-kälter wird.« Anna wischte sich den Mund ab. »Hat er ein Zuhause?«

»Ja.«

»Dann ist er also nicht W-Waise wie ich?«

»Nein.«

»Und in w-welche Schule soll ich g-gehen?«, setzte Anna ihr ursprüngliches Gespräch fort.

»Ich könnte es so machen wie früher und dich zu Hause unterrichten. Dann darfst du wieder Ballettstunden besuchen. In einer Schule wäre das vielleicht nicht möglich. Aber natürlich kannst du das entscheiden.«

»Darf ich zu P-Prinzessin Astafieva zurück?«, fragte Anna. »Ich finde, sie ist eine sehr g-gute Lehrerin.«

»Leider fühlt sich die Prinzessin augenblicklich nicht wohl, aber ich habe mich umgehört. Es gibt einen ausgezeichneten Lehrer ganz in der Nähe. Er heißt Nicholas Legat und war früher der Partner von Anna Pawlowa.«

»Anna P-Pawlowa!« Anna machte große Augen. »Die größte B-Ballerina aller Zeiten!«

»Ja. Ich würde vorschlagen, dass wir ihn in den nächsten Tagen in seinem Studio aufsuchen und ihn fragen, ob er dich nimmt. Was hältst du davon?«

»K-Kaum zu glauben, dass ich noch vor zwei W-Wochen in dieser schrecklichen Schule war und d-dachte, ich könnte nic wieder tanzen.« Sie umarmte Mary. »Aber du hast mich g-gerettet, wie ein Schutzengel.«

»Liebes, du weißt doch, dass ich immer für dich da sein werde.«

»Als du mir nicht in die Schule g-geschrieben hast, hab ich geglaubt…«, Anna biss sich auf die Lippe, »…du hättest mich im Stich g-gelassen.«

»Alle waren der Meinung, dass es das Beste ist, wenn ich dir Zeit zum Eingewöhnen lasse.«

Anna sah sie erstaunt an. »Dann hat T-Tante dir gesagt, du d-darfst mir nicht schreiben?«

»Ja, in deinem Interesse.«

»Mary, du n-nimmst sie in Schutz, aber wir wissen beide, dass T-Tante mich hasst.« Anna küsste sie auf die Wange. »Egal, wer du w-wirklich bist: Ich könnte mir keine bessere M-Mutter vorstellen.«

Mary, deren Augen feucht wurden, fragte sich, ob Anna das auch gesagt hätte, wenn ihr die Wahrheit bekannt gewesen wäre. »Lassen wir das Thema. Da du die nächsten paar Jahre bei mir sein wirst, wäre es vernünftig, wenn du meinen Familiennamen annimmst.«

»Gern, ich hab sowieso k-keinen eigenen.«

»Du weißt wahrscheinlich, dass die Nonnen mich ›Benedict‹ getauft haben, was bedeutet, dass ich auch keinen richtigen Familiennamen habe. Also würde ich vorschlagen, wir fangen beide ganz von vorn an und denken uns einen aus.«

»K-Können wir das denn?«

»Warum nicht?«

»Wie aufregend! D-Darf ich ihn aussuchen?«

»Natürlich, solange du dich nicht für den unaussprechlichen einer russischen Ballerina entscheidest.«

Wie immer beim Nachdenken kaute Anna an ihrem Zeigefinger herum. »Ich weiß einen!«

»Ja?«

»Mein L-Lieblingsballett ist *Schwanensee*, und ich heiße Anna wie Anna P-Pawlowa. Mir würde d-der Name ›Swan‹ gefallen.«

»Swan …«, wiederholte Mary. »Warum nicht?«

Am folgenden Tag betrat Anna Swan das Studio von Nicholas Legat, begleitet von ihrer Mutter Mary Swan. Anna wurde sofort in seine Ballettklasse aufgenommen, in der sie dreimal wöchentlich Unterricht erhalten würde.

Im folgenden Monat zogen die beiden in Sheilas alte Wohnung, und Mary machte sich daran, ihr neues Zuhause zu malern und freundlicher zu gestalten. Mit ihrer Nähmaschine fertigte sie hübsche Vorhänge mit Blumenmuster für Annas Zimmer, und sich selbst gönnte sie blaue Chintzbezüge für den kleinen Wohnraum, in dem sie nähen wollte. Als sie die Vorhänge aufgehängt hatte, trat sie einen Schritt zurück, um ihr Werk zu bewundern. Dabei musste Mary an das Haus in Dunworley denken, das ihr einmal hätte gehören sollen.

»Wunderschön«, rief Anna aus, als Mary ihr stolz das fertige Zimmer präsentierte. »Können wir Nancy und Mrs. C-Carruthers zum Tee einladen? Ich würde ihnen g-gern unser neues Zuhause zeigen.«

»Tut mir leid, Anna, sie sind beide aus Cadogan House ausgezogen. Ich habe keine Ahnung, wo sie jetzt wohnen.«

»Ist es nicht schrecklich unhöflich von ihnen, d-dass sie uns ihre neue Adresse nicht g-gesagt haben? Schließlich sind wir mit ihnen b-befreundet.«

»Sie melden sich sicher, wenn sie wissen, wo sie unterkommen, Liebes«, erklärte Mary mit schlechtem Gewissen.

Bald schon stellte sich eine Tagesroutine ein. Mary sorgte dafür, dass Anna sich zum Lernen an den kleinen Schreibtisch in der Ecke des Wohnzimmers setzte. In der örtlichen Bücherei lieh sie Geschichts- und Geografiebücher aus und ermunterte Anna, so viel wie möglich zu lesen. Ihr war klar, dass das kaum die Art von Unterricht war, den ein Mädchen wie Anna sonst erhielt, aber mehr konnte sie ihr nicht bieten.

An drei Nachmittagen in der Woche begleitete Mary Anna zur Ballettstunde auf die andere Seite von Colet Gardens. Jedes Mal, wenn Mary das Gebäude betrat oder verließ, blickte sie nervös um sich. – Eine Gewohnheit, die sie den Rest ihres Lebens nicht mehr ablegen sollte. Das war der Preis für ihre Entscheidung.

Anfangs hatte Mary mit dem Gedanken gespielt, Anna ins Ausland zu bringen. Doch Anna besaß keine Geburtsurkunde, keinen Pass und keine offiziellen Dokumente, die ihre Herkunft geklärt hätten, also hatten sie keine andere Wahl, als in England zu bleiben. Sie hatte auch überlegt, von London fortzugehen, musste jedoch Geld für ihren Lebensunterhalt verdienen. Außerdem wären sie in einem kleinen Ort viel stärker aufgefallen. In einer Großstadt wie London bestanden größere Chancen, anonym zu bleiben. Dass Anna so lange Zeit in Cadogan House verbracht und nur wenige Menschen außerhalb kennengelernt hatte, minderte das Risiko, dass sie erkannt wurde.

Trotzdem hielt Mary sich von Chelsea fern und tröstete sich damit, dass kaum jemand die erwachsene Anna mit dem kleinen Mädchen in Verbindung bringen würde, das so früh gestorben war.

An die Zukunft mochte Mary nicht denken. Sie hatte getan, was sie für richtig hielt. Wenn sie durch den Verlust Seans eines gelernt hatte, dann das, dass man sich auf die Gegenwart konzentrieren musste.

An einem milden Frühlingsabend, als Mary und Anna schon dreieinhalb Monate in ihrem neuen Zuhause wohnten, brachte Anna einen Gast mit.

Mary hob überrascht den Blick von ihrer Nähmaschine und erkannte den jungen Mann vom Laternenpfahl, der schüchtern neben Anna stand.

»Mary, das ist Jeremy. Wir sind b-befreundet, stimmt's, Jeremy?«

Der Mann nickte unsicher.

»Ich habe Jeremy g-gesagt, er soll mitkommen, dir macht das nichts aus. T-Tut es doch nicht, oder, Mary?«

»Nein, natürlich nicht«, antwortete Mary nervös, als Jeremy sie mit seinen dunklen Augen anblickte. »Setzen Sie sich, Jeremy. Ich mache uns einen Tee.«

»D-Danke.«

Mary ging in die Küche, während Anna nebenan mit Jeremy plauderte.

»Da wären wir«, sagte Mary und stellte das Tablett auf den Tisch. »Jeremy, nehmen Sie Milch und Zucker?«

»B-Beides. Danke.«

Mary schenkte ihm eine Tasse Tee ein und reichte sie ihm. Da Jeremys Hände zitterten, stellte Mary die Tasse für ihn auf den Tisch.

»Ist es hier b-bei uns nicht schön?«, fragte Anna. »Viel besser als d-draußen.« Sie deutete zu dem Laternenpfahl hinaus. »Ich habe Jeremy erzählt, dass meine M-Mutter auch keine Freunde hat. Ihr k-könntet euch anfreunden.«

Jeremy nickte.

»Sehr aufmerksam von dir, Anna. Finden Sie nicht auch, Jeremy?«

»J-Ja.«

Mary schenkte sich ebenfalls eine Tasse Tee ein und schwieg, weil sie nicht wusste, was sie mit ihm reden sollte. Ihn zu fragen, was er mache, erschien ihr dumm, weil er ja den größten Teil des Tages neben dem Laternenpfahl zubrachte.

»D-Danke für den M-Mantel«, stotterte Jeremy. »Er ist warm.«

»Hörst du?«, sagte Anna. »Er spricht so wie ich.« Sie tätschelte liebevoll seine Hand.

»Schön, dass ihr zwei ins Gespräch gekommen seid.«

»Anna hat mir erzählt, dass sie das B-Ballett liebt«, erklärte Jeremy. »Besonders T-Tschaikowskis *Schwanensee*.«

»Ja«, bestätigte Anna. »Mary sagt, sobald wir das G-Geld beisammenhaben, kaufen wir uns ein G-Grammofon wie in Cadogan House. Dann b-besorgen wir uns die Schallplatte, und du kannst sie dir anhören, Jeremy.«

»Danke, Anna.« Jeremy hob die Teetasse mit zitternden Fingern an die Lippen, trank einen Schluck und stellte sie klappernd auf die Untertasse zurück. »Und danke für den T-Tee, Mary. Aber jetzt will ich Sie nicht länger stören.«

»Du störst uns d-doch nicht, oder, Mary?«, fragte Anna und stand auf.

»Nein, überhaupt nicht.« Mary begleitete Jeremy zur Tür. »Kommen Sie auf einen Tee, wann immer Sie wollen.«

»D-Danke, Mary.«

»Bis bald.«

Ein paar Tage später tauchte Anna nachmittags erneut mit Jeremy in der Wohnung auf.

»Jeremy hat uns ein G-Geschenk mitgebracht! Ich bin gespannt, was es ist.« Anna hüpfte aufgeregt herum, während Jeremy Mary fragte, wo er das mit einer Decke eingewickelte Paket abstellen solle.

»Da drüben«, antwortete Mary und deutete auf die Anrichte, wo Jeremy mit großer Geste die Decke wegzog, unter der ein Grammofon und mehrere Schallplatten zum Vorschein kamen.

»Für Sie und Anna.«

»Jeremy!«, rief Anna begeistert aus. »Was für ein wunderbares G-Geschenk, nicht wahr, Mary?«

»Ja, aber es ist sicher nur eine Leihgabe, oder, Jeremy?«, sagte Mary.

»N-Nein, es ist für Sie. Sie k-können es behalten.«

»So etwas kostet ein Vermögen. Wir können nicht...«

»D-Doch! Ich habe Geld. Welche P-Platte, Anna?«

Als Anna und Jeremy diskutierten, ob sie *Dornröschen* oder *Schwanensee* auflegen sollten, bemerkte Mary etwas Entschlossenes in Jeremys Blick, eine Ahnung davon, wie er vor dem Krieg gewesen war.

Er wandte sich Mary mit einem Lächeln zu. »Als D-Dankeschön für den M-Mantel.«

Von da an kam Jeremy Langdon regelmäßig auf eine Tasse Tee zu Mary und Anna. Anna holte Jeremy jeden Nachmittag am Laternenpfahl ab. Während Mary nähte, lauschten Anna und Jeremy der Ballettmusik. Anna drehte Pirouetten, und Jeremy applaudierte. Als Anna am Ende des Stücks einen anmutigen Knicks vor ihm machte, wurde Mary klar, dass sie die Nachmittage mit Lawrence Lisle im Salon von Cadogan House wiederholen wollte.

»Sie ist sehr g-gut, Mary«, bemerkte Jeremy eines Tages beim Verlassen der Wohnung.

»Glauben Sie? Willensstark ist sie jedenfalls, das steht fest.«

»Sie hat T-Talent. Vor dem K-Krieg habe ich die besten Tänzerinnen gesehen. Sie k-könnte eine von ihnen werden. Auf Wiedersehen, M-Mary.«

»Wo essen Sie zu Abend?«, fragte Mary. »Sie sehen aus, als

hätten Sie lange keine richtige Mahlzeit mehr zu sich genommen. Bei uns gibt's heute Kotelett; es ist mehr als genug da.«

»Jeremy, bleib!«, bettelte Anna.

»Sehr aufmerksam, aber ich will Ihnen nicht zur L-Last
fallen.«

»Das tut er doch nicht, oder, Mary?«

»Nein, Jeremy, Sie fallen uns nicht zur Last«, bestätigte Mary
lächelnd.

19

Schon bald stand der Laternenpfahl verlassen da, denn Jeremy verbrachte mehr und mehr Zeit bei Mary und Anna. Er hatte stets ein kleines Geschenk dabei, Schokolade für Anna oder frischen Fisch, den Mary zum Abendessen zubereitete. Je selbstbewusster er wurde, desto weniger stotterte er. Er nahm zu, und seine Hände zitterten nicht mehr so stark, wenn er Gabel oder Löffel zum Mund führte. Hin und wieder blitzte sogar sein Humor auf, und Mary hatte einen gebildeten und belesenen Mann vor sich. Jeremys Sanftmut, Aufmerksamkeit und Liebenswürdigkeit, besonders Anna gegenüber, machten ihn Mary immer sympathischer. Und als der gehetzte Ausdruck aus seinen tiefgrünen Augen wich und er kräftiger wurde, erkannte Mary auch, wie gut er aussah.

Eines Abends, Mary brachte Anna ins Bett, seufzte diese: »Ich bin so glücklich, Mary.«

»Das freut mich, Liebes.«

»Ja …«, murmelte Anna. »Du und ich und Jeremy, das ist fast wie eine richtige F-Familie.«

»Wahrscheinlich hast du recht. Aber jetzt mach die Augen zu und schlafe.«

Mary kehrte ins Wohnzimmer zurück, um zu nähen, musste jedoch feststellen, dass sie sich nicht konzentrieren konnte. Der Laternenpfahl draußen war wie nun so oft verlassen. Sie wusste nach wie vor nicht viel über Jeremy. Es gab keinerlei Garantie, dass er nicht eines Tages verschwinden und niemals wiederkommen würde. Mary bekam ein flaues Gefühl im Magen, wenn sie daran dachte, dass Anna einen weiteren geliebten Menschen verlieren könnte.

Mit einem Mal wurde ihr klar, dass nicht nur Anna ihren Gast mehr als gernhatte. Jeremy erinnerte sie an Sean; sie hatte auch bei ihm das Gefühl, ihn beschützen zu müssen. Und sie fand ihn attraktiv …

Mary riss sich zusammen. Schluss mit diesem Unsinn! Sie war eine irische Waise, eine alte Jungfer und eine frühere Hausangestellte, während Jeremy Langdon offenbar der Oberschicht angehörte. Er war ein Freund und jemand, der ähnlichen Schmerz erlitten hatte wie sie selbst, nicht mehr. So musste es auch bleiben.

Einige Tage später klopfte es an Marys Tür. Mary erwartete niemanden.

»Jeremy«, rief sie erstaunt aus, als sie die Tür öffnete. Bis dahin hatte er sie immer in Begleitung Annas besucht. »Alles in Ordnung?«

»Nein.«

Seine Blässe und sein Blick verrieten Mary, dass etwas geschehen war. »Kommen Sie. Anna ist noch nicht da, aber wir können gern eine Tasse Tee miteinander trinken.«

»Ich w-wollte mit Ihnen sprechen. Ohne Anna.«

»Dann machen Sie es sich bequem. Ich koche uns den Tee.«

»Nein! Ich will reden, nicht T-Tee trinken!«

Mary ging ihm voran ins Wohnzimmer und bot ihm seinen üblichen Stuhl an.

»Darf ich Ihnen wirklich nichts bringen, Jeremy?«, fragte sie und nahm ihm gegenüber Platz.

»Meine P-Patentante ist heute Nacht gestorben.«

»Das tut mir sehr leid.«

»Ich...« Jeremy hob zitternd eine Hand an die Stirn und begann zu weinen. »Entschuldigung. Der einzige M-Mensch, der sich was aus m-mir gemacht und mich g-geliebt hat. So, wie ich *jetzt* bin!«

Mary erhob sich und legte die Arme tröstend um ihn. »Sch«, flüsterte sie und strich ihm über die Haare wie einem kleinen Jungen. »Weinen Sie ruhig. Das hilft. Ich bin da, Jeremy, und Anna auch. Sie sind uns wichtig.«

Jeremy hob den Blick. »Wirklich? Ein W-Wrack wie ich? Wie ist das m-möglich?«

»Sie sind ein guter, liebenswürdiger Mensch. Was in den Schützengräben passiert ist, war nicht Ihre Schuld. Es verändert Ihre Persönlichkeit nicht.«

Jeremy ließ den Kopf sinken, und Mary ging in die Hocke. Er vergrub das Gesicht an ihrer Schulter. »D-Das sehen meine Eltern anders. Sie schämen sich für m-mich und wollten mich verstecken.«

»Heilige Maria, Mutter Gottes!«, rief Mary entrüstet aus. »Der Krieg hat schreckliche Dinge mit euch Männern angestellt. Wir zu Hause hatten keine Ahnung, was ihr durchmachen musstet, um uns die Freiheit zu sichern.«

»Ja?«

»Ja.« Mary spürte, wie ihre Schulter von seinen Tränen nass wurde. »Ich hatte jemanden, der jahrelang an der Front gekämpft hat und am Ende den Sieg nicht mehr miterleben durfte.«

Jeremy sah Mary an. »Sie haben Ihren F-Freund verloren?«

»Meinen Verlobten. Und mit ihm das gemeinsame Leben, das wir geplant hatten.«

»M-Mary, Sie sind ein Engel. Wie Sie sich um Anna und mich k-kümmern und sich alles anhören, obwohl Sie selber so v-viel verloren haben.«

»Ich muss mich nicht mit den Ängsten, dem Schmerz und den Erinnerungen auseinandersetzen, die Sie quälen.«

»Du hast auch unter dem v-verdammten K-Krieg gelitten!« Jeremy umschloss ihre Hände. »Ich liebe d-dich.«

Mary sah Jeremy an. »Jeremy, Sie sind im Moment nicht Sie selbst. Das ist der Schock. Und…«

»Nein, ist es nicht! Ich liebe d-dich, seit du mir den M-Mantel gegeben hast. Seitdem muss ich nicht mehr am Laternenpfahl stehen und an meine tote F-Freundin denken, sondern kann zu dir k-kommen.«

»Jeremy, bitte hör auf!«

»Es stimmt aber! Ich habe rausgefunden, dass Anna deine T-Tochter ist, und mit ihr gesprochen. Damit ich dich offiziell k-kennenlernen kann. Und heute, wo ich die einzige P-Person verloren habe, die sich etwas aus m-mir gemacht hat, musste ich es dir erzählen!«

»Du stehst unter Schock«, stellte Mary erstaunt darüber fest, dass es ihm gelungen war, so viele zusammenhängende Sätze zu sagen.

»Mary.« Jeremy beruhigte sich ein wenig. »Du und ich, wir wissen, was Schmerz ist. Ich würde nie mit deinen G-Gefühlen spielen. Und die m-meinen deute ich auch nicht falsch. Aber vielleicht empfindest d-du ja nichts für mich.«

Mary setzte sich mit gesenktem Blick vor Jeremy auf den Boden, ihre Hände nach wie vor in den seinen.

»Verstehe.« Jeremy nickte. »Wie k-könnte man jemanden wie mich auch lieben?«

Mary hob den Blick. »Nein, das ist es nicht. Ich habe nur schon einmal geliebt und den geliebten Menschen verloren. Ich…«, Mary holte tief Luft, »…mache mir tatsächlich etwas aus dir, sogar ziemlich viel. Du würdest mir fehlen, wenn ich dich nicht mehr sehen könnte.«

»Wir haben b-beide jemanden verloren. Vielleicht um einander zu f-finden.«

»Jeremy, du weißt doch nichts über mich.« Mary schüttelte traurig den Kopf. »Es gibt viele Dinge, die ich …«

»M-Mary, ich habe Menschen getötet! Nach allem, was ich gesehen habe, k-kannst du mich nicht erschüttern. Egal, was du getan hast – ich möchte es mit dir t-teilen. Darum geht es doch in der Liebe, oder? Um Vertrauen.«

»Jeremy, ich bin Waise und komme aus dem Nichts. Und du bist ein Gentleman und solltest eine Lady heiraten. Die kann ich niemals sein, nicht einmal für dich.«

»Glaubst du, das stört mich? Meine M-Mutter ist eine echte Lady und hat mich trotzdem in ein Irrenhaus gesteckt, wie ich aus den Schützengräben zurückgekommen bin. Ihr eigenes K-Kind!« Er schluckte. »Der K-Krieg hat alles verändert; ich muss nichts über d-dich wissen. Du bist der beste Mensch, der mir je begegnet ist.«

»Jeremy …« Mary löste ihre Hände aus den seinen.

Jeremy zog sie hoch und nahm sie in die Arme.

»Mary …« Er küsste sie sanft auf die Lippen. »Ich würde d-dich nie verletzen, das m-musst du mir glauben. Ich sehe die Angst in deinen Augen.«

Er küsste sie auf Stirn, Augen und Wangen, und sie ließ ihn gewähren. In ihr erwachten Gefühle zu neuem Leben, von denen sie gedacht hatte, dass sie sie nie wieder empfinden würde.

Zwanzig Minuten später fiel Marys Blick auf die Uhr auf dem Kaminsims. Sie schlug die Hand vor den Mund. »Jesus, Maria und Josef! Anna wartet sicher schon auf mich.« Sie rutschte von Jeremys Schoß und strich sich die Haare vor dem Spiegel glatt.

»D-Darf ich dich begleiten?«

»Wenn du möchtest.«

Anna saß mit mürrischem Gesicht auf den Stufen vor dem Studio. Ihre Miene hellte sich auf, als sie Mary und Jeremy entdeckte.

»Hallo! Ihr seid spät dran«, rügte sie sie schmunzelnd.

»Ja, tut mir leid, Liebes. Jeremy war bei mir. Er hat heute eine traurige Nachricht bekommen.«

»Ja«, bestätigte er.

Anna sah ihn fragend an. »Für jemanden, der etwas Trauriges erfahren hat, wirkst du sehr g-glücklich«, stellte sie fest.

Jeremy lächelte Mary verstohlen zu, als sie sich auf den Weg nach Hause machten. Anna tänzelte vor ihnen her. »Ich weiß, warum. D-Darauf warte ich schon seit W-Wochen!« Sie wandte sich ihnen zu. »Ihr habt euch ineinander verliebt, stimmt's?«

»Nun...« Mary wurde rot.

Jeremy ergriff ihre Hand. »Ja. Macht dir d-das was aus?«

»Natürlich nicht! Ich bin überglücklich. Wenn ihr heiratet, habe ich endlich M-Mutter und V-Vater, und wir sind eine richtige F-Familie.« Anna schlang die Arme um sie. »Ich hab euch b-beide sehr lieb!«

20

Der Tod von Jeremys Patentante machte ihn zum Eigentümer eines großen Hauses in Kensington und eines schicken schwarzen Ford und verschaffte ihm ein kleines Einkommen bis zum Ende seines Lebens. Eine Woche nach der Beerdigung zeigte Jeremy Mary und Anna das Haus.

Anna lief aufgeregt von Zimmer zu Zimmer. »Es ist fast so groß wie C-Cadogan House.«

Mary wurde nervös, als Anna das sagte. Obwohl sie Jeremy vertraute, war jede Erwähnung der Vergangenheit, besonders jemandem gegenüber, der aus derselben Gesellschaftsschicht stammte wie ihre früheren Arbeitgeber, gefährlich.

Anna blieb im Eingangsbereich stehen und drehte sich zu Mary und Jeremy um, die hinter ihr die Treppe herunterkamen. »Werden wir hier bei d-dir wohnen, Jeremy? Für d-dich allein ist das Haus ziemlich groß. Und Mary und ich haben nur die kleine Wohnung.«

»Anna.« Mary wurde rot.

»Entschuldige, M-Mary. Ich hab bloß g-gedacht...«

»Du hast richtig g-gedacht, Anna«, meinte Jeremy lächelnd. »Nun, Mary, würdet ihr g-gern hier leben?«

»Bitte...!« Mary eilte hinunter, durch den Eingangsbereich und zur Haustür hinaus, in ihre eigene Wohnung.

Zehn Minuten später gesellte sich Jeremy zu ihr.

»Wo ist Anna?«, fragte sie.

»Ich habe der Haushälterin g-gesagt, sie soll ihr einen T-Tee machen, damit wir uns in Ruhe unterhalten können. D-Darf ich reinkommen?«

Mary nickte und ging ins Wohnzimmer. »Jeremy, was du dir auch immer von mir erwartest: Ich kann es dir nicht geben. Du weißt nichts über mich! Ich bin keine Lady; deine Haushälterin hat das sofort erkannt. Ich sollte für dich arbeiten, nicht mit dir zusammenleben!« Sie sank auf einen Stuhl.

»Mary, ich bin seit Monaten fast täglich in deiner G-Gesellschaft. Du hast alles, was eine Lady braucht. Und was deine Herkunft anbelangt: In den Schützengräben habe ich gelernt, dass Charakter nichts mit der G-Gesellschaftsschicht zu tun hat. Falls du deine G-Geheimnisse meinst: Ich habe dir schon einmal g-gesagt, dass mich nichts mehr erschüttern kann.« Er kniete vor ihr nieder und strich ihr eine Haarsträhne aus dem Gesicht. »Liebe verzeiht alles. M-Mary, vertrau mir.«

Mary seufzte tief, weil ihr klar war, dass es das Ende ihrer gemeinsamen Zukunft bedeuten konnte, wenn sie ihm beichtete, was sie getan hatte. Aber damit diese Zukunft eine Chance hatte, *musste* sie ihm alles gestehen.

Mary nickte.

»Gut, ich erzähle es dir.«

»Es war unrecht«, sagte sie zwanzig Minuten später. »Ich habe so getan, als wäre Anna tot, und sie entführt. Gott helfe mir...«

Jeremy legte die Arme um sie. »Mary, b-bitte mach dir keine Vorwürfe. Ja, du hast etwas Falsches getan, aber aus dem richtigen G-Grund. Weil du Anna liebst und dir ihr W-Wohl am Herzen liegt.«

»Habe ich es tatsächlich für Anna getan?« Mary hob den Blick. »Oder eher für mich, weil ich sie brauche?«

»Ich denke, du hast selbstlos g-gehandelt.«

»Glaubst du das wirklich?«

»Ja.« Jeremy nahm ihre Hände und drückte sie. »M-Mary, das ist auch nicht viel anders, als Eltern zu sagen, dass ihr Sohn keine Schmerzen l-leiden musste, obwohl er qualvoll im Schützengraben gestorben ist. Du hast dein M-Möglichstes getan, um Anna zu schützen, und solltest dich nicht dafür schämen. Das macht meine Liebe zu d-dir nur noch stärker.«

»Wirklich?«

»Ja. Du bist mutig und g-gut und stark.«

»Jeremy, das bin ich nicht. Ich habe Angst, entdeckt zu werden, weil man mir dann Anna wegnimmt. Jedes Mal, wenn ich die Wohnung verlasse, schaue ich mich um.«

»Du solltest stolz auf d-dich sein. Außerdem…«, Jeremy lächelte, »…kann ich dir und Anna vielleicht helfen. Vorausgesetzt, du heiratest mich.«

»Nach allem, was du jetzt weißt?«, fragte Mary erstaunt.

»Ja, Mary.«

21

Drei Monate später wurde Mary Swan, Waise unbekannter Herkunft, Mrs. Jeremy Langdon und Herrin eines großen Hauses in Kensington. Die einzige andere Anwesende bei der Trauung war die zehnjährige Anna Swan.

Im folgenden Jahr ereigneten sich mehrere Dinge, die Mary den Glauben an Gott zurückgaben. Sie wurde schwanger, und Jeremy fand über geheime Kanäle heraus, dass Lawrence Lisle neun Monate zuvor in Bangkok an Malaria gestorben war. Elizabeth Lisle hatte kurz darauf eine Fehlgeburt erlitten, sich jedoch sofort einen neuen Ehemann gesucht und diesen nach Schanghai begleitet, wohin er versetzt worden war.

»Ist d-dir klar, was das bedeutet, Mary? Das heißt, dass du frei b-bist. Lawrence Lisle kann dir nichts mehr anhaben. Und Elizabeth Lisle interessiert sich sowieso nicht für d-dich und Anna.«

Mary bekreuzigte sich aus Erleichterung über Lawrence Lisles Tod. »Traurig, aber es wäre eine Lüge zu behaupten, dass ich mich nicht freue. Trotzdem weiß ich nicht, ob ich je wieder in der Lage sein werde, unbekümmert zu sein.«

»Wo er jetzt ist, stellt er keine G-Gefahr mehr dar. Ich werde mich erkundigen, wie wir Anna adoptieren k-können.«

»Sie hat keine Geburtsurkunde und nicht einmal einen Familiennamen.«

»Überlass d-das mir, Liebes. Das Innenministerium ist Hauptmann Jeremy Langdon noch was schuldig. Ein Mann verdankt m-mir sein Leben.« Er tätschelte Marys Hand und legte sie dann auf ihren kleinen, schon deutlich rundlichen Bauch.

Sechs Wochen vor der Geburt ihres Kindes unterzeichneten Mary und Jeremy die Adoptionspapiere für Anna.

»Jetzt kann sie uns niemand mehr wegnehmen«, flüsterte Jeremy Mary ins Ohr.

Mary sah mit Tränen in den Augen, wie Anna mit ihrer Adoptionsurkunde um den Küchentisch tanzte.

»Anna Langdon«, jauchzte sie und umarmte ihre Eltern.

Das Baby kam zehn Tage zu spät, ansonsten jedoch ohne Komplikationen zur Welt. Mary lag im Schlafzimmer, das Kleine an der Brust, Ehemann und frisch adoptierte Tochter bei sich. Fast hätte sie sich in ihrem Glück gewünscht, dass die Zeit stillstehen möge. Annas pausbäckiges Schwesterchen Sophia − benannt nach Marys Lieblingsheiliger − war ein ruhiges und zufriedenes Kind. Mary beobachtete voller Freude, wie Jeremy seine Tochter vorsichtig auf den Arm nahm.

Er stotterte nicht mehr so stark, und auch die schrecklichen Albträume wurden weniger. Mary, die inzwischen alles über Granatenschock gelesen hatte, wusste, dass die Symptome kaum jemals ganz verschwanden, aber durch ein ruhiges, friedliches Leben halbwegs in den Griff zu bekommen waren. Jeremy verließ, abgesehen von Ausflügen durch Kensington Gardens, um die *Times* zu erwerben, das Haus so gut wie nie; wenn sie tatsächlich einmal eine belebte Londoner Straße entlanggingen, zuckte er bei jedem Hupen zusammen. Hinterher waren auch das Stottern und das Zittern seiner Hände ausgeprägter. Doch das störte Mary nicht. Solange ihre Familie sich wohlfühlte, war auch sie zufrieden.

Jeremy, der zu malen anfing, entpuppte sich als erstaunlich begabter Künstler. Wenn Mary die dunklen Schützengräben auf seinen Bildern, die Darstellung seiner inneren Qualen, betrachtete, bekam sie eine Gänsehaut.

Während Jeremy malte, kümmerte Mary sich um Sophia. An sonnigen Nachmittagen ging sie mit Anna und Sophia in den Park oder machte mit ihnen einen Schaufensterbummel am Piccadilly Circus. Es erstaunte Mary noch immer, dass sie für Anna kaufen konnte, was diese sich aussuchte, ohne ans Geld denken zu müssen. Sie war die Frau eines vermögenden Mannes.

Im Lauf der Jahre lernte Sophia zu krabbeln, zu laufen und schließlich durchs Haus zu rennen. Und Annas Wunsch, Ballerina zu werden, wurde immer stärker. Eines Abends, Sophia war gerade vier geworden, betrat die fünfzehnjährige Anna, deren Körper allmählich weibliche Formen annahm, die Küche, in der Mary das Abendessen zubereitete.

»Hast du gehört? Ninette de Valois hat eine B-Ballettschule eröffnet«, teilte sie ihr mit.

»Nein, Anna.«

»D-Darf ich ihr vortanzen? Dann komme ich vielleicht eines Tages in ihre C-Companie und tanze im Sadler's Wells. Kannst d-du dir das vorstellen?« Anna sank seufzend in einen Sessel.

»Ich dachte, du willst zu Diaghilews Ballets Russes?«

»Ja, aber es wäre doch viel schöner, zur ersten *b-britischen* Balletttruppe zu gehören.« Anna schlüpfte aus ihrem Schuh und streckte das Bein. »Darf ich, b-bitte?«

»Frag deinen Vater, was er davon hält«, schlug Mary vor.

»Dann würde ich den g-ganzen T-Tag tanzen und keine Zeit für Englisch und Mathematik haben. Ich k-kann ja schon lesen und schreiben und rechnen. Mehr braucht man als T-Tänzerin doch nicht, oder? Und ich weiß die D-Daten der Schlachten von Hastings, Trafalgar und ...«

»Anna«, wiederholte Mary, »sprich mit deinem Vater.«

Wie erwartet, war Jeremy Wachs in Annas Händen, und er erlaubte ihr, Ninette de Valois vorzutanzen, um möglicherweise einen Platz in der Ballettschule von Sadler's Wells zu ergattern.

»Unsere liebe Anna würde sich sowieso nicht auf etwas anderes einlassen, b-bevor sie es nicht zumindest versucht hat«, erklärte Jeremy, der insgeheim stolz auf sie war.

Drei Tage später begleitete Mary Anna im Bus nach Islington, wo die Kurse der Sadler's Wells Royal Ballet School stattfanden. Mary, die noch nie hinter der Bühne eines Theaters gewesen war, betrat aufgeregt den kleinen Probenraum mit Stange und Klavier. Anna musste Fragen über ihre bisherige Ausbildung beantworten, und die Lehrerin Miss Moreton prüfte sie auf Herz und Nieren, zuerst an der Stange, dann in der Mitte des Raums. Mary staunte, welche Fortschritte Anna in den vergangenen Jahren gemacht hatte und welche Anmut in ihren Bewegungen lag.

Nach dem letzten *enchaînement* musterte Miss Moreton Anna intensiv. »Du tanzt wie eine Russin und siehst auch so aus. Bist du eine?«

Anna fragte Mary mit einem Blick, und diese zuckte kaum merklich mit den Achseln und schüttelte den Kopf.

»Nein, ich bin Engländerin.«

»Sie wurde einige Jahre von Prinzessin Astafieva und Nicholas Legat unterrichtet«, erklärte Mary unsicher, weil sie keine Ahnung hatte, ob das für Anna sprach.

»Das sieht man an deinen Bewegungen. Wie du sicher weißt, Anna, sind wir im Sadler's Wells von den Russen beeinflusst, aber Miss de Valois möchte mit uns, der ersten britischen Ballettcompanie, einen eigenen Stil entwickeln. Du bist begabt, doch der letzte Schliff fehlt dir noch. Kannst du am Montag anfangen?«

Annas dunkle Augen begannen zu strahlen. »Sie nehmen mich?«

»Ja. Ich gebe deiner Mutter eine Liste der Kleidung, die du für die Stunden brauchst, und die Ballettschuhe kauft ihr bei Frederick Freed. Bis Montagmorgen dann.«

Am Abend feierten sie zu Hause. Anna war außer sich vor Freude, und die ganze Familie ließ sich von ihrer Begeisterung anstecken.

»Du wirst mich auf der B-Bühne tanzen sehen, Sophia«, erklärte sie ihrer kleinen Schwester, während sie mit ihr durch die Küche wirbelte.

»Jetzt kann nichts mehr sie aufhalten, Liebes«, stellte Jeremy fest, als er sich später zu Mary ins Bett legte. »Hoffentlich wird ihr Traum wahr.«

In den folgenden fünf Jahren begannen sich Annas Entschlossenheit, Hingabe und Begabung auszuzahlen, und sie gab ihr Debüt im neu eröffneten Sadler's Wells Theatre in der Rosebery Avenue. Bekleidet mit einem Kleiner-Lord-Anzug, eine Kurzhaarperücke auf dem Kopf, tanzte Anna als Erste auf die Bühne und verließ sie als Letzte. Mary, Jeremy und die neunjährige Sophia klatschten und jubelten, als die Truppe zum Schlussapplaus vor den Vorhang trat. Obwohl es nicht Annas Traumrolle im weißen Tutu war, nahm Ninette de Valois, die Leiterin der Companie, Notiz von ihr. Kleine Rollen in *Schwanensee* und *Rio Grande* folgten.

Im Januar 1939, kurz vor Annas einundzwanzigstem Geburtstag, gab sie im Sadler's Wells vor ausverkauftem Haus ihr Debüt als Odette/Odile in *Schwanensee*. Zum ersten Mal führte eine englische, keine russische Primaballerina die britische Truppe an. Bei Ballettliebhabern wurde Anna bereits als Geheimtipp gehandelt. Mary saß, die Haare für diesen Anlass professionell frisiert, mit Jeremy und Sophia in einer Loge. Die ersten Takte von Tschaikowskis Musik erklangen, und die Zuschauer verstummten. Mary hielt den Atem an und betete, dass sich Annas lang gehegter Traum erfüllen möge.

Marys Zweifel waren unbegründet. Als es zur Feier des neuen Sterns am Balletthimmel Blumensträuße auf die Bühne regnete, drückte sie Jeremys Hand mit Tränen in den Augen. In der Garderobe wimmelte es von Gratulanten, so dass Mary kaum zu ihrer Tochter vordringen konnte. Anna, noch im Tutu und mit dicker Bühnenschminke, schlang die Arme um ihre Mutter.

»Liebes, ich bin ja so stolz auf dich. Du hast es tatsächlich geschafft!«

»Das habe ich dir zu verdanken.« Anna schluckte. »Danke«, flüsterte sie, »danke für alles.«

Mary blickte mit gemischten Gefühlen auf diesen Abend zurück, weil ihr im Nachhinein klar wurde, dass sie damals begonnen hatte, ihre Tochter zu verlieren. Die bunte Welt der Künstler, in der Anna lebte, unterschied sich deutlich von der Marys. Als Anna zur Prinzessin des britischen Balletts heranwuchs und Bewunderer um sich scharte, entfernte sie sich immer mehr aus dem Kokon des Hauses in Kensington.

Mary war nach Annas Auftritten stets aufgeblieben, bis sie nach Hause kam, um sich anzuhören, wie der Abend verlaufen war, und um ihre erschöpfte Tochter mit Kakao und Keksen aufzupäppeln. Nun hörte sie Annas Schritte auf der Treppe oft erst um drei Uhr früh. Am folgenden Morgen erzählte sie dann von einem späten Dinner mit Freunden im Savoy Grill oder von einem Ausflug zu einem schicken Nachtklub, wo sie mit jungen Angehörigen der königlichen Familie getanzt habe.

Mary verlor den Überblick über das Leben ihrer Tochter.

Da Anna jetzt selbst Geld verdiente, konnte sie sie nicht des leuchtend roten Lippenstifts oder der gewagten Kleider wegen rügen, die sie oft ohne Korsett trug. Die zahlreichen Blumensträuße, die bei ihnen zu Hause eintrafen, bewiesen, dass Anna einen stattlichen Kreis männlicher Bewunderer besaß. Ob einer ihr besonders am Herzen lag, wusste Mary nicht, weil Anna allen Fragen in dieser Richtung auswich.

Als Mary sich bei Jeremy beklagte, dass sie nichts über Annas Liebesleben wisse, tröstete dieser sie. »Anna ist eine sehr schöne junge Frau. Und berühmt. Sie t-tut, was sie will.«

»Schon möglich«, sagte Mary eines Abends gereizt, »aber ich bin alles andere als glücklich über den Zigarettenrauch, der nach Mitternacht aus ihrem Schlafzimmer dringt. Außerdem trinkt sie Alkohol.«

»Zigaretten und hin und wieder ein Gläschen Gin sind nun wahrlich keine Verbrechen, Mary. Am allerwenigsten für eine junge Frau, die jeden Abend ihr B-Bestes geben muss.«

Mary sah ihn frustriert darüber an, dass er immer zu Anna hielt. »Ich mache mir Sorgen um sie, das ist alles. Die Kreise, in denen sie verkehrt ...«

»Sie ist erwachsen. Du musst sie ziehen lassen.«

Einige Wochen später spitzten sich die Spannungen zwischen Mary und Anna zu, als Anna nach der Vorstellung unangekündigt Freunde mit nach Hause brachte. Der Klang von Cole-Porter-Melodien vom Grammofon und das laute Lachen von Annas Gästen aus dem Wohnzimmer hielten Mary und Jeremy bis in die frühen Morgenstunden wach. Am folgenden Tag klopfte Mary, entschlossen, mit Anna zu sprechen, an deren Tür und machte sie auf. Anna schlief genauso tief und fest wie der junge Mann, der neben ihr im Bett lag. Entsetzt schlug Mary die Tür wieder zu.

Zehn Minuten später erschien Anna im Morgenmantel in

der Küche und lächelte ihre Mutter verlegen an, die das Frühstücksgeschirr klappernd in die Spüle stellte. »T-Tut mir leid, wenn ich euch heute Nacht um den Schlaf gebracht habe. Ich hätte fragen sollen. Es war spät, und ich d-dachte ...«

»Vergiss es! Aber was ... *wer* war ...?«

»Du meinst Michael?« Anna zog eine Packung Zigaretten aus der Tasche ihres Morgenmantels, zündete sich eine an und stützte sich an der Tischkante ab. »Ein Tänzerkollege. Und ... mein Freund.« Sie zog an ihrer Zigarette. »Du hast doch nichts dagegen, oder? Schließlich bin ich über einundzwanzig.«

»Und ob ich was dagegen habe! Du magst in einer Welt leben, in der so etwas üblich ist, aber du hast eine zehnjährige Schwester. Solange du unter unserem Dach wohnst, nimmst du Rücksicht. Was denkst du dir dabei, Anna? Sophia hätte jederzeit in dein Zimmer kommen und ihn sehen können!«

»T-Tut mir leid, Mutter«, meinte Anna achselzuckend. »Die Welt hat sich verändert; heutzutage schert sich niemand mehr um Se...«

»Wage ja nicht, das Wort auszusprechen!« Mary erschauderte. »Wie kannst du nur so unverfroren sein? Schäm dich! Und ich schäme mich, weil du in dem Glauben aufgewachsen zu sein scheinst, dass ein solches Verhalten keine Sünde ist!«

»Mutter, wie kleinkariert ...«

»Was fällt dir ein, so mit mir zu reden! Es ist mir egal, wer du auf der Bühne bist – solange du die Füße unter unseren Tisch streckst, hältst du dich an unsere Regeln! Und so was ...«, Mary deutete nach oben, in die Richtung von Annas Zimmer, »... dulde ich nicht!«

Anna rauchte gelassen ihre Zigarette. Die Asche fiel auf den Boden, und Anna machte keinerlei Anstalten, sie aufzufangen. Schließlich nickte sie. »Mutter, ich habe verstanden. Ich bin erwachsen und verdiene selbst Geld. Vielleicht sollte ich mir eine eigene B-Bleibe suchen.«

Sie verließ die Küche ohne ein weiteres Wort und knallte die Tür hinter sich zu.

Am folgenden Tag packte sie ihre Koffer und zog aus.

Jeremy versuchte, seine Frau zu trösten, indem er ihr versicherte, dass Annas Verhalten für ein modernes Mädchen vollkommen normal sei, besonders wenn es von so vielen Bewunderern umschwärmt werde. Obwohl das, was Jeremy sagte, Sinn ergab, kam Mary mit Annas abruptem Auszug schlecht zurecht.

In den folgenden Wochen erfuhr Mary nur aus den Klatschspalten der Zeitungen und Zeitschriften von ihr. Bilder Annas in Begleitung von Herren der Oberschicht oder bekannten Schauspielern bei glanzvollen Veranstaltungen wurden überall abgedruckt. Das schüchterne kleine Mädchen, für das Mary so viel geopfert hatte, war zu einem Wesen geworden, das Mary nicht wiedererkannte, obwohl sie um den eisernen Willen Annas wusste. Was Anna wollte, erreichte sie für gewöhnlich, das hatte ihr kometenhafter Aufstieg bewiesen. Und die Leichtigkeit, mit der sie ihre Mutter, ihren Vater und ihre Schwester aus ihrem Leben ausschloss, zeugte von einer bisher ungekannten Gefühlskälte.

Als sich über Europa die Gewitterwolken des Kriegs zusammenbrauten, gesellten sich neue Probleme zu denen mit Anna. Jeremy, der sich in der Ehe mit Mary so positiv entwickelt hatte, litt wieder unter Albträumen. Das Zittern seiner Hände und sein Stottern verstärkten sich. Wenn er morgens die *Times* las, wurde sein Gesicht aschfahl. Er hatte kaum noch Appetit und zog sich in sich selbst zurück. Egal, wie oft Mary ihm versicherte, dass ihn, falls es tatsächlich zum Krieg kam, keine Armee der Welt haben wolle: Jeremys Angst, alles noch einmal erleben zu müssen, war stärker.

»D-Du verstehst das nicht, Mary. Anfangs interessieren sie sich vielleicht nicht für mich, aber sobald sie K-Kanonenfutter brauchen, nehmen sie jeden. Das weiß ich vom letzten M-Mal.«

»Jeremy, es steht in deinen Entlassungspapieren, dass du unter Granatenschock leidest. Sie wollen dich bestimmt nicht.«

»Ich musste v-viermal in die Schützengräben zurück, M-Mary, in einem viel schlimmeren Z-Zustand als heute.« Er schüttelte verzweifelt den Kopf. »Du kannst den K-Krieg nicht verstehen, Mary. Bitte versuch's erst g-gar nicht.«

»Es heißt, dass es diesmal anders wird. Es gibt keine Schützengräben. Dieser Krieg wird mit modernen Mitteln geführt. Niemand will wieder eine ganze Generation von Männern verlieren. Bitte, Jeremy, die Dinge haben sich geändert.«

An diesem Punkt der Diskussion stand Jeremy für gewöhnlich mit ängstlich-frustrierter Miene auf und verließ den Raum.

Als sich herauskristallisierte, dass sich ein weiterer Krieg nicht vermeiden ließ, nahm Jeremy das Essen nicht mehr länger mit Frau und Tochter in der Küche ein, sondern allein in seinem Arbeitszimmer.

»Was ist los mit Papa?«, erkundigte sich Sophia, wenn Mary sie ins Bett brachte.

»Nichts, Liebes, er ist nur ein bisschen durcheinander.«

»Gibt es Krieg? Macht Papa sich deshalb Sorgen?«, fragte Sophia und sah Mary mit ihren großen grünen Augen an, die denen ihres Vaters so sehr ähnelten.

»Vielleicht. Daran lässt sich nichts ändern. Zerbrich dir darüber nicht den Kopf. Dein Daddy und ich haben den letzten überlebt, und wir schaffen's auch diesmal.«

»Anna ist weg und Papa mit den Gedanken woanders. Nichts ist mehr so wie früher. Ich hab Angst. Mir gefällt das alles nicht.«

Mary nahm ihre Tochter in den Arm, strich ihr übers Haar, wie sie es früher bei Anna getan hatte, und murmelte tröstende Worte, die sie selbst nicht glaubte.

Im Verlauf des Sommers deutete immer mehr auf einen Krieg hin. Mary hatte das Gefühl, dass das ganze Land sich in einem Zustand hektischer Anspannung befand. Jeremy verfiel in Apathie. Inzwischen schlief er sogar in seinem Ankleidezimmer, vorgeblich, weil seine Albträume Mary störten. Mary flehte ihn an, sich mit seinem alten Regiment in Verbindung zu setzen, um seine Zweifel zu zerstreuen.

»Du bist als Invalide aus dem Militärdienst geschieden. Sie wollen dich bestimmt nicht. Bitte, Jeremy, schreib einen Brief und lass es dir bestätigen. Dann kannst du wieder ruhig schlafen.«

Doch Jeremy starrte auf seinem Stuhl im Arbeitszimmer vor sich hin, ohne sie zu hören.

Als Großbritannien Deutschland Anfang September den Krieg erklärte, war Mary fast erleichtert. Nun würden sie endlich wissen, wo sie standen. Zehn Tage später, Mary las im Bett ein Buch, klopfte es an der Tür.

»D-Darf ich reinkommen?«, fragte Jeremy.

»Natürlich. Es ist auch dein Schlafzimmer.«

Jeremy hatte abgenommen, und sein Gesicht war hager wie am Anfang. Er setzte sich neben sie aufs Bett und nahm ihre Hände in die seinen.

»Mary, ich wollte d-dir sagen, dass ich dich l-liebe. Du und Anna und Sophia, ihr m-macht mein Leben lebenswert.«

»Und du das meine.«

»T-Tut mir leid, dass ich in den letzten Wochen so schwierig war. P-Passiert nicht wieder, versprochen.«

»Das kann ich verstehen, Schatz. Hoffentlich wird es jetzt, wo der Krieg begonnen hat, für dich leichter.«

»Ja«, flüsterte er und legte die Arme um Mary. »Ich liebe d-dich. Vergiss das nie, ja?«

»Nein.«

»Und bleib so m-mutig und liebenswert wie eh und je.« Er löste sich von ihr, küsste sie auf die Lippen und lächelte sie an. »Würde es d-dir etwas ausmachen, wenn ich heute N-Nacht bei dir schlafe? Ich will nicht allein sein.«

»Schatz«, antwortete Mary zärtlich, »dies ist dein Bett, und ich bin deine Frau.«

Jeremy legte sich neben sie, und Mary hielt ihren Mann im Arm und strich ihm über die Haare, bis sie seinen gleichmäßigen Atem hörte. Erst in den frühen Morgenstunden, als sie sicher sein konnte, dass er tief und fest schlummerte, schlief sie selbst ein.

22

Am folgenden Morgen blieb Jeremy allein im Bett, während Mary unten Frühstück für Sophia machte. Um Viertel nach acht verließen sie das Haus, um die zehn Minuten zu Sophias Schule in der Brompton Road zu gehen.

»Schönen Tag noch, Liebes. Ich hole dich wie üblich ab.«

Mary sah Sophia nach, wie sie das Schulgebäude betrat. Es war ein sonniger Tag, und Mary erledigte nach dem Gespräch mit Jeremy vom Vorabend ihre Lebensmitteleinkäufe in guter Stimmung. Sie ließ sich mehr Zeit als sonst und hörte, wie die anderen Frauen sich mit dem Metzger über mögliche Rationierungen unterhielten und darüber, wann die ersten deutschen Bombardements zu erwarten seien. Egal, was passierte, dachte Mary auf dem Heimweg: Sie und Jeremy würden es schaffen.

Als sie nach Hause kam, konnte sie ihren Mann nirgends finden. Das war nichts Ungewöhnliches; Jeremy holte vormittags gern die Zeitung und schlenderte hinterher durch Kensington Gardens.

Bei der Hausarbeit schmunzelte Mary über den Gedanken, wie viele es wohl merkwürdig fanden, dass sie sie selbst erledigte, obwohl sie genug Geld gehabt hätten, Personal einzustellen. Gleich nach der Heirat hatte sie die Haushälterin entlassen, weil sie sich unwohl fühlte unter ihrem, wie sie meinte, herablassenden Blick. Nun ging ihr nur noch ein Hausmädchen zur Hand.

Mittags bereitete sie einen leichten Lunch für sich und Jeremy zu, ohne seinen Schlüssel in der Haustür gehört zu haben.

»Jeremy? Jeremy?«, rief sie und suchte die unteren Räume ab. Jeremys Arbeitszimmer war genauso leer wie die Bibliothek, das Wohn- und das Esszimmer. Mary bekam Panik. In seiner Not hatte Jeremy feste Strukturen entwickelt, zum Beispiel, dass er stets zur gleichen Zeit zum Essen erschien. Mary stieg die Stufen mit einem unguten Gefühl hinauf und öffnete die Tür zu ihrem Schlafzimmer. Das Bett war leer.

»Wo bist du, Schatz?«, rief sie. Als sie an der Tür seines Ankleidezimmers klopfte und keine Antwort erhielt, machte sie sie auf.

Und sah auf Augenhöhe ein Paar hochglanzpolierter Schuhe. Ihr Blick wanderte nach oben zu seinem Körper, der an einem Seil von der Decke hing.

Nachdem der Arzt Jeremys Tod festgestellt, die Polizei geholt und die Leiche abgeschnitten hatte, wurde Jeremy aufs Bett gelegt. Mary setzte sich neben ihn und streichelte mit leerem Blick seine graue, fahle Haut.

»Können Sie sich vorstellen, warum Mr. Langdon sich das Leben genommen hat, Madam?«, fragte der Polizist.

Mary, die die Hand ihres toten Mannes hielt, nickte.

»Tut mir leid, dass ich Ihnen in dieser schwierigen Situation solche Fragen stellen muss, Madam, aber würden Sie es mir bitte erklären? Dann müssen wir Sie nicht weiter belästigen.«

»Er...«, Mary räusperte sich, »... er dachte, er würde wieder eingezogen werden. Er litt unter Granatenschock.«

»Wurde er denn wieder eingezogen?«

»Er ist nach dem letzten Krieg als Invalide aus dem Militärdienst entlassen worden. Ich habe ihm mehrfach gesagt, dass sie ihn nicht wollen würden, aber…«, Mary schüttelte den Kopf, »… er hat mir nicht geglaubt.«

»Verstehe. Wenn es Sie tröstet, Madam: Mein Onkel war genauso. Niemand konnte ihm die Angst nehmen. Sie dürfen sich keine Vorwürfe machen.«

»Aber das tue ich…«

Da klingelte es unten. »Das sind wahrscheinlich die Sanitäter, Madam. Ich gehe runter und lasse sie herein. Würden Sie in der Zwischenzeit so freundlich sein nachzusehen, ob Sie etwas von dem, was Ihr Mann bei sich trägt, behalten möchten?«

Mary nickte. Als der Polizist das Zimmer verlassen hatte, legte sie den Kopf auf Jeremys Brust. »Schatz, warum hast du mich und Sophia im Stich gelassen? Hast du uns denn nicht vertraut? Ich habe dich aus ganzem Herzen geliebt. Wusstest du das nicht? Hast du das nicht gespürt?«

Kopfschüttelnd nahm Mary Jeremys Uhr aus einer Tasche und überprüfte die anderen. In der linken spürte sie Papier. Sie holte einen Umschlag mit dem Militärsiegel heraus. Er ähnelte dem, den Sean erhalten hatte, als er zu den Irish Guards eingezogen worden war.

Er war ungeöffnet. Mary riss ihn auf und zog den Brief heraus. Nun wusste sie, was ihren Mann veranlasst hatte, sich das Leben zu nehmen.

Pensionskasse

5. Oktober 1939

Sehr geehrter Mr. Langdon,
hiermit teilen wir Ihnen mit, dass Ihre Militärpension ab Januar 1940 von 5 Pfund 15 Shilling monatlich auf 6 Pfund 2 Shilling monatlich angehoben wird.

Hochachtungsvoll,

Die Unterschrift war durch einen Stempel unleserlich.

Der Brief fiel Mary aus der Hand, und sie begann hemmungslos zu weinen.

Mary und Sophia wohnten als Einzige Jeremys Beerdigung bei. Mary hatte keine Ahnung, wo sich Jeremys Eltern aufhielten. Als noch schmerzlicher jedoch empfand sie die Abwesenheit Annas, die sie schriftlich informiert hatte.

Mary überstand den dunklen Monat Oktober nur mithilfe von Sophia, weil sie ihr keine Zeit ließ, sich zurückzuziehen und in ihrem Schmerz vielleicht den gleichen Weg wie Jeremy zu wählen. Außerdem musste sie sich bald mit bürokratischen Fragen auseinandersetzen. Jeremy hatte ihr jede Woche einen gewissen Betrag für den Haushalt zur Verfügung gestellt. Im Moment lebte sie von ihren eigenen Ersparnissen. Obwohl keine Gefahr bestand, dass diese in absehbarer Zeit aufgebraucht sein würden, und sie sich jederzeit wieder aufs Nähen verlegen konnte, wusste sie nicht, wie sich die rechtliche Situation im Hinblick auf das Haus gestaltete und ob Jeremy sie in seinem Testament bedacht hatte.

Die Lage klärte sich eine Woche später, als ein schwarz gekleideter Mann mit schütterem Haar und Melone vor ihrer Tür stand.

»Mrs. Langdon, nehme ich an?«

»Und wer sind Sie?«, fragte Mary argwöhnisch.

»Sidney Chellis von der Anwaltskanzlei Chellis/Latimer. Lord und Lady Langdon, die Eltern Ihres verstorbenen Ehemannes, haben mich zu Ihnen geschickt, um eine geschäftliche Angelegenheit zu besprechen. Darf ich reinkommen?«

Mary nickte müde. Als sie ihn ins Wohnzimmer führte, wurde ihr bewusst, dass Jeremy nie erwähnt hatte, der Sohn eines Lords zu sein.

»Setzen Sie sich doch. Möchten Sie einen Tee?«, fragte sie.

»Nicht nötig. Was ich Ihnen zu sagen habe, wird nicht viel Zeit in Anspruch nehmen.« Der Anwalt holte Dokumente aus seiner Aktentasche, die er auf seinen Schoß legte.

Mary nahm nervös ihm gegenüber Platz. »Habe ich ... etwas falsch gemacht?«

»Nein, Mrs. Langdon, es ist alles in Ordnung.« Er sah sie über den Rand seiner Brille hinweg an und hob die Augenbrauen. »Sie wissen vermutlich, dass Ihr Mann ein Testament verfasst hat, in dem er dieses Haus, seine Militärpension und sein persönliches Einkommen Ihnen vermacht?«

»Nein, Mr. Chellis, mit dieser Frage habe ich mich noch nicht auseinandergesetzt, weil ich zu sehr mit meiner Trauer beschäftigt war«, antwortete Mary wahrheitsgemäß.

»Er hat sein Testament bei unserer Kanzlei hinterlegt, die die Langdons seit mehr als sechzig Jahren juristisch vertritt. Allerdings gibt es da ein kleines Problem.«

»Und das wäre?«

»Mr. Langdons Patentante hat dieses Haus ursprünglich von Mr. Langdons Großvater erhalten. Es befindet sich seit seiner Errichtung vor zweihundert Jahren im Besitz der Langdons. Das Kodizill im Testament seiner Patentante verfügt, dass Ihr Gatte das Haus lebenslang nutzen kann, es bei seinem Tod jedoch an die Langdons zurückfällt.«

»Verstehe«, sagte Mary mit leiser Stimme.

»Sie und Mr. Langdon haben ein Kind, ein Mädchen namens ...«, Mr. Chellis warf einen Blick in seine Unterlagen, »... Sophia May. Entspricht das den Tatsachen?«

»Ja.«

»Sie ist gegenwärtig zehn Jahre alt?«

»Ja.«

»Das Problem gestaltet sich folgendermaßen«, erklärte Mr.

Chellis, nahm seine Brille ab und wischte sie an seiner Weste ab. »Wenn Sophia heiratet, nimmt sie den Namen ihres Mannes an. Und wenn Sophia sich später scheiden lassen sollte oder sterben würde, wäre es schwierig, das Haus in der Langdon-Familie zu halten. Können Sie mir folgen?«

»Ja, Mr. Chellis. Leider.«

»Sie könnten das Kodizill als Mr. Langdons Witwe und Mutter seiner Tochter anfechten. Das wäre jedoch kostspielig und...«, Mr. Chellis schauderte bei dem Gedanken, »...würdelos. Deshalb möchten Lord und Lady Langdon Ihnen einen Vorschlag unterbreiten. Als Gegenleistung dafür, dass Sie ihnen dieses Haus überlassen, bieten sie Ihnen einen nicht unerheblichen Betrag. Und für den Verzicht auf das persönliche Einkommen Ihres verstorbenen Mannes schlagen sie einen Ausgleich zugunsten Ihrer Tochter Sophia vor.«

»Verstehe. Das heißt, dass Lord und Lady Langdon mich und meine Tochter loswerden wollen wie ihren Sohn?«

»So würde ich das nicht ausdrücken, Mrs. Langdon. Es ist natürlich unschön, dass es zu einer Entfremdung zwischen Lord und Lady Langdon und ihrem Sohn gekommen ist, aber darüber darf ich mir als ihr Anwalt kein Urteil erlauben. Als Gegenleistung für das Haus bieten sie Ihnen einen Betrag von eintausendfünfhundert Pfund. Dazu kämen fünftausend Pfund für Sophia.«

Mary schwieg. Da sie nicht wusste, was das Haus wert war und auf welchen Betrag Jeremys persönliches Einkommen sich belief, konnte sie nicht beurteilen, ob der Vorschlag der Langdons fair war. Außerdem hinterließ das Arrangement bei ihr einen schalen Beigeschmack.

»Ich habe das Angebot schriftlich für Sie formuliert. Meine Adresse und Telefonnummer stehen darüber. Ich wäre Ihnen dankbar, wenn Sie sich direkt mit mir in Verbindung setzen würden, sobald Sie zu einer Entscheidung gelangt sind.«

»Wollen Lord und Lady Langdon ihre Enkelin denn nicht sehen?«, fragte Mary. »Schließlich ist Sophia ihr Fleisch und Blut.«

»Ich bin lediglich der Bote, und mir ist nichts davon bekannt, ob sie Sophia kennenlernen möchten.«

»Nein… natürlich nicht.« Mary sah Mr. Chellis an. »Die Tochter eines irischen Kindermädchens ist nicht akzeptabel für den Adel, nicht wahr?«

Mr. Chellis senkte verlegen den Blick und steckte die Unterlagen in seine Aktentasche. »Wie gesagt: Wenn Sie, sobald Sie Ihre Entscheidung gefällt haben, Kontakt mit mir aufnehmen, sorge ich dafür, dass die nötigen Schritte eingeleitet werden.« Er stand auf und nickte ihr zu. »Danke, dass Sie mich empfangen haben. Ich hoffe, dass sich alles zur Zufriedenheit beider Parteien regeln lässt.«

Mary folgte ihm zur Tür. »Auf Wiedersehen, Mr. Chellis, ich melde mich bei Ihnen, wenn ich über Ihr Angebot nachgedacht habe.«

In den folgenden Tagen stellte Mary Nachforschungen über die Familie ihres verstorbenen Mannes an und fand heraus, dass Jeremy der zweite Sohn von Lord und Lady Langdon war, deren Familienanwesen zweihundert Hektar Grund in Surrey, bekannt für die ergiebige Fasanen- und Entenjagd, umfasste. Im Gebäude befand sich eine Sammlung wertvoller Gemälde von Holbein. Mary erkundigte sich außerdem, wie viel das Haus, in dem sie gegenwärtig wohnte, wert war.

Dabei galten Marys Gedanken ausschließlich Sophia. Ein paar Jahre zuvor hätte sie noch jedes Angebot ausgeschlagen, aber inzwischen war sie älter und klüger und hatte mehr Ahnung von der Welt. Egal, wie sehr der erpresserische Vorschlag der Langdons sie auch ärgerte: Sie wusste, dass sie so viel wie möglich herausschlagen musste.

Ihr war auch klar, dass das, was sie für Anna getan hatte, sie an einem gerichtlichen Vorgehen gegen die Langdons hinderte, weil dann zwangsläufig Berichte über das Verfahren in die Presse gelangten. Was, wenn jemand aus der Vergangenheit sie erkannte und die Verbindung zu Anna herstellte?

Mr. Chellis' Kanzlei befand sich in der Chancery Lane. Mary meldete sich bei seiner Sekretärin an und wartete nervös.

»Mrs. Langdon.« Mr. Chellis empfing sie an der Tür zu seinem Büro. »Kommen Sie doch herein und nehmen Sie Platz.«

»Danke.« Mary folgte ihm und setzte sich auf die Kante eines unbequemen Ledersessels. »Ich habe über Ihr Angebot nachgedacht, Mr. Chellis«, begann sie. »Wenn Sie bereit sind, den Betrag für mein Haus zu verdoppeln, nehme ich es an.«

Mr. Chellis zuckte nicht einmal mit der Wimper. Wie Mary vermutet hatte, entsprach ihr Vorgehen den Erwartungen der Langdons.

»Natürlich werde ich Lord und Lady Langdon fragen müssen, aber ich denke, ein Betrag dieser Höhe dürfte für sie akzeptabel sein. Selbstverständlich müssten Sie ein juristisches Dokument unterzeichnen, in dem Sie auf alle Ansprüche aus dem Testament Ihres Mannes verzichten. *Sowie* auf sämtliche Ansprüche, die Sophia in der Zukunft gegenüber den Langdons erheben könnte.«

»Das ist mir klar.« Mary stand auf. »Ich warte auf Ihre Antwort. Auf Wiedersehen, Mr. Chellis.«

Zwei Monate später stand Mary im Eingangsbereich ihres Hauses und sah sich ein letztes Mal um. Der Wagen würde jeden Augenblick eintreffen; die beiden großen Koffer mit ihren eigenen und den Kleidern ihrer Tochter sowie ein dritter mit

Erinnerungsstücken würden ihnen folgen. Mary setzte sich erschöpft auf die unterste Stufe und tröstete sich mit dem Gedanken, dass sie ohnehin nicht in dem Haus geblieben wäre, weil alles darin sie an das erinnerte, was sie verloren hatte.

Als Sophia die Treppe herunterkam, streckte sie ihrer Tochter die Arme entgegen. »Fertig?«

Sophia nickte. »Ich habe Angst, Mutter.«

»Es ist das Beste so, Liebes. Ich weiß, wie es im Krieg in London zugeht, und diesmal sollen die Bombardements noch schlimmer werden.«

»Ja, aber ...«

Es klopfte. »Der Wagen ist da.« Mary nahm lächelnd Sophias Hand. Sie gingen gemeinsam zur Haustür, wo sie sich stumm von ihrem alten Leben verabschiedeten.

Aurora

Ist Marys und Jeremys Geschichte nicht traurig? Am Ende konnte nicht einmal die Liebe sie retten. Wenn Jeremy den Umschlag von der Pensionskasse nur aufgemacht hätte!

Aber wenn Jeremy ihn geöffnet hätte, wäre meine Geschichte vollkommen anders verlaufen und vielleicht gar nicht wert, aufgeschrieben zu werden. Ich beginne zu begreifen, wie Schmerz Stärke und Weisheit verleihen kann – mich hat er jedenfalls verändert –, und dass er genauso sehr zum Leben gehört wie Glück und Zufriedenheit. Alles besitzt eine natürliche Balance. Wie sollte man wissen, dass man glücklich ist, wenn man nicht manchmal traurig wäre? Und wie sollte man sich gesund fühlen, wenn man nicht hin und wieder krank wäre?

In letzter Zeit habe ich viel über die Zeit nachgedacht. Mary und Jeremy war nur eine kurze gemeinsame Zeit des Glücks vergönnt. Vielleicht sind solche Momente das Einzige, worauf wir hoffen dürfen. Wie im Märchen muss Schlimmes genauso passieren wie Gutes. Wir leben von der Hoffnung, dass die guten Augenblicke wiederkehren. Wenn sie verschwindet wie bei Jeremy, bleibt nichts mehr.

Ich bemühe mich gerade, an der meinen festzuhalten, denn mir bleibt nicht mehr viel.

Aber wo Leben ist …

Genug von mir. Ich wende mich wieder der Zeit zu, in der Grania sich von Kathleen die Geschichte ihrer Urgroßmutter hat erzählen lassen. Und in der ich zum ersten Mal das Farmhaus der Ryans betrete …

23

Dunworley, West Cork, Irland

»Marys neues Leben spielte sich in Irland ab, stimmt's?«, fragte Grania, die am Küchentisch ihres Elternhauses saß, die Hände um eine Tasse Tee gewölbt.

»Ja. Mary ist mit Sophia hergekommen und hat sich ein hübsches Cottage in Clonakilty gekauft.«

»Und nie mehr geheiratet?«

Kathleen schüttelte den Kopf. »Nach allem, was ich von meiner Mutter weiß, hat Mary in London genug Schmerz für ein ganzes Leben durchlitten.«

»Die Verbindung zu den Ryans blieb bestehen?«

»Ja, und am Ende heiratete Marys Tochter Sophia Seamus Doonan, den Sohn von Seans jüngerer Schwester Colleen. Das waren meine Eltern.«

»Na so was! Dann waren Bridget und Michael Ryan also deine Urgroßeltern? Und Sean dein Großonkel?«

»Ja. Colleen zog, als sie meinen Großvater Owen heiratete, in das ursprünglich für Sean und Mary gedachte neue Farmhaus. Sie haben es später ihrem Sohn Seamus und Sophia überlassen. Und als mein Daddy starb, haben dein Vater und ich die Zügel auf der Farm in die Hand genommen«, erklärte Kathleen.

»Das heißt, dass in Sophias Adern englisches Blut floss, noch dazu blaues?«, hakte Grania nach. »Dein Großvater war Jeremy Langdon?«

»Ja. Du bist also keine irische Bäuerin, wie du immer dachtest. Du und Shane, ihr habt adlige Vorfahren. Sophia hätte man das allerdings nicht angemerkt. Meine Mammy war genau wie ihre Mutter Mary: liebenswert, häuslich und ohne Allüren. Anders als ihre Adoptivschwester Anna.«

Kathleens Miene verfinsterte sich.

»Kanntest du sie denn?«, fragte Grania überrascht. »Ich dachte, sie und Mary hätten sich entfremdet?«

Kathleen setzte sich seufzend an den Tisch. »Du kennst noch nicht die ganze Geschichte. Kannst du sie dir nicht denken?«

»Nein.«

»Du warst doch oben in Dunworley House. In dem alten Gemäuer befinden sich genug Hinweise. Zum Beispiel ...«

In dem Moment kam Aurora durch die hintere Tür herein, einen der neugeborenen Colliewelpen auf dem Arm. »Grania! Mrs. Ryan!« Auroras Augen glänzten. »Die Kleine ist so süß! Shane sagt, ich darf ihr einen Namen geben! Ich möchte sie Lily nennen, nach meiner Mutter. Wie findet ihr das?«

»Wunderbar«, antwortete Grania, ohne auf Kathleens skeptischen Gesichtsausdruck zu achten.

»Gut.« Aurora drückte dem frisch getauften Hündchen einen Kuss auf die Stirn. »Kann ich ...«

»Wir müssen deinen Vater fragen, Aurora«, erklärte Grania, die ihre Gedanken erriet. »Außerdem ist Lily noch nicht entwöhnt.«

»Darf ich jeden Tag herkommen und sie mir anschauen?«, bettelte Aurora. »Darf ich, Mrs. Ryan?«

»Ich ...«

Kathleen konnte Auroras Charme nicht widerstehen.

»Na schön.«

»Danke!« Aurora küsste Kathleen auf die Wange. »Hier

gefällt's mir. Ich fühle mich wie in einem richtigen Zuhause«, stellte sie fest.

»Danke, Aurora. Was habt ihr zwei heute zum Abendbrot vor?«

»Darüber haben wir noch nicht nachgedacht, stimmt's, Aurora?«, antwortete Grania.

»Bleibt doch hier und esst mit uns.«

»Ja! Dann kann ich länger bei Lily sein. Ich geh jetzt wieder zu Shane. Er hat mir versprochen, mich in den Kuhstall mitzunehmen.«

Grania und Kathleen sahen der hinauseilenden Aurora nach.

»Du musst zugeben, dass Aurora ein reizendes kleines Mädchen ist«, bemerkte Grania.

»Allerdings.« Kathleen stand auf, um sich ans Kartoffelschälen zu machen. »Die Vergangenheit hat nichts mit der Kleinen zu tun. Hat sie immer noch Albträume?«, erkundigte sie sich.

»Ja, aber wenigstens geistert sie nicht mehr in der Nacht herum. Mam … vorher, als Aurora reingekommen ist …«

Jetzt war es ihr Vater, der sie vom eigentlichen Thema ablenkte. »Mach mir bitte einen Tee, Kathleen, ich hab schrecklichen Durst«, sagte John, als er die Küche betrat.

»Geh rauf zum Duschen, während ich mich um den Tee kümmere«, erwiderte Kathleen mit gerümpfter Nase. »Du riechst nach Kuh, und du weißt, dass ich das nicht leiden kann.«

»Wird gemacht«, versprach John und küsste Kathleen auf die Stirn, um sie zu ärgern. »Und dann komme ich, nach Rosen duftend, zum Tee herunter.«

An jenem Abend ergab sich für Grania keine Gelegenheit mehr, mit ihrer Mutter über die Vergangenheit zu sprechen, weil Aurora die Ryans bei Tisch eifrig über das Farmleben befragte.

»Ich glaube, ich würde gern Farmerin werden, wenn's mit der Ballerina nichts wird«, teilte sie Grania mit, als sie über die Klippen nach Dunworley House zurückkehrten. »Ich liebe Tiere.«

»Hast du je ein Haustier gehabt?«

»Nein. Mummy mochte Tiere nicht. Sie sagte, sie stinken.«

»Na ja, ganz unrecht hatte sie da nicht.«

»Aber Menschen riechen auch«, entgegnete Aurora, als sie die dunkle Küche betraten und Grania das Licht einschaltete.

»Rauf mit dir ins Bett, Fräulein. Es ist spät.«

Als Aurora im Bett lag, wanderte Grania durch das Haus und dachte über ihre Urgroßmutter Mary nach, die offenbar eine bemerkenswerte Frau gewesen war. Grania wusste nach wie vor nichts über ihre Verbindung zu den Lisles. Irgendetwas verknüpfte die Fäden. Der Hinweis befand sich nicht im Salon, in Alexanders Arbeitszimmer oder der Bibliothek ... Grania öffnete die Tür zum Esszimmer.

Dort hing die Antwort über dem Kamin: das Ölgemälde einer Ballerina im weißen Tutu, Schwanenfedern auf den dunklen Haaren. Sie hatte die Arme über den Beinen gekreuzt und den Kopf gesenkt, so dass ihr Gesicht nicht zu erkennen war. Unter dem Bild stand: ANNA LANGDON ALS »DER STERBENDE SCHWAN«.

»Anna Langdon ...« Grania sprach den Namen laut aus. Das war die Verbindung. Ihre Mutter hatte erwähnt, dass Auroras Tanzbegabung ein Erbe ihrer Großmutter sei.

Beim Frühstück am folgenden Morgen fragte Grania Aurora: »Kanntest du deine Großmutter eigentlich persönlich?«

Aurora schüttelte den Kopf. »Sie ist vor meiner Geburt gestorben. Oma war ziemlich alt, als sie Mummy gekriegt hat.«

»Erinnerst du dich an ihren Namen?«

»Klar!«, rief Aurora aus. »Anna. Sie war eine Ballerina, genau wie ich eine werden möchte.«

Während Aurora mit Shane auf den Hügeln Schafe zählte, nahm Grania sich am Nachmittag im Farmhaus noch einmal ihre Mutter vor.

»Mam, wie haben sich Anna Langdon und Lawrence Lisles jüngerer Bruder Sebastian kennengelernt? Sie haben geheiratet, oder? Anna Langdon, die berühmte Ballerina, wurde Anna Lisle, Lilys Mutter und Auroras Großmutter.«

»Ja. So genau darfst du mich das nicht fragen, weil ich damals noch ein Baby war. Meine Mutter und ihre Schwester konnten einander nicht ausstehen, also hat meine Mammy kaum je darüber geredet.«

»Warum ist die berühmte Anna Mutter und Schwester nach Irland gefolgt?«

»Anna war Ende dreißig, als sie nach Irland kam. Ballerinen und Schönheiten haben ein Verfallsdatum«, stellte Kathleen fest.

»Erinnerst du dich überhaupt an sie, Mam?«

»Natürlich.« Kathleen hielt beim Teigausrollen inne. »Für ein Landkind wie mich war Tante Anna ein richtiger Filmstar. Bei unserer ersten Begegnung hatte sie einen roten Pelzmantel an. Ich erinnere mich, dass er sich ganz weich anfühlte ... Sie hat ihn ausgezogen, um sich hinzusetzen und eine Tasse Tee in unserem Wohnzimmer zu trinken. Sie war schrecklich schlank und trug wahnsinnig hohe Absätze. Und sie hat sich eine schwarze Zigarette angezündet.« Kathleen seufzte. »Wie könnte ich sie je vergessen?«

»War sie schön?«

»Sie hatte Präsenz, war eine Naturgewalt. Kein Wunder, dass der alte Sebastian Lisle sich sofort in sie verliebte.«

»Wie alt war er?«

»Um die sechzig und Witwer. Er hatte schon das erste Mal spät geheiratet. Adele, seine erste Frau, war dreißig Jahre jünger als er gewesen und bei der Geburt... dieses Jungen... gestorben.«

»Sebastian hatte bereits einen Sohn?«

»Ja. Er hieß Gerald.«

»Anna und Sebastian Lisle heirateten also?«

»Ja.«

»Was wollte Anna denn nach dem Leben, das sie bis dahin geführt hatte, mit einem so alten Mann, Mam?«, fragte Grania.

»Vielleicht Geld. Meine Mam hat immer behauptet, Anna wäre entsetzlich verschwenderisch gewesen und hätte Luxus geliebt. Er dachte wohl, Weihnachten und Ostern fallen zusammen, als er Anna sah. Drei Monate später haben sie geheiratet.«

»Der Bruder von Annas Vormund Lawrence...«, überlegte Grania laut. »Wusste Sebastian, wer Anna war?«

»Ja«, antwortete Kathleen. »Sie fanden es beide ausgesprochen komisch, dass Anna all die Jahre für tot gehalten worden war.«

»Was passierte mit Mary? Gab es keine Probleme, weil Anna nach Irland kam?«

»Als Anna bei Mary auftauchte und wenig später Sebastian kennenlernte, wusste Mary, dass sie ihr erzählen musste, was sie in ihrer Kindheit getan hatte«, antwortete Kathleen. »Es war ja aus dem richtigen Grund geschehen. Wer weiß, was aus Anna geworden wäre, wenn sie sich nicht eingemischt hätte. Anna war klar, dass sie niemals zum Ballett gekommen wäre.«

»Mary hat ihrer Tochter vergeben, dass sie sich all die Jahre nicht bei ihr gemeldet hatte?«

»Letztlich bestand doch eine tiefe innere Verbindung zwischen den beiden. Mary liebte Anna wie ihr eigenes Kind. Sie hätte ihr alles verziehen. Meine Mammy Sophia hatte am meisten Probleme mit ihr. Sie nannte Anna ›die verlorene Tochter‹.«

»Möglicherweise war sie eifersüchtig«, bemerkte Grania.

»Das spielte sicher eine Rolle. Immerhin haben Mary und Anna sich vor Marys Tod versöhnt. Danach wurden jede Woche Blumen an ihrem Grab im Friedhof von Dunworley abgelegt – bis Anna selbst starb. Das war ihre Art, sich zu entschuldigen und ihre Liebe zu der Frau auszudrücken, die sie ›Mutter‹ genannt hatte.«

»Sebastian ist nicht gegen Mary vorgegangen, weil sie Anna seinem Bruder weggenommen hatte?«

»Offenbar reichte das, was Anna ihm über die Situation erzählt hatte. Außerdem war Lawrence Lisle lange tot. Mary hatte sich um die Liebe seines Lebens gekümmert; das allein zählte für Sebastian.«

»Und dann kam Lily zur Welt?«

»Ja, leider«, murmelte Kathleen.

»Die drei wohnten glücklich oben in Dunworley House?«

»Eher nicht«, schnaubte Kathleen. »Glaubst du wirklich, Anna Langdon hätte sich damit zufriedengegeben, Mutter für ein Baby und einen dreijährigen Stiefsohn zu spielen, in einem baufälligen Haus am Ende der Welt?« Kathleen schüttelte den Kopf. »Nein. Für das Baby wurde ein Kindermädchen eingestellt, und schon wenige Monate später war Tante Anna wieder unterwegs. Sie sagte, sie wolle zu einem ihrer Ballettabende, und verschwand wochenlang. Meine Mutter war sicher, dass sie sich mit anderen Männern traf.«

»Lily ist also praktisch ohne die Mutter aufgewachsen, die Sebastian Lisle Hörner aufsetzte?«

»Ja. Du kannst dir keinen elenderen Mann als Sebastian vorstellen. Er kam uns oft mit Lily besuchen. Dann saß er hier am Tisch und fragte meine Mutter, ob sie etwas von ihrer Schwester gehört hätte. Obwohl ich damals erst fünf war, erinnere ich mich an sein verzweifeltes Gesicht. Sie hat ihn in ihren Bann geschlagen, diesen verblendeten alten Mann. Wenn Tante Anna dann – manchmal erst nach Monaten – auftauchte, hat er ihr jedes Mal verziehen.«

»Und Lily? Was für ein Leben muss sie geführt haben mit einem alten Vater und einer nie anwesenden Mutter?«

Kathleens Miene verfinsterte sich. »Genug davon! Ich will jetzt nicht mehr darüber reden. Was ist mit dir, Grania? Mit deiner Zukunft? Auroras Vater kommt bald zurück. Wenn er wieder da ist, wirst du nicht mehr gebraucht.«

»Wie du nicht über die Vergangenheit sprechen möchtest, bin ich nicht versessen darauf, die Zukunft zu diskutieren.« Grania stand auf. »Ich geh rauf in mein Zimmer, ein paar Sachen holen, die ich nach Dunworley House mitnehmen will.«

»Wie du meinst«, sagte Kathleen seufzend, als Grania den Raum verließ.

Da betrat John die Küche und legte die Arme um sie. »Hallo, Schatz. Wo bleibt der Tee?«

Aurora

Die Geschichte ist kompliziert, das wird mir gerade klar. Deshalb habe ich zur besseren Orientierung einen Familienstammbaum erstellt.

Geschafft! Das hat länger gedauert als das Schreiben der bisherigen Kapitel.

Auf den ersten Blick wirkt alles zufällig, doch das ist es nicht. Wir – die Ryans und die Lisles – lebten in einer winzigen, isolierten Gemeinschaft am Rand der Welt und waren seit Hunderten von Jahren Nachbarn, was erklärt, warum sich unsere Leben und jeweiligen Geschichten miteinander verbanden.

Bald wird auch mein Sterbedatum in den Stammbaum eingetragen, und ich bin Teil der Vergangenheit. Wir Menschen leben und treffen Entscheidungen, als wären wir unsterblich. Natürlich bleibt uns nichts anderes übrig.

Ich glaube, es ist Zeit, mich von Irland zu entfernen und einen Blick in die Zukunft, nach Amerika, zu werfen, in das Land der Hoffnung, wo Träume wahr werden und alles möglich ist.

Ein Land nach meinem Geschmack!

Dort glaubt man an Magie wie ich, weil das junge amerikanische Volk noch Erfahrungen sammeln muss, um klüger, vielleicht auch zynischer zu werden.

Wenden wir uns also Matt zu …

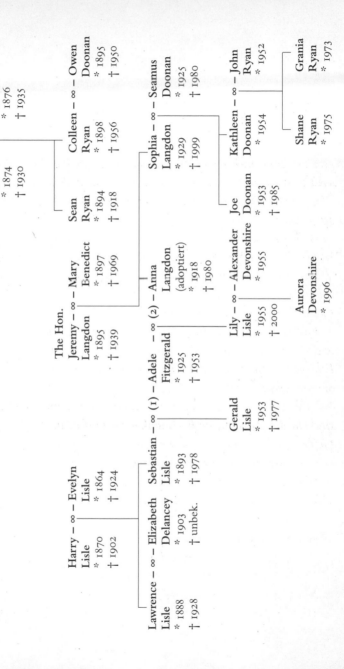

24

Matt zappte sich lustlos durch die Fernsehprogramme. Er schlief schlecht und konnte sich nicht konzentrieren. Grania war mittlerweile über sieben Wochen weg; fast vier hatte er nicht mehr mit ihr gesprochen. Charleys Mantra »Sie kommt zurück, wenn sie sich beruhigt hat«, klang immer hohler. Von Tag zu Tag wurde Matt klarer, dass Grania höchstwahrscheinlich nicht zurückkehren würde und ihre Beziehung zu Ende war.

Freunde, die Bescheid wussten, drängten ihn, ein neues Leben anzufangen. Er sei jung; viele seiner Altersgenossen hätten auch noch keine Familie gegründet. Außerdem sei er nicht mit Grania verheiratet. – Mit ihm zusammenzuleben war ihr wichtiger gewesen, als einen Ring am Finger zu tragen. Letztlich hatte sie seiner Familie und seinen Freunden beweisen wollen, dass sie keine Glücksritterin war.

Eigentlich, dachte er, hatten seine Freunde recht. Das Loft, in dem er mit Grania wohnte, war gemietet, und echte Vermögenswerte besaßen sie nicht. Ihm stand keine lange, schmerzliche Scheidung bevor. Er konnte einfach die Wohnung kündigen – was er ohnehin musste, sobald er nicht mehr in der Lage war, die Miete allein aufzubringen –, sich eine andere Bleibe suchen und neu beginnen. Ohne größeren finanziellen Verlust.

Doch emotional sah es anders aus.

Matt musste an seine erste Begegnung mit Grania denken. Er hatte mit Bekannten die Eröffnungsvernissage einer winzigen Galerie in SoHo besucht – einer seiner Freunde kannte den Inhaber.

In der Galerie hatte es von Menschen gewimmelt. Matt hatte die modernen Bilder an den Wänden flüchtig betrachtet; die merkwürdigen Farbkleckse, die aussahen, als wären sie von Kleinkindern gemalt worden, gefielen ihm nicht. Dann hatte eine kleine Skulptur auf einem Sockel in der Ecke des Raums seine Aufmerksamkeit erregt. Er war näher herangegangen, um sie zu begutachten, und hatte festgestellt, dass es sich um einen elegant geformten Schwan handelte. Der Preis war erschwinglich gewesen, und er hatte sich an den Inhaber der Galerie gewandt.

»Sie haben Geschmack, Sir. Das ist eins meiner Lieblingsstücke. Die Künstlerin wird es meiner Meinung nach weit bringen.« Der Galerieinhaber hatte auf die andere Seite des Raums gedeutet. »Da drüben steht sie. Wollen Sie mit ihr sprechen?«

Die lockigen blonden Haare der zierlichen Frau in Jeans und rotem Karohemd waren ihr unfrisiert über die Schulter gefallen. Der Galerist hatte ihren Namen gerufen, worauf sie sich ihnen zuwandte und Matt ihre großen türkisblauen Augen, die sommersprossige Himmelfahrtsnase und die rosigen Lippen sah. Ungeschminkt und natürlich, wie sie war, wirkte sie wie ein Kind – ganz anders als die Frauen in Matts Begleitung.

Matt nahm ihren schlanken Körper, ihre schmalen Hüften und die langen Beine wahr. Sie war keine Schönheit im herkömmlichen Sinn, aber doch hübsch mit ihren glänzenden Augen. Matt gefiel sie sofort.

»Grania, das ist Matt Connelly. Er hat gerade deinen Schwan gekauft.«

»Hallo, Mr. Connelly«, begrüßte sie ihn lächelnd. »Freut mich zu hören. Das bedeutet, dass das Essen in den nächsten Wochen gesichert ist.«

Vielleicht, dachte Matt, war es ihr irischer Akzent, der so viel angenehmer und weicher klang als der harte New Yorker.

Jedenfalls fragte Matt Grania fünfzehn Minuten später, ob er sie zum Essen einladen dürfe. Sie erklärte ihm, sie sei bereits mit dem Inhaber der Galerie und den anderen ausstellenden Künstlern verabredet. Aber mit der Begründung, er wolle sich die anderen Werke in ihrem Atelier ansehen, gelang es ihm, ihr die Telefonnummer zu entlocken.

Nie zuvor hatte Matt ein Problem gehabt, sich mit einer Frau zu verabreden. Doch bei Grania Ryan biss er auf Granit. Am folgenden Tag rief er sie an und hinterließ eine Nachricht auf ihrer Mailbox, ohne eine Antwort zu erhalten. Ein paar Tage später versuchte er es noch einmal, aber offenbar war sie die meisten Abende unterwegs.

Je aussichtsloser die Sache schien, desto entschlossener wurde Matt. Am Ende ließ sie sich breitschlagen, sich in SoHo auf einen Drink mit ihm zu treffen. Matt ging in Blazer, Jeans und Budapestern in die Künstlerkneipe, in der er sofort auffiel. Grania trug dieselbe Jeans wie in der Galerie und ein altes blaues Hemd, bestellte ein kleines Guinness und leerte es in einem Zug.

»Leider kann ich nicht lange bleiben.«

Sie erklärte nicht, warum.

Matt bemühte sich tapfer, Konversation zu machen, doch Grania wirkte desinteressiert und geistesabwesend. Schließlich stand sie auf und sagte, sie müsse gehen.

»Kann ich dich wiedersehen?«, fragte Matt, nachdem er hastig die Rechnung beglichen hatte.

Auf dem Gehsteig wandte sie sich ihm zu. »Warum?«

»Weil ich Lust dazu hätte. Genügt das als Grund?«

»Matt, neulich Abend in der Galerie habe ich deine smarten

Freunde gesehen. Ich kann mir nicht vorstellen, dass ich dein Typ bin, und du bist nicht der meine.«

»Und was ist deiner Ansicht nach mein ›Typ‹, Grania?«

»Geboren in Connecticut, schnieke Privatschule, dann Harvard und das große Geld an der Wall Street.«

»Ja, ein Teil davon stimmt«, gab Matt errötend zu. »Aber ich habe nicht die Absicht, in die Fußstapfen meines Vaters zu treten. Der ist Investmentbanker. Ich mache gerade den Doktor der Psychologie an der Columbia University. Ich hoffe, dort unterrichten zu können.«

»Ach.« Sie verschränkte die Arme. »Das wundert mich. Du siehst nicht aus wie ein armer Student. Was ist das für eine Uniform?«, erkundigte sie sich mit einem Blick auf seine Kleidung.

»Uniform?«

»Du schaust aus, als wärst du einer Werbeanzeige von Ralph Lauren entsprungen.«

»Manchen Frauen scheint das zu gefallen.«

»Mir nicht. Tut mir leid, Matt. Ich bin kein Spielzeug für reiche Jungs, die meinen, sie könnten sich meine Zuneigung mit Geld erkaufen.«

Matts Reaktion schwankte zwischen Wut, Belustigung und Faszination. Dieses temperamentvolle irische Mädchen, das ein wenig Alice im Wunderland ähnelte und offenbar einen Kern aus Stahl sowie eine messerscharfe Zunge besaß, hatte es ihm angetan.

»Hey!«, rief er ihr nach, als sie weiterging. »Für deine Skulptur habe ich das ganze Erbe meiner Tante hingelegt. Ich habe lange nach etwas gesucht, das mir wirklich gefällt. Meine Tante hat in ihrem Testament festgelegt, dass ich mit dem Geld etwas Schönes kaufen muss.« Seine Stimme war so laut, dass die Leute ihn anstarrten. Zum ersten Mal in seinem Leben war ihm das egal. »Ich habe deinen Schwan erstanden, weil ich ihn schön finde. Und noch eins: Meine Eltern sind sauer auf mich, weil ich nicht in Daddys Fußstapfen treten will! Außerdem wohne ich nicht in einem Penthouse an der Park Avenue, sondern in einer Studentenbude auf dem Campus mit Wohn-Schlafbereich, Gemeinschaftsküche und -klo!«

Grania drehte sich um und hob wortlos eine Augenbraue.

»Willst du sie sehen? Keiner meiner smarten Freunde mag mich da besuchen, weil sie auf der falschen Seite der Stadt liegt.«

Da lächelte Grania.

»Und«, fügte Matt hinzu, »es ist durchaus möglich, dass ich keinen Cent von meinen reichen Eltern erbe, wenn ich nicht ihren Wünschen entspreche.«

Sie starrten einander gut zwanzig Sekunden lang an – unter den interessierten Blicken schaulustiger Passanten.

Dann drehte Matt sich um und ging. Er hatte keine Ahnung, warum er so aus der Haut gefahren war. Eine Minute später holte Grania ihn ein.

»Hast du meinen Schwan wirklich mit dem Geld deiner Tante gekauft?«, fragte sie mit leiser Stimme.

»Klar. Sie war Kunstsammlerin und hat mir beigebracht, nur Werke zu erwerben, bei denen ich ein gutes Gefühl habe. Und das habe ich bei deiner Skulptur.«

Sie schlenderten eine Weile schweigend weiter. Am Ende entschuldigte sich Grania. »Tut mir leid. Ich habe vorschnell geurteilt. Das war falsch.«

»Schon vergessen. Aber wieso sind meine Herkunft und meine Kleidung so wichtig? Das ist doch wohl genauso sehr dein Problem wie meins.«

»Komm mir nicht mit diesem Psychologiequatsch, Mr. Connelly, sonst glaube ich am Ende, dass du mich beeindrucken willst.«

»Und ich glaube, dass du schon mal Ärger mit einem Typen wie mir hattest.«

Grania wurde rot. »Da könntest du recht haben. Woher weißt du das?«

Matt zuckte mit den Achseln. »Gegen Ralph Lauren kann man nichts haben. Das sind ordentliche Sachen.«

»Okay. Mein Freund war ein Vollidiot...«

»Müssen wir uns eigentlich auf der Straße unterhalten? Warum gehen wir nicht irgendwo was essen?« Matt zwinkerte ihr zu. »Wo's keine Blazer gibt!«

Jener Abend und die folgenden Wochen sollten Matt als die schönsten seines Lebens in Erinnerung bleiben. Grania hatte ihn mit ihrer ehrlichen und direkten Art umgehauen. Matt war die Frauen der besseren Gesellschaft gewohnt, die ihre wahren Gefühle hinter einer Fassade aus Kultiviertheit verbargen. Im Vergleich zu ihnen wirkte Grania wie eine frische Brise. Wenn sie glücklich war, wusste er das, und wenn sie sich ärgerte, weil ihr die Arbeit nicht von der Hand ging, merkte er es ebenfalls. Außerdem nahm sie seine Berufswahl im Gegensatz zu vielen seiner reichen Freunde ernst, die glaubten, dass er irgendwann den Beruf seines Vaters ergreifen würde.

Obwohl Grania nicht die gleiche Bildung genossen hatte wie Matt, interessierte sie sich für alles und saugte Informationen auf wie ein Schwamm. Das einzige Haar in der Suppe war, dass er mit Charley Schluss machen musste. Für ihn war es ohnehin nur eine Affäre ohne Aussicht auf eine dauerhafte Bindung. Charley hatte seine Eröffnung gelassen hingenommen oder zumindest so getan. Im Lauf der Monate hatte Matt sie und seine alten Freunde immer seltener getroffen, weil er sie mit Granias Augen sah und erkannte, wie oberflächlich die meisten von ihnen waren. Aber es fiel ihm leichter, sich von seinen Freunden zu distanzieren als von seiner Familie.

An einem Wochenende hatte er Grania mit nach Hause genommen, um sie seinen Eltern vorzustellen. Grania hatte in den Tagen davor zahllose Kleidungsstücke anprobiert und war schließlich wenige Stunden vor der Abfahrt in Tränen ausgebrochen. Matt hatte sie tröstend in den Arm genommen. »Was du anhast, ist nicht wichtig. Sie werden dich um deiner selbst willen mögen.«

»Hm. Das bezweifle ich. Ich möchte dich nicht enttäuschen oder in Verlegenheit bringen, Matt.«

»Das tust du nicht, das verspreche ich dir.«

Matts Ansicht nach war das Wochenende einigermaßen gut verlaufen. Seine Mutter Elaine konnte manchmal penetrant sein, aber nur, weil sie das Beste für ihren Sohn wollte. Sein Vater war weniger zugänglich. Bob Connelly gehörte einer Generation an, in der die Männer Männer waren und sich weder in häusliche Angelegenheiten noch in die emotionalen Probleme ihrer Frauen einmischten. Grania hatte sich Mühe gegeben, doch Matts Vater war kein Mensch, mit dem man sich offen unterhalten konnte.

Auf dem Nachhauseweg war Grania sehr still gewesen. In der folgenden Woche hatte Matt viel Zeit darauf verwendet, ihr zu versichern, dass seine Eltern sie mochten und ihm die Beziehung mit Grania wirklich etwas bedeutete. Sechs Monate später hatte er sie in ihrem Hotelzimmer nicht weit vom Florenzer Dom gefragt, ob sie seine Frau werden wolle. Sie hatte ihn erstaunt angesehen.

»Heiraten? Matt, ist das dein Ernst?«

Matt hatte sie gekitzelt. »Hältst du es denn für einen Scherz? Natürlich ist das mein Ernst!«

»Das kommt unerwartet.«

»Ach. Wir sind beide volljährig; ich liebe dich, und soweit ich das beurteilen kann, liebst du mich auch. Es wäre nur logisch.«

Grania hatte zu weinen begonnen. Das war nicht die Reaktion, die Matt erwartet oder erhofft hatte.

»Liebling, ich wollte dich nicht aus der Fassung bringen. Was habe ich falsch gemacht?«

»Nichts. Ich kann nur einfach nicht... nein, ich kann dich nicht heiraten, Matt.«

»Darf ich fragen, warum?«

»Bitte denk nicht, dass ich dich nicht liebe, denn das tue ich. Aber ich kann nicht Mrs. Matthew Connelly spielen. Deine Eltern und Freunde wären schockiert, da bin ich mir sicher. Ich würde den Rest meines Lebens ein schlechtes Gewissen haben, weil alle mich für eine Glücksritterin halten. Außerdem würde ich meine Eigenständigkeit verlieren.«

»Grania, Schatz, ich begreife nicht, warum du dir den Kopf darüber zerbrichst, was andere Leute denken! Hier geht es nicht um sie, sondern um uns! Und mich würde es glücklich machen, wenn du Ja sagst. Es sei denn natürlich, du liebst mich nicht.«

»Unsinn, Matt! Es hat mit meinem Stolz zu tun. Ich könnte es nicht ertragen, wenn jemand auf die Idee käme, ich heirate dich aus den falschen Gründen.«

»Das ist dir wichtiger, als das Richtige für uns zu tun?«

»Du kennst mich. Wenn ich etwas beschlossen habe, bringt mich niemand mehr davon ab.« Grania hatte seine Hände ergriffen. »Wenn du mich fragst, ob ich den Rest meines Lebens mit dir verbringen möchte, lautet die Antwort Ja. Ich will mit dir zusammen sein. Geht das denn nicht, Matt? Ohne Ring und neuen Namen und alles andere?«

»Du meinst zusammenleben?«

»Ja.« Grania hatte über Matts schockierten Gesichtsausdruck geschmunzelt. »Heutzutage macht man das so. Ich kenne mich nicht aus mit den Gesetzen hier, aber ich vermute, dass die Beziehung nach ein paar Jahren automatisch als eheähnliche Gemeinschaft gilt. Matt, glaubst du wirklich, wir brauchen ein Stück Papier als Beweis unserer Liebe? Würde es nicht mehr über uns aussagen, wenn wir ohne Trauschein zusammen wären?«

Matt hatte immer geglaubt, dass er wie seine Eltern und Freunde eine traditionelle Ehe führen würde.

»Ich …« Er hatte den Kopf geschüttelt. »Darüber muss ich nachdenken.«

»Das kann ich verstehen. Ich würde gern deinen Ring tragen, wenn du mir unbedingt einen kaufen möchtest. Aber wir könnten auch wie Audrey Hepburn im Film bei Tiffany unsere Namen auf einem Bierdosenring eingravieren lassen.«

»Und was ist, wenn Kinder kommen?«

»Jesus!« Grania hatte gelacht. »Wir überlegen doch gerade erst, wie wir unsere wenigen Möbel zusammenschmeißen. So weit kann ich, glaube ich, noch nicht vorausdenken.«

»Okay. Aber wenn ich mich auf deinen Vorschlag einlassen soll, müsste ich mir sicher sein können, dass wir uns zu gegebener Zeit über diesen Punkt unterhalten. Dass meine Kinder unehelich wären und nicht einmal meinen Namen bekommen würden, übersteigt im Moment mein Vorstellungsvermögen.«

»Ich biete dir einen Kompromiss an: Wenn du bereit bist, fürs Erste mit mir in Sünde zu leben, bin ich bereit, übers Heiraten zu reden, wenn ein Kind unterwegs ist.«

Matt hatte eine Weile geschwiegen und sie dann zärtlich auf die Nase geküsst. »Du bist wirklich der Traum eines jeden Romantikers. Na schön, wenn du meinst, machen wir es eben so.« Mit einem belustigten Blick hatte er hinzugefügt: »Nein, das besiegeln wir nicht mit Handschlag. Ich weiß eine bessere Methode.«

Um die Beziehung mit der stolzen, freiheitsliebenden und immer wieder überraschenden Grania aufrechtzuerhalten, hatte Matt alle seine Prinzipien über Bord geworfen und war bei ihr eingezogen. Er hatte ihr bei Tiffany einen Ring gekauft, den sie tatsächlich trug. Als der Blick seiner Eltern darauf gefallen war, hatten sie gefragt, wann sie heiraten würden.

Doch so weit war es nicht gekommen.

Nun stand Matt acht Jahre später mit genauso leeren Händen da wie an jenem Tag in Florenz. Fast wünschte er sich den Schmerz einer schmutzigen Scheidung; immerhin hätte er bezeugt, dass da etwas Großes zu Ende ging. Er und Grania hatten nicht einmal ein gemeinsames Konto gehabt. Es gab so gut wie nichts aufzuteilen. Das Einzige, was sie verbunden hatte, war der beiderseitige Wunsch gewesen, zusammen zu sein. Matt trat ans Fenster und schaute hinaus. Vielleicht sollte er sich einfach in sein Schicksal fügen und sich neu orientieren. Doch er wusste nicht, was er falsch gemacht hatte, und das ließ ihm keine Ruhe.

»Hallo, Schätzchen, guten Tag gehabt?« Charley schloss die Tür hinter sich und schlang von hinten die Arme um ihn.

»Geht so …« Matt zuckte mit den Achseln.

»Niedergeschlagen? Matty, ich finde es schrecklich, wie du dich quälst.«

»So ist die Lage nun mal.« Er löste sich aus ihrer Umarmung und holte sich ein Bier aus der Küche. »Möchtest du was trinken?«

»Warum nicht?« Charley ließ sich aufs Sofa plumpsen. »Ich bin hundemüde.«

»Harter Tag im Büro?«, erkundigte sich Matt, während er

das Bier öffnete und ihr ein Glas Chardonnay aus dem Kühlschrank einschenkte.

»Ja.« Sie lächelte. »Ich könnte ein bisschen Aufmunterung gebrauchen.«

»Ich auch.«

Charley nahm einen Schluck Wein. »Dann lass uns doch ausgehen! Ich rufe ein paar von der alten Truppe an. Die freuen sich, dich zu sehen. Na, wie wär's?«

»Ich weiß nicht, ob ich in Partylaune bin.«

»Könnte doch nicht schaden, es rauszufinden, oder?« Charley holte ihr Handy heraus und wählte eine Nummer. »Wenn nicht für dich, dann für deine Mitbewohnerin, die seit Wochen mit dir leidet. Hallo, Al!«, sagte sie ins Telefon. »Heute Abend schon was vor?«

Anderthalb Stunden später saß Matt mit sechs alten Freunden in einer schicken Bar, in der er Jahre nicht mehr gewesen war. Charley hatte ihn dazu gebracht, den Blazer aus dem Schrank zu holen. Sonst trug er ausschließlich Jeans, T-Shirt und ein altes Tweed-Sakko, das Grania auf einem Flohmarkt entdeckt hatte und das er ins Büro anzog, weil sie behauptete, er sehe damit aus »wie ein Professor«.

Seine Freunde bestellten Champagner. Matt freute sich, dass sie sich in seiner Gesellschaft so wohlzufühlen schienen. Ihm wurde bewusst, dass er sich acht Jahre lang nicht mehr mit ihnen getroffen hatte. Keiner von ihnen hatte in der Zwischenzeit eine Familie gegründet; ihr Singleleben war einfach weitergegangen. Als er einen Schluck aus seinem zweiten Glas Champagner nahm, fühlte er sich wie in einer Zeitblase eingeschlossen. Grania zuliebe hatte er sich von seinen Freunden distanziert. Doch Grania war weg…

Nach drei Flaschen Champagner gingen sie in ein neu eröffnetes japanisches Restaurant, wo sie köstlich speisten, lachten, jede Menge Wein tranken und über die Vergangenheit plauderten.

Sie verließen das Lokal erst um zwei Uhr morgens. Matt rief wankend ein Taxi herbei.

»Toll, dich wieder mal gesehen zu haben, alter Schwede.« Al klopfte ihm auf den Rücken. »Wahrscheinlich treffen wir uns in Zukunft öfter.«

»Möglich«, sagte Matt und rutschte zu Charley auf den Rücksitz des Taxis.

»Komm doch an Ostern ein paar Tage nach Nantucket. Mom und Pop würden sich freuen.«

»Gern, Al. Pass auf dich auf.« Als das Taxi losfuhr, schloss Matt die Augen, weil sich ihm alles drehte. Sein Kopf rollte zur Seite und landete auf Charleys Schulter. Sie ließ ihre Finger sanft durch seine Haare gleiten. Es fühlte sich vertraut und tröstlich an.

»Na, hat's Spaß gemacht, Schätzchen?«

»Ja«, murmelte Matt.

»Ich hab dir doch gesagt, dass es dir guttun würde, die alten Kumpels wiederzusehen. Wir haben dich nicht vergessen.«

Matt spürte weiche Lippen auf seiner Haut.

Am folgenden Morgen erwachte Matt mit grässlichen Kopfschmerzen. Er konnte sich nicht erinnern, wie er den Taxifahrer bezahlt hatte, mit dem Lift hinaufgefahren und ins Bett gekommen war. Matt drehte sich zur Seite.

Und sah voller Schrecken, dass er nicht allein im Bett lag. Er wusste auch nicht mehr, wie Charley dort gelandet war.

25

Grania versuchte, Aurora zu überreden, dass sie die Makrele aß, die Shane gerade gefangen und ihr zum Kochen gegeben hatte, als das Telefon klingelte. »Hallo?«, meldete sie sich.

»Grania?«

»Ja.«

»Alexander Devonshire.«

»Hallo, Alexander.« Grania klemmte den Hörer zwischen Wange und Kinn.

»Wie geht's Aurora?«

»Prima.«

»Gut. Ich wollte Ihnen sagen, dass ich am Samstag nach Hause komme.«

»Das freut sie sicher. Sie fehlen ihr.«

Aurora nickte.

»Sie fehlt mir auch. Sonst alles in Ordnung?«

»Ja, keine Klagen, danke.«

»Gut.«

»Möchten Sie mit ihr sprechen?«, fragte Grania. »Sie hat Ihnen sicher viel zu erzählen.«

»Sehr gern. Dann bis Samstag, Grania.«

»Ja. Ich gebe Ihnen Aurora.«

Grania reichte Aurora den Hörer und verließ diskret den Raum, um ein Bad für das Mädchen einzulassen.

Als die Wanne sich füllte, wurde ihr klar, dass Alexanders Rückkehr sie zu einer Entscheidung zwang.

Einen großen Teil der Zeit bis zu Alexanders Rückkehr verbrachten Aurora und Grania auf der Farm der Ryans. Granias Vater mochte die Kleine sehr, und Kathleen, die sich so gegen sie gewehrt hatte, fragte Grania nun, ob Aurora vor dem Frühstück kommen und mit ihr die frischen Eier einsammeln wolle. Aurora hatte allen Hühnern im Stall einen Namen gegeben und war untröstlich gewesen, als ein Fuchs Beauty und Giselle holte.

»Das Mädel kann mit Tieren umgehen. Sie würde eine gute Farmersfrau abgeben«, hatte Shane eines Abends festgestellt, als Aurora jeder einzelnen Kuh im Stall gute Nacht wünschte.

»So was gibt's heute kaum noch«, hatte John hinzugefügt.

Grania sorgte dafür, dass Aurora am Morgen von Alexanders Heimkehr badete, damit sie nicht nach den Tieren roch, mit denen sie so viel Zeit verbrachte. Aurora sah rosig und gesund aus, dachte sie stolz, als sie in der Fensternische in Auroras Zimmer auf Alexanders Ankunft warteten. Sobald sein Taxi sich dem Haus näherte, lief Aurora nach unten, um ihren Vater zu begrüßen, während Grania oben blieb.

Einige Minuten später gesellte sie sich zu Aurora, die mit freudig-besorgter Miene im Eingangsbereich stand.

»Schön, dass Daddy wieder da ist. Ich glaube, er hat zu viel gearbeitet. Er ist so dünn und irgendwie grau. Wir müssen mit ihm an den Strand; er braucht frische Luft.« Aurora ergriff Granias Hand und zog sie in Richtung Küche. »Komm mit. Ich bin gerade dabei, ihm Tee zu kochen, stelle mich aber nicht besonders geschickt an.«

Als Grania die Küche betrat, erschrak sie. Alexander sah schrecklich aus. Sie fragte ihn, wie die Reise verlaufen sei, und kümmerte sich um den Tee.

»Aurora hat sich prächtig entwickelt«, stellte Alexander fest.

»Daddy, ich hab dir doch gesagt, dass London mir nicht gefällt. Ich mag das Land. Frische Luft tut gut.« Aurora wandte sich Grania zu. »Daddy meint, ich kann Lily haben, sobald sie entwöhnt ist. Toll, nicht?«

»Ja.« Grania sah Alexander an. »Ich hoffe, Sie haben nichts dagegen. Aurora kann Lily jederzeit bei meiner Familie auf der Farm besuchen, wenn der Hund hier zu viele Umstände macht.«

»Nein, nein. In diesem Riesenhaus finden wir sicher ein Plätzchen für einen kleinen Hund.« Alexander bedachte Aurora mit einem liebevollen Blick.

»Dann kann ich ja jetzt nach Hause gehen.«

Vater und Tochter sahen sie entsetzt an.

»Geh nicht, Grania!«, rief Aurora aus.

»Ja, bitte bleiben Sie noch«, pflichtete Alexander ihr bei. »Wenigstens heute Nacht. Vielleicht wollen Sie ja nachmittags mit Aurora zur Farm. Die Reise hat mich angestrengt.«

»Natürlich«, sagte Grania, die Alexanders müden Blick bemerkte. »Aurora, wir trinken Tee bei meinen Eltern. Dann kann dein Vater sich ausruhen.«

»Danke, Grania.« Alexander umarmte Aurora. »Lass dich drücken, Liebes. Du hast mir gefehlt.«

»Du mir auch, Daddy. Aber auf der Farm gefällt's mir. Granias Familie ist super!«

»Schön. Ich freue mich schon auf das Hündchen.«

»Lass uns Mantel und Gummistiefel holen«, wandte Grania sich an Aurora. »Bis später.«

»Alexander sieht sehr schlecht aus«, berichtete Grania. »Er hat abgenommen, und sein Blick ...«, sie schüttelte den Kopf, »irgendetwas stimmt nicht.«

»Tja ...« Seit Alexanders Heimkehr war Kathleen wieder so schroff wie eh und je. »Du hast in seiner Abwesenheit getan, was du konntest. Was ihn auch immer umtreibt, es geht dich nichts an.«

»Wie kannst du das sagen, Mam?«, fragte Grania entsetzt.
»Wenn mit Alexander etwas nicht stimmt, betrifft das auch Aurora. Und ob dir das nun gefällt oder nicht: Ich mache mir was aus ihr.«

»Tut mir leid«, seufzte Kathleen, »du hast recht. Aber nach der Lektüre der Briefe und allem, was ich dir erzählt habe, weißt du, dass sich die Geschichte wiederholt. Immer scheint ein Lisle-Kind in Not zu sein, das die Liebe der Ryans braucht und bei uns landet.«

»Mam, bitte hör auf damit«, sagte Grania müde.

»Ich kann meine Gefühle nicht verleugnen. Offenbar lassen sich die Geschichten unserer Familien nicht entwirren.«

»Wenn es unabänderlich ist, kann ich es ja einfach akzeptieren.« Grania stand auf. »Ich hole Aurora zum Tee rein.«

Als Grania und Aurora später nach Dunworley House zurückkehrten, war alles ruhig.

»Sieht fast so aus, als hätte sich dein Vater gleich schlafen gelegt«, stellte Grania fest, als sie Aurora in ihr Zimmer begleitete. »Wir wecken ihn lieber nicht auf. Es war eine lange Reise.«

Aurora ließ sich ohne Widerrede ins Bett bringen.

»Gute Nacht, Liebes.« Grania küsste sie auf die Stirn. »Träum was Schönes.«

»Grania, glaubst du, mit Daddy ist alles in Ordnung?«

»Ja, warum nicht?«

»Er sieht schlecht aus, stimmt's?«

»Wahrscheinlich ist er müde.«

In jener Nacht schlief Grania nicht gut. Alexanders Anwesenheit im Haus machte sie nervös. Sein Zimmer befand sich am anderen Ende des Flurs, nicht weit von dem Lilys entfernt. Grania fragte sich, ob sie immer schon getrennte Zimmer gehabt hatten. Das von Lily war nach wie vor verschlossen, das hatte Grania überprüft.

Alexander erschien nicht zum Frühstück, und Grania und Aurora verbrachten den Vormittag wie immer. Grania formte den Ton nach Auroras Gesicht, während diese mit gerunzelter Stirn, den Daumen im Mund, an ihren Rechenaufgaben saß. Gegen Mittag begann Grania sich ernsthaft Sorgen um Alexander zu machen. Kurz bevor sie mit Aurora zu deren Ballettstunde in Clonakilty aufbrechen wollte, erschien Alexander mit einem matten Lächeln in der Küche. »Habt ihr was vor?«

»Ja, Daddy, ich gehe in die Ballettstunde.«

»Ach.«

»Sie haben doch nichts dagegen, oder?«, erkundigte sich Grania unsicher.

»Natürlich nicht. Viel Spaß, Liebes.«

»Danke.« Aurora war bereits auf dem Weg zur Tür.

»Grania?«, fragte Alexander unvermittelt.

»Ja?«

»Würden Sie mir heute Abend beim Essen Gesellschaft leisten? Auch wenn ich nicht weiß, was wir im Haus haben.«

»Etwas Einfaches kriege ich schon hin. Ich war nicht sicher, ob ich nach Ihrer Rückkehr weiter einkaufen sollte.«

»Unterhalten wir uns doch am Abend darüber.«

Während Aurora sich in der Ballettstunde befand, ging Grania zum Metzger und zum Gemüsehändler. Zu Hause schob sie das Lammfleisch ins Rohr, badete Aurora und setzte sich eine Stunde vor den Fernseher. Als sie gerade vor sich hinsummend die Kartoffeln mit Öl bestrich und frischen Rosmarin dazugab, betrat Alexander die Küche.

»Hier riecht's aber gut«, bemerkte er.

Grania freute es, dass er wieder etwas besser aussah. Er hatte sich frisch gemacht und rasiert und trug ein dunkelblaues Leinenhemd sowie eine gebügelte Hose.

»Wo ist Aurora?«

»Im Wohnzimmer. Sie sieht fern. Hoffentlich haben Sie nichts dagegen, dass ich ihr den Apparat gekauft habe.«

»Grania, würden Sie bitte aufhören zu fragen, ob ich etwas dagegen habe? Meine Tochter wirkt glücklicher denn je. Wenn dazu nur ein paar Ballettstunden und ein Fernseher nötig waren, bin ich dankbar. Würden Sie die öffnen?« Alexander reichte Grania eine Flasche Rotwein. »Ich bringe Aurora in der Zwischenzeit ins Bett.«

Wenig später kehrte Alexander zurück. »Sie schläft«, verkündete er. »Sie sieht sehr gesund und ausgeglichen aus.« Er prostete ihr zu. »Danke, Grania. Sie scheinen ihr gutzutun.«

»Ich habe auch den Eindruck, dass sie aufgeblüht ist. Obwohl, am Anfang...«

»Ja?«

»Sie ist nachts rumgegeistert. Einmal habe ich sie am Geländer des Balkons gefunden. Ich dachte...« Grania hielt beim Tranchieren des Lamms inne und sah Alexander an. »Ich dachte, sie will springen.«

Alexander setzte sich seufzend. »Sie behauptet, ihre Mutter draußen auf den Klippen zu sehen.«

»Ich weiß. Ich war so frei, die Zimmertür zuzusperren. Wenn Sie sie wieder öffnen möchten: Ich habe den Schlüssel.«

»Sehr vernünftig. Ich finde, sie sollte verschlossen bleiben. Sie ahnen vermutlich, dass das das Schlafzimmer meiner verstorbenen Frau war.«

»Ja.«

Alexander nahm einen Schluck Wein. »Ich war mit Aurora bei mehreren Psychologen. Sie sind der Meinung, dass es sich um eine posttraumatische Störung handelt, die eines Tages verschwinden wird. Sie sagen, sie hat seit zwei oder drei Wochen keine Albträume mehr und schlafwandelt auch nicht mehr?«

»Stimmt.«

»Dann ist dieser Tag vielleicht bereits da.«

»Wollen wir's hoffen. Stand Aurora ihrer Mutter sehr nahe?«

»Schwer zu sagen. Ob Lily überhaupt in der Lage war, irgendjemandem nahezustehen, weiß ich nicht. Obwohl sie ihre Tochter liebte und Aurora sie vergötterte.«

Grania gab Lamm, frische Erbsen und Kartoffeln auf die Teller und trug sie zum Tisch. »Mögen Sie Sauce? In dem Kännchen ist welche. Frische Minzsauce habe ich auch gemacht.« Sie deutete auf ein weiteres Gefäß.

»Ein Festmahl. Nach Wochen amerikanischen Plastikessens habe ich von so etwas geträumt. Danke, Grania.«

»Für mich ist das auch etwas Besonderes. Ich mag Ihre Tochter sehr, aber zur Abwechslung ist es schön, mal in Gesellschaft eines Erwachsenen zu sein«, sagte sie lächelnd.

»Sie haben sich hier oben sicher einsam gefühlt. Sie sind das Leben in New York gewohnt.«

»Immerhin leben meine Eltern ganz in der Nähe. Sie können Aurora auch sehr gut leiden. Bitte«, Grania nahm Messer und Gabel in die Hand, »fangen wir an, sonst wird's kalt.«

Sie aßen eine Weile schweigend.

»Nun«, sagte Alexander schließlich und legte Messer und Gabel beiseite, obwohl sein Teller halb voll war, »wie sehen Ihre Pläne für die Zukunft aus? Haben Sie sich entschieden?«

»Ich war viel zu beschäftigt mit Ihrer Tochter, um mir darüber Gedanken zu machen«, antwortete sie schmunzelnd. »Vermutlich war dieser Monat genau das, was ich gebraucht habe.«

»Eine Auszeit, meinen Sie?«

»Ja.«

»Wollen Sie nach New York zurück?«

»Wie gesagt, ich habe noch keine endgültige Entscheidung getroffen.«

»Ich möchte Sie etwas fragen.«

»Ja?«

»Könnten Sie sich vorstellen, noch eine Weile bei Aurora und mir zu bleiben? Ich werde sehr beschäftigt sein und nicht genug Zeit für sie haben.«

»Ich weiß es nicht«, antwortete sie wahrheitsgemäß.

Alexander senkte den Blick. »Natürlich nicht. Warum sollte eine junge, schöne Frau wie Sie länger als nötig mit einem kleinen Kind hier oben sein wollen? Tut mir leid, dass ich gefragt habe, aber ich sehe einfach, wie glücklich Aurora in Ihrer Obhut ist.«

»Wie lange wäre es denn?«, erkundigte sich Grania.

»Offen gestanden: keine Ahnung.« Alexander schüttelte den Kopf.

»Haben Sie geschäftliche Probleme?«

»Nein … Es ist schwer zu erklären. Entschuldigen Sie, dass ich so vage bleiben muss. Falls Sie auf meinen Vorschlag eingehen sollten: Es gibt da eine Scheune, die ich in ein Atelier habe umbauen lassen, als Lily sich als Malerin versuchen wollte. Nicht dass sie es je genutzt hätte, aber es ist ein angenehmer Ort zum Arbeiten und hat einen wunderbaren Blick auf die Bucht.«

»Das ist ein großzügiges Angebot, aber ich habe kaum Zeit zum Arbeiten, wenn ich mich um Aurora kümmern soll.«

»Ich habe jetzt, da sie sich so positiv entwickelt hat, über Ihren Vorschlag mit der örtlichen Schule nachgedacht. Wenn sie die besuchen würde, hätten Sie den ganzen Tag zum Arbeiten.«

»Aurora täte es gut, Gleichaltrige kennenzulernen. Sie ist viel zu viel allein oder mit Erwachsenen zusammen. Ich …«

Alexander legte eine Hand auf die ihre. »Verstehe, Grania. Ich bin egoistisch. Weit weg von hier wartet ein anderes Leben auf Sie. Ich möchte Ihnen nicht im Weg stehen. Trotzdem würde ich Sie bitten, noch zwei Wochen bei uns zu bleiben, wenn Sie keine dringenderen Pläne haben. Ich stehe ziemlich unter Druck und werde nicht genug Zeit für Aurora haben. Und auch keine Energie«, fügte er seufzend hinzu.

»Na schön, zwei Wochen. Ich muss sowieso die Skulptur von Aurora fertigstellen.«

»Danke.«

»Wenn Sie sich tatsächlich für die Schule entscheiden sollten: Die Leiterin ist eine Cousine meiner Mutter«, erklärte Grania. »Sie könnte mit ihr reden und fragen, ob es möglich wäre, dass Aurora sofort anfängt.«

»Wunderbar! Ich muss Ihrer Familie noch Geld für das Hündchen geben, das Aurora unbedingt haben möchte.«

»Alexander, das ist nicht nötig.« Grania stand auf, um die Teller abzuräumen. »Kaffee?«

»Nein, danke. Der scheint meine Kopfschmerzen zu verschlimmern. Wissen Sie«, erzählte er, während Grania in der Küche hantierte, »meine verstorbene Frau hat an Engel geglaubt.«

»Tatsächlich?«

»Ja. Sie sagte, man muss sie nur rufen.« Alexander lächelte traurig. »Vielleicht hatte sie recht.«

Abends im Bett gingen Grania allerlei Gedanken durch den Kopf. Sie hatte sich soeben bereit erklärt, weitere zwei Wochen ihres Lebens mit den Devonshires zu teilen, unter Umständen länger. Diesmal ging es nicht nur um Aurora, sondern auch um Alexander. Möglicherweise übertrug sie ihre Gefühle für Matt auf ihn. Die Sache mit Matt war nach wie vor ungeklärt, und doch malte Grania sich bereits ein Familienleben mit Alexander und Aurora aus.

Grania drehte sich seufzend um. Zwei weitere Wochen hier, in denen Alexander seinen Geschäften nachging und Aurora sich an das Schulleben gewöhnte, waren keine Lebensentscheidung, dachte sie.

26

Die folgenden beiden Wochen halfen Grania nicht bei ihren Überlegungen über die Zukunft. Drei Tage später, als Grania von der örtlichen Schule nach Hause kam, in die sie Aurora gebracht hatte, wartete Alexander in der Küche mit einem Schlüsselbund auf sie.

»Für das Atelier in der Scheune«, erklärte er und reichte ihn ihr. »Sehen Sie es sich an und sagen Sie mir, ob es Ihnen gefällt.«

»Danke.«

»Ich glaube nicht, dass Lily es je genutzt hat, also gestalten Sie es ruhig nach Ihren Vorstellungen.« Alexander verließ mit einem Nicken die Küche.

Grania überquerte den Hof und öffnete die Tür zum Atelier. Angesichts des Blicks auf Dunworley Bay, der sich ihr durch das Panoramafenster bot, verschlug es ihr den Atem. In dem Raum befand sich eine noch nie benutzte Staffelei mit Farbtuben und einer Auswahl teurer, originalverpackter Pinsel.

In den Regalen lagen Leinwände und frische Blöcke weißes Malpapier; einen Farbklecks konnte Grania nirgends entdecken. Sie schaute hinaus auf die Klippen und fragte sich, warum Lily diesen wunderbaren Raum nie genutzt hatte. Das Atelier war der Traum eines jeden Künstlers. Es gab sogar einen kleinen Vorraum mit Toilette und großer Spüle, in der man die Pinsel reinigen konnte.

Am Nachmittag brachte sie die halbfertige Skulptur von

Aurora ins Atelier und stellte sie auf die Arbeitsbank vor dem Fenster. Der einzige Nachteil, dachte Grania, bestand darin, dass sie die Vormittage vielleicht eher damit verbrachte, den Ausblick zu genießen, als sich auf die Arbeit zu konzentrieren.

Als sie Aurora von der Schule abholte, erzählte diese von ihren neuen Freundinnen und verkündete stolz, dass sie in ihrer Klasse am besten lesen könne. Beim Abendessen lauschten Alexander und Grania ihren Schilderungen dann wie stolze Eltern.

»Siehst du, Daddy, der Privatunterricht war doch nicht so schlecht, wie du dachtest. Ich weiß sogar ziemlich viel.«

Alexander zerzauste ihr die Haare. »Das weiß ich, Liebes.«

»Nach wem, meinst du, gehe ich? Nach dir oder nach Mummy?«

»Eindeutig nach Mummy. Ich war in der Schule ein Versager.«

»War Mummy klug?«, fragte Aurora.

»Sehr.«

»Oh.« Sie aß ein paar Bissen. »Sie hat viel Zeit im Bett verbracht oder war weg wie du.«

»Ja, Mummy war oft müde.«

»Zeit für dein Bad, Fräulein.« Grania hatte Alexanders traurigen Ausdruck bemerkt. »Morgen früh müssen wir zeitig aufstehen, damit du pünktlich in die Schule kommst.«

Als Grania die Küche wieder betrat, war Alexander dabei, das Geschirr zu spülen. »Lassen Sie mich das machen«, sagte sie verlegen. »Das ist meine Aufgabe.«

»Wohl kaum«, widersprach Alexander. »Sie sind nicht als Dienstmagd hier, sondern wegen Aurora.«

»Es macht mir nichts aus«, versicherte Grania ihm und nahm ein Geschirrtuch in die Hand, um ihm zu helfen. »Ich bin das gewohnt; ich komme aus einem Haushalt mit lauter Männern.«

»Sie sind ein gutes Vorbild für Aurora und die geborene Mutter. Haben Sie je an eigene Kinder gedacht?«

»Ich ...«

Alexander hörte, wie Grania schluckte. »Sorry, hab ich was Falsches gesagt?«

»Nein.« Grania traten Tränen in die Augen. »Ich hatte vor ein paar Wochen eine Fehlgeburt.«

»Das tut mir leid. Es muss sehr schwer für Sie sein.«

»Ja.«

»Haben Sie deshalb New York verlassen?«

»Das war mit ein Grund.«

»Irgendwann werden Sie ein Kind bekommen, da bin ich mir sicher.«

»Hm. Ich stelle die Sachen in die Anrichte, ja?«

Alexander wandte sich einem anderen Thema zu.

»Wie gesagt: Sie üben einen guten Einfluss auf Aurora aus. Ihre Mutter war nicht gerade häuslich.«

»Bestimmt hatte sie andere Begabungen.«

»Die haben Sie auch.«

»Danke.« Grania wurde rot.

»Als Sie mit Aurora zur Schule unterwegs waren, habe ich einen Blick ins Atelier geworfen. Ich hoffe, das macht Ihnen nichts aus. Die Skulptur ist wunderschön.«

»Sie ist noch längst nicht fertig. Ihre Nase gestaltet sich schwierig«, gestand Grania.

»Die Lisle-Nase; alle Frauen in der Familie haben sie. Sie lässt sich vermutlich nur schwer aus Ton formen.«

»Ihre verstorbene Frau war sehr schön.«

»Ja.« Alexander seufzte. »Aber sie hatte Probleme.«

»Ach.«

»Psychische Probleme.«

»Oh.« Grania suchte nach einer passenden Antwort. »Das tut mir leid.«

»Erstaunlich, wie Schönheit andere Mängel kaschieren kann. Als ich Lily kennenlernte, hätte ich nie gedacht, dass eine Frau wie sie so sein könnte. Egal …« Alexander wandte den Blick ab.

Grania räumte die Teller in die Anrichte. Als sie sich umdrehte, sah sie, dass Alexander sie musterte.

»Egal«, wiederholte er, »für Aurora und mich ist es eine Freude, eine ganz normale Frau im Haus zu haben. Aurora hatte bisher kein weibliches Vorbild. Obwohl Lily sich natürlich größte Mühe gab«, fügte er hastig hinzu.

»Viele würden sagen, dass ich alles andere als normal bin«, entgegnete Grania schmunzelnd. »Fragen Sie meine Eltern oder meine New Yorker Freunde.«

»Grania, für mich verkörpern Sie alles, was eine Frau und Mutter haben muss. Ihren Verlust bedaure ich sehr.«

»Danke.«

»Jetzt habe ich Sie in Verlegenheit gebracht. Das tut mir leid. Ich bin momentan nicht ich selbst.«

»Ich gehe nach oben und lasse mir ein Bad ein. Danke, dass ich das Atelier nutzen darf. Es ist ein Traum.« Grania verließ die Küche mit einem matten Lächeln.

Später im Bett schalt sie sich dafür, dass sie sich ihm so weit geöffnet hatte. In Alexanders Verletzlichkeit hinter seiner stoischen Fassade erkannte sie sich selbst wieder.

Zum ersten Mal seit der Fehlgeburt weinte Grania um das kleine, zerbrechliche Wesen, das sie verloren hatte.

Im Verlauf der folgenden Tage kam Alexander häufiger nach unten. Manchmal sah er ihr im Atelier zu oder aß mit ihr zu Mittag. Als sie erwähnte, dass sie beim Arbeiten gern Musik höre, stellte er ihr eine schicke Anlage von Bose ins Atelier. Und sie erfuhr mehr und mehr über Lily.

»Anfangs beeindruckte es mich noch, wie ihre Gedanken blitzschnell von einem Thema zum nächsten sprangen. Es war faszinierend.« Alexander seufzte. »Sie wirkte immer glücklich, als wäre das Leben ein einziges Abenteuer; nichts konnte sie erschüttern. Wenn Lily etwas wollte, bekam sie es, weil alle ihrem Charme erlagen, ich eingeschlossen. Wenn sie dann doch einmal bedrückt war und aus heiterem Himmel zu weinen anfing, weil sie im Garten ein totes Kaninchen gefunden hatte, dachte ich, das sei ihrer Sensibilität zuzuschreiben. Erst als diese düsteren Stimmungen sich hinzuziehen begannen und die Momente des Glücks seltener wurden, merkte ich, dass etwas nicht stimmte. Einige Jahre später fing Lily an, ganze Tage im Bett zu verbringen. Sie sagte, sie sei zu erschöpft zum Aufstehen. Irgendwann tauchte sie dann plötzlich in einem ihrer schönsten Kleider und mit frisch gewaschenen Haaren wieder auf und bestand darauf, dass wir etwas Aufregendes unternahmen. Ihre Jagd nach dem Glück war manisch. Wenn sie sich in einer solchen Phase befand, sprühte sie vor Energie. Wir haben eine Menge miteinander erlebt. Lily kannte keine Grenzen, und ihr Überschwang war ansteckend.«

»Das kann ich mir vorstellen.«

»Wenn sie so war, wünschte ich mir natürlich, dass die dunkle Seite nicht wiederkommen würde, aber sie kam wieder. In den folgenden Jahren folgte ein Stimmungsumschwung auf den anderen, und ich versuchte nur noch, mit ihren Launen Schritt zu halten. Schließlich ...«, Alexander schüttelte traurig den Kopf, »... fiel sie in ein schwarzes Loch und tauchte monatelang nicht mehr auf. Sie weigerte sich, einen Arzt aufzusuchen. Als sie fast eine Woche lang nichts gegessen und getrunken hatte, rief ich unseren Hausarzt. Er gab ihr Beruhigungsmittel und wies sie ins Krankenhaus ein, wo man manische Depressionen und Schizophrenie diagnostizierte.«

»Oje, das muss eine schwere Zeit für Sie gewesen sein.«

»Für die Krankheit konnte sie nichts«, betonte Alexander. »Sie wurde dadurch verstärkt, dass Lily etwas Kindliches hatte und nicht verstand, was mit ihr los war. Als ich sie in die Anstalt bringen musste, brach es mir fast das Herz. Sie schrie, klammerte sich an mich und flehte mich an, sie nicht im Stich zu lassen. Zu dem Zeitpunkt stellte sie schon eine Gefahr für sich selbst dar und hatte mehrere Selbstmordversuche hinter sich. Außerdem hatte sie mich mehrmals tätlich mit Küchengeräten angegriffen, mit denen sie mich ernsthaft hätte verletzen können.«

»Wie schrecklich. Es wundert mich, dass unter diesen Umständen überhaupt ein Kind zustande kam«, sagte Grania.

»Aurora war für uns beide eine Überraschung. Mit fast vierzig stellte Lily fest, dass sie schwanger war. Die Ärzte meinten, ein Kind, um das Lily sich kümmern müsste, würde ihr möglicherweise helfen, solange sie unter ständiger Beobachtung stünde. Lilys Zustand blieb ja über längere Zeiträume hinweg stabil, wenn sie ihre Medikamente nahm. Obwohl ich natürlich in ständiger Angst vor Stimmungsumschwüngen lebte. Ich konnte ihr nicht vertrauen, dass sie ihre Tabletten zuverlässig schluckte. Sie hasste ihre Zombiepillen, wie sie sie nannte. Sie verhinderten zwar die Abstürze, dämpften jedoch auch die Glücksmomente. Diese künstliche Balance empfand sie so, als würde sie hinter einem Nebelvorhang leben.«

»Die Arme«, bemerkte Grania. »Verbesserte sich ihr Zustand tatsächlich, als Aurora kam?«

»Ja. In Auroras ersten drei Lebensjahren war Lily die perfekte Mutter. Nicht häuslich wie Sie, Grania«, erklärte Alexander lächelnd. »Lily hatte immer Bedienstete, die ihr jeden

Wunsch von den Augen ablassen, und konnte sich voll und ganz auf ihr kleines Mädchen konzentrieren. Damals hoffte ich noch auf eine glückliche Zukunft. Aber diese Hoffnung verflüchtigte sich rasch.« Alexander strich sich die Haare zurück. »Leider litt Aurora am meisten unter der Situation. Einmal kam ich nach Hause und fand Lily schlafend vor, ohne Aurora. Ich weckte Lily auf, um sie zu fragen, wo Aurora sei. Lily antwortete, sie wisse es nicht. Ich entdeckte Aurora völlig durchgefroren und verängstigt auf den Klippen. Die beiden waren spazieren gegangen, und Lily hatte ihre Tochter einfach vergessen.«

»O Gott!«

»Da wurde mir klar, dass ich Aurora nie wieder mit Lily allein lassen konnte. Kurz darauf musste sie zurück in die Anstalt. Von da an sah Aurora ihre Mutter nur noch selten. Wir gingen nach London, so dass ich beruflich näher am Geschehen war und es auch nicht so weit zu Lilys Klinik hatte. Wie Sie wissen, hatte Aurora eine ganze Reihe erfolgloser Hauslehrerinnen. Als Lilys Zustand sich stabilisierte, bestand sie darauf, wieder nach Dunworley House zurückzukehren. Ich hätte mich nie darauf einlassen dürfen, aber ihr gefiel es hier so gut. Sie behauptete, die Schönheit der Landschaft würde ihr helfen.«

»Meine Mutter sagt, sie hätte sich das Leben genommen«, bemerkte Grania mit leiser Stimme.

»Ja.« Alexander stützte seufzend den Kopf in die Hände. »Bestimmt hat Aurora sie dabei beobachtet. Ich habe damals Schreie aus Lilys Schlafzimmer gehört und Aurora im Nachthemd auf dem Balkon stehen und auf die Klippen deuten sehen. Zwei Tage später wurde die Leiche ihrer Mutter am Strand von Inchydoney angeschwemmt. Ich habe keine Ahnung, wie sich der Tod und die Unberechenbarkeit Lilys auf Aurora auswirkten.«

Grania legte tröstend die Hand auf die von Alexander. »Angesichts dessen, was Aurora erlebt hat, ist sie erstaunlich ausgeglichen.«

»Finden Sie? Die Ärzte machten sich Sorgen um Aurora. Einige meinten, sie hätte die psychische Labilität ihrer Mutter geerbt. Auroras Halluzinationen von Lily auf den Klippen, ihre Albträume … Man könnte das als Hinweis auf spätere Probleme deuten.«

»Vielleicht handelt es sich aber auch schlicht um die Reaktion eines traumatisierten Kindes, das versucht, mit dem Verlust seiner Mutter fertigzuwerden.«

»Wollen wir's hoffen.« Alexander lächelte. »Sie scheint in der Zeit mit Ihnen große Fortschritte gemacht zu haben. Ich bin Ihnen wirklich dankbar, Grania.«

»Wissen Sie, ob Lily Kindheitstraumata erlebt hat?«, fragte Grania. »Das kann später Störungen hervorrufen.«

»Für eine Bildhauerin kennen Sie sich mit dem Thema ziemlich gut aus«, stellte Alexander fest.

»Mein … Exfreund war Professor der Psychologie, spezialisiert auf Kindheitstraumata«, gestand Grania.

»Verstehe.« Alexander nickte. »Doch zurück zu Ihrer Frage: Ich weiß sehr wenig über Lilys Kindheit. Kennengelernt habe ich sie in London. Sie redete nicht gern über ihre Vergangenheit und hat mir nur erzählt, dass sie in diesem Haus geboren wurde und als Kind hier gelebt hat.«

»Ich glaube, meine Mutter erinnert sich an die Zeit«, sagte Grania zögernd.

»Tatsächlich? Könnte sie mir mehr darüber erzählen?«

»Sie spricht nicht gern über diese Dinge. Ziemlich sicher ist damals etwas Schlimmes passiert, denn immer wenn ich Lily erwähne, reagiert sie negativ.«

»Oje.« Alexander hob die Augenbrauen. »Klingt nicht gut.

Trotzdem wäre ich dankbar für jede Information, die mir helfen würde, das große Rätsel Lily zu verstehen.«

»Ich sehe zu, was ich ihr entlocken kann«, versprach Grania. »Aber machen Sie sich keine allzu großen Hoffnungen. Meine Mam ist stur wie ein Esel. Es könnte ziemlich lange dauern, bis sie was sagt.«

»Und Zeit habe ich leider keine«, murmelte Alexander. »In zehn Tagen muss ich wieder fort. Haben Sie schon überlegt, was Sie tun werden?«

»Nein.«

»Gut. Ich will Sie nicht drängen, aber wie Sie sich vielleicht vorstellen können, muss ich, wenn Sie nicht bleiben wollen, eine Lösung für Aurora finden.«

»Wissen Sie, wie lange Sie weg sein werden?«

»Einen Monat, vielleicht auch zwei.«

Grania nickte. »Ich gebe Ihnen bis morgen Bescheid.« Sie stand auf.

»Grania.« Alexander ergriff ihre Hände. »Ich möchte Ihnen sagen, dass es mir ein Vergnügen war, Sie kennenzulernen, egal, ob Sie bleiben oder nicht. Sie sind eine ganz besondere Frau.«

Er küsste sie sanft auf die Lippen, wandte sich ab und ging hinaus in den Garten.

Die folgenden Stunden brachte Grania damit zu, die Motive für Alexanders unerwarteten Kuss zu analysieren. Es war so schnell geschehen, dass sie sich fragte, ob sie geträumt hatte.

Alexanders Verhalten und Gefühle waren ihr ein Rätsel, doch ihre eigenen emotionalen Dämme ihm gegenüber begannen zu bröckeln. Grania merkte, dass sie dabei war, sich in ihn zu verlieben. Und dagegen musste sie sich wehren.

»Ich habe mich entschieden«, sagte sie am folgenden Morgen in der Küche zu ihm, nachdem sie Aurora in die Schule gebracht hatte.

»Und wie lautet Ihre Antwort?«

»Tut mir leid, es geht nicht. Ich muss noch ein paar Dinge in New York regeln. Sie wissen, wie sehr ich Aurora mag, aber …«

»Sie brauchen sich nicht zu entschuldigen.« Alexander hob die Hände. »Danke für die Information. Dann muss ich mich jetzt um einen Ersatz für Sie umsehen.« Er verließ die Küche.

Grania schlich mit schlechtem Gewissen zum Atelier. Die Skulptur von Aurora war fast fertig; je eher sie von diesem Haus wegkam, desto besser.

Den Morgen verbrachte sie damit, ihre Sachen zu ordnen. Ihre Mutter hatte recht gehabt: Die Lisles übten tatsächlich eine unheimliche Faszination auf die Ryans aus. Doch nicht einmal für Aurora konnte Grania sich emotional auf einen Mann einlassen, den sie kaum kannte und der sie möglicherweise mit einem Kuss bestechen wollte, bei seiner Tochter zu bleiben …

Granias Instinkt sagte ihr, dass sie gehen musste.

»Was heißt das: Du gehst?«

»Aurora, du wusstest, dass ich nicht für immer in Dunworley House bleiben würde«, erklärte Grania Aurora am folgenden Morgen.

»Grania, du kannst mich nicht im Stich lassen!« Auroras Augen füllten sich mit Tränen. »Ich mag dich so und dachte, du magst mich auch! Wir sind Freunde, wir haben Spaß miteinander, Daddy mag dich, und …«

Aurora brach in Tränen aus.

»Liebes, bitte wein nicht. Natürlich mag ich dich, aber ich lebe in New York.«

»Du gehst zurück nach Amerika und lässt mich allein.«

»Noch nicht gleich, zuerst bleibe ich noch bei meinen Eltern im Farmhaus. Ich bin nicht weit weg.«

»Wirklich?« Aurora sah Grania mit großen Augen an. »Kann ich nicht bei euch wohnen? Deine Familie mag mich doch, oder? Ich verspreche, dass ich beim Melken und Schafehüten helfe und…«

»Du kannst uns besuchen, sooft du möchtest.«

»Bitte nimm mich mit! Wenn ich hier allein bin, kommen die Albträume wieder und Mummy.« Aurora schlang die Arme so fest um Grania, dass dieser fast die Luft wegblieb.

Grania hob Auroras Kinn und sah ihr in die Augen. »Wenn man nicht bei jemandem ist, heißt das nicht, dass diese Person einem nichts bedeutet. Ich wünschte, du wärst meine Tochter, und ich könnte dich mitnehmen.« Grania schluckte. »Aber das geht nicht, weil du deinen Daddy nicht allein lassen kannst. Er braucht dich, Liebes, das weißt du. Manchmal müssen wir Dinge tun, die uns schwerfallen.«

»Du hast recht«, seufzte Aurora. »Ich weiß, dass ich für Daddy da sein muss und du nicht bei mir bleiben kannst. Du hast dein eigenes Leben, und das ist wichtig.« Aurora wandte sich von Grania ab. »Alles ist wichtiger als ich. So sind Erwachsene.«

»Eines Tages bist du auch erwachsen, Aurora, und verstehst mich.«

»Ich verstehe dich jetzt schon.« Aurora drehte sich wieder zu Grania um. »Ich begreife, was es heißt, erwachsen zu sein.« Sie atmete tief durch. »Du musst gehen, aber ich hoffe, dich wiederzusehen.«

»Das verspreche ich dir. Ich bin immer für dich da.«

Aurora nickte. »Es wird Zeit für die Schule.«

Als Aurora vor dem Schulgebäude ausstieg, ohne sich noch

einmal umzudrehen, merkte Grania, dass ihr Schmerz darüber, zurückgewiesen worden zu sein, tief saß.

Grania musste an Mary denken, die alles aufgegeben hatte für ein Kind, das nicht ihr eigenes war und sich am Ende sogar von ihr abwandte. Doch egal, wie Granias Gefühle für Aurora aussahen: Sie konnte die Verantwortung für das Kind nicht übernehmen, denn sonst hätte sich die Geschichte wiederholt.

»Ich halte das nicht aus, Mam: ihr trauriges, tapferes Gesicht ... Du hast keine Ahnung, was dieses Kind durchgemacht hat.« Grania saß weinend am Küchentisch ihrer Mutter.

»Stimmt«, pflichtete Kathleen ihr bei. »Aber deine Entscheidung ist richtig. Du kannst die Verantwortung für sie nicht übernehmen. Die liegt bei ihrem Vater.«

»Keine Ahnung, was sie ohne mich tun wird. Alle lassen sie im Stich, Mam«, seufzte Grania. »Wirklich alle. Und sie hat geglaubt, ich mag sie und mache mir etwas aus ihr ...«

»Ich weiß. Die Verbindung zwischen euch wird niemals abreißen. Und von mir kannst du Aurora ausrichten, dass sie hier jederzeit ein gern gesehener Gast ist. Wir mögen sie alle sehr. Komm, lass dich in den Arm nehmen.«

In diesem Augenblick war Grania froh, ihre Mutter zu haben, auch wenn sie ihr manchmal den letzten Nerv raubte.

Die folgenden drei Tage in Dunworley House verliefen erstaunlich ruhig. Aurora, die sich in ihr Schicksal zu fügen schien, distanzierte sich nicht von Grania, sondern bat sie, so viel Zeit wie möglich mit ihr zu verbringen. Sie machten lange Klippenspaziergänge, bastelten mit Pappmaché und besuchten am letzten Nachmittag Granias Eltern zum Tee.

Beim Abschied beobachtete Grania, wie ihre Mutter Aurora umarmte, als wäre sie ihr eigenes Fleisch und Blut.

»Ich darf doch kommen und mein Hündchen sehen, oder, Kathleen?«

»Natürlich darfst du das. Grania ist noch eine Weile da, und unsere Tür steht dir immer offen, das verspreche ich dir«, tröstete Kathleen sie und warf Grania einen verzweifelten Blick zu. »Auf Wiedersehen, Liebes.«

Alexander erwartete sie in der Küche.

»Aurora, geh bitte rauf und mach dich fertig fürs Schlafengehen. Ich muss noch mit Grania sprechen.«

»Ja, Daddy.« Aurora verließ artig die Küche.

Auf dem Tisch lagen mehrere Umschläge.

»Ihre Bezahlung.«

»Danke.« Grania fragte sich, warum es sie so verlegen machte, sein Geld anzunehmen.

»Morgen früh um zehn kommt ein sehr nettes Mädchen aus der Gegend. Wenn Sie so freundlich wären, Aurora zur Schule zu bringen und Lindsay alles zu zeigen. Sie holt Aurora dann von der Schule ab.«

»Natürlich.« Grania nahm die Umschläge vom Tisch. »Ich würde Aurora gern noch ins Bett bringen.«

»Ja.« Alexander nickte.

Grania öffnete die Tür.

»Grania…«

Sie drehte sich zu ihm um.

»Ich hoffe, dass Sie eines Tages verstehen werden, warum ich…« Er schüttelte den Kopf. »Falls ich Sie morgen nicht mehr sehen sollte: Viel Glück für die Zukunft. Wie ich bereits neulich Abend gesagt habe: Sie sind etwas ganz Besonderes. Danke. Und alles Gute für die Zukunft.«

Grania nickte, verließ die Küche und ging die Treppe hinauf, um Aurora ein letztes Mal gute Nacht zu wünschen.

27

Aurora versuchte nicht, Grania zum Bleiben zu überreden, als diese sie am folgenden Morgen vor der Schule absetzte. »Ich treffe mich jetzt mit deinem neuen Kindermädchen«, erklärte Grania. »Sie heißt Lindsay und scheint sehr nett zu sein.«

Aurora nickte.

»Du weißt, dass ich im Farmhaus bin und du uns jederzeit besuchen kannst?«

»Ja.«

»Auf Wiedersehen, Liebes. Schau bald vorbei.«

»Ja. Auf Wiedersehen, Grania.« Aurora verabschiedete sich mit einem Lächeln von ihr und betrat das Schulgebäude.

Lindsay, das Kindermädchen aus dem Ort, das Alexander eingestellt hatte, schien liebenswürdig, erfahren und über die Lage informiert zu sein. »Ich bin es gewohnt, allein auf Kinder aufzupassen«, versicherte Lindsay Grania.

»Bestimmt machen Sie das viel besser als ich. Ich hab nur ausgeholfen.«

Trotzdem erklärte Grania Lindsay alle Eigenheiten Auroras: wo der Teddybär auf dem Kissen sitzen und wie man sie ins Bett bringen musste, dass sie an der rechten Seite des Halses kitzlig war …

Als Shane Grania von Dunworley House abholte, war sie trotz düsterer Vorahnungen erleichtert.

Seit Granias Abschied waren drei Tage vergangen, und die Ryan-Familie wartete auf Aurora, die sich bisher nicht hatte blicken lassen.

»Sie fühlt sich bei dem neuen Kindermädchen wohl«, interpretierte Kathleen die Situation.

»Ja«, pflichtete Grania ihr alles andere als überzeugt bei.

»Sie kommt schon her, wenn sie so weit ist. Kinder überstehen vieles, und Aurora ist stark.«

»Ja«, sagte Grania noch einmal.

Später am Abend klingelte Granias Handy. Es war Lindsay.

»Hallo«, begrüßte Grania sie, schloss die Küchentür hinter sich und ging ins Wohnzimmer, um ungestört zu sein. »Wie kommen Sie mit Aurora zurecht?«

»Ich dachte, gut, bis heute Nachmittag, als ich sie von der Schule abholen wollte. Sie war nicht da.«

»Was soll das heißen: Sie war nicht da?«

»Ihre Lehrerin sagt, sie hätte sie gerade noch auf dem Hof gesehen, und dann war sie plötzlich weg.«

»Himmel«, murmelte Grania und warf einen Blick auf die Uhr. Zehn vor sechs. Aurora war seit über zwei Stunden verschwunden. »Wo haben Sie gesucht?«

»Überall ...« Grania hörte die Verzweiflung in Lindsays Stimme. »Kennen Sie ihre Lieblingsplätze? Ich hatte gehofft, dass sie bei Ihnen ist.«

»Nein, aber ich schaue im Haus und in der Scheune nach. Sie könnte unbemerkt über die Felder hergekommen sein. Ist Alexander da?«

»Er ist heute Nachmittag nach Cork City gefahren. Ich habe mehrmals versucht, ihn über Handy zu erreichen, doch er geht nicht ran.«

»Haben Sie schon an den Klippen nachgesehen?«

»Ja, keine Spur von ihr.«

Grania fragte Lindsay lieber nicht, ob sie auch einen Blick nach unten geworfen habe.

»Schauen Sie doch bitte im Haus und im Garten nach, während ich mich hier auf der Farm umsehe. Wenn Sie sie nicht finden, bleiben Sie, wo Sie sind, für den Fall, dass Aurora zurückkommt. Ich melde mich bei Ihnen, wenn ich sie entdecke oder eine Idee habe, wo sie sein könnte. Bis bald.«

Grania schickte Shane in die Scheune, während John im Land Rover die Felder um das Farmhaus absuchte. Kathleen rief vom Garten aus Auroras Namen.

Shane und Grania trafen sich im Hof. »Leider keine Spur von ihr«, teilte Shane Grania mit. »Das Hündchen ist auch nicht da.«

»Ach.«

»Glaubst du, Aurora hat es mitgenommen?«

»Gut möglich«, antwortete Grania. Nun konnte sie immerhin hoffen, dass Aurora mit Lily unterwegs war und nicht tot am Fuß der Klippen lag. »Ich fahre mit dem Rad den Klippenpfad entlang. Du könntest die andere Richtung nach Clonakilty übernehmen«, schlug Grania vor und setzte sich auf einen verrosteten Drahtesel.

»Wird gemacht«, versprach Shane und holte ein zweites Fahrrad. »Ich habe wie Dad das Handy dabei. Mam soll hierbleiben, für den Fall, dass die Kleine auftaucht.«

Zwei Stunden später trafen sich die Ryans wieder in der Küche. Keiner hatte eine Spur von Aurora entdeckt.

»Ich habe mir den Kopf darüber zerbrochen, wo sie sich verstecken könnte«, sagte Kathleen, die unruhig in der Küche hin und her lief. »Jesus, Maria und Josef! Wenn der Kleinen was passiert ist …«

»Sollen wir die Polizei informieren?«, fragte John.

»Lindsay sagt, sie hätte Alexander erreicht, der auf dem

Heimweg von Cork ist. Ich finde, das sollte er entscheiden.«
Grania wärmte sich die Hände am Herd.

»Möchte jemand Tee?«, erkundigte sich Kathleen.

»Ja, bitte, Schatz«, antwortete John. »Ohne Auto oder andere Beförderungsmöglichkeit können ein achtjähriges Mädchen und ein kleiner Hund nicht so weit kommen, oder? Irgendjemand muss sie gesehen haben. Ich bezweifle, dass sie Geld dabei hat. Vielleicht kehrt sie zurück, wenn ihr der Magen knurrt.«

»Das Hündchen wird es nicht allzu lange ohne Muttermilch aushalten«, meinte Shane.

Grania, die überlegte, wo Aurora sein könnte, hörte nur mit halbem Ohr zu.

Wenig später hielt Alexanders Wagen vor der Tür, und er trat mit fahlem, abgehärmtem Gesicht ein.

»Tut mir leid, dass ich so hereinplatze, aber Lindsay sagt, Sie suchen nach Aurora. Gibt's Neuigkeiten?«

»Bis jetzt nicht. Wir haben überall nachgeschaut. Das sind übrigens meine Mutter, mein Vater und mein Bruder Shane«, stellte Grania Alexander ihre Familie vor.

»Schön, Sie kennenzulernen«, sagte Alexander. »Hat jemand eine Ahnung, wo sie stecken könnte?«

»Wir glauben, dass sie das Hündchen mitgenommen hat, also ist sie wenigstens nicht allein«, antwortete Shane.

Kathleen reichte Alexander eine Tasse Tee. »Mit viel Zucker, hilft in solchen Situationen.«

»Danke. Sie hat das Hündchen mitgenommen? Das heißt …«

»Dass sie irgendwann hier gewesen sein muss, ja«, führte John den Satz für ihn zu Ende.

Alexander wirkte erleichtert. »Immerhin etwas. Wie weit kann ein kleines Mädchen mit einem Hund in ein paar Stunden kommen?«

»Nicht weit«, meinte Kathleen.

»Wir haben uns gefragt, ob wir die Polizei informieren sollen, Sir«, sagte Shane.

»Noch nicht«, entgegnete Alexander hastig. »Aber wenn sie in den nächsten Stunden nicht auftaucht, müssen wir das wohl.«

»Ich würde gern meine Farmersfreunde um Hilfe bitten«, schlug John vor. »Die könnten in ihren Scheunen und auf ihren Grundstücken nachsehen, solange es noch hell ist.«

»Gute Idee«, sagte Kathleen, während John aufstand und den Raum verließ. Dann starrte sie in ihre Teetasse. »Ich habe das Gefühl, dass die Kleine hier in der Nähe ist.«

»Dein Instinkt trügt dich meistens nicht, Mam.« Shane nickte ermutigend in Alexanders Richtung. »Fragt sich nur, wo?«

Nach weiteren ergebnislosen Ausflügen die Klippen hinauf und hinunter, in die Scheunen und auf die Felder der Umgebung kapitulierte Alexander und sagte, es sei Zeit, die Polizei zu informieren.

Grania trat vors Haus. »Wo bist du, Aurora?«, flüsterte sie in die Dunkelheit hinein.

Ein vager Gedanke ließ ihr keine Ruhe. Als er klarer wurde, eilte sie in die Küche zurück. Alexander hatte gerade bei der Polizei angerufen.

»Sie schicken Beamte nach Dunworley House. Ich mache mich auf den Weg, damit ich da bin, wenn sie kommen.«

»Alexander, wo befindet sich das Grab von Lily?«

Alexander wandte sich Grania zu. »Auf dem Kirchhof von Dunworley. Sie glauben doch nicht…?«

»Können wir mit dem Wagen hinfahren?«

»Ja.«

Sie verließen das Haus und stiegen in Alexanders Auto.

»Lily wollte dort begraben werden«, erklärte Alexander während der Fahrt. »Denn von da aus, sagte sie, hätte sie bis in alle Ewigkeit den besten Blick der Welt.«

Sie stellten den Wagen an der Straße ab und betraten, eine Taschenlampe aus dem Auto in der Hand, durch das quietschende schmiedeeiserne Tor den Friedhof.

»Links, ganz am Ende.« Alexander ging Grania voran zwischen den Gräbern hindurch.

Grania hielt gespannt den Atem an, als sie nahe genug waren, um den Strahl der Taschenlampe auf Lilys Grab richten zu können. Und tatsächlich: Zwischen den wilden Blumen und dem Unkraut lag Aurora, in den Armen das schlafende Hündchen.

»Gott sei Dank«, sagte Alexander und legte Grania eine Hand auf die Schulter. »Grania, Sie kennen meine Tochter besser als ich.«

Dann bückte er sich und nahm Aurora sanft auf den Arm. Sie lächelte ihren Vater mit halb geöffneten Augen an und begrüßte ihn verschlafen: »Hallo, Daddy.«

»Hallo, Liebes. Wir bringen dich nach Hause in dein warmes Bett.«

Grania folgte Alexander zum Wagen, wo sie sich, Aurora auf dem Schoß, auf den Rücksitz setzte.

»Hallo, Grania.« Aurora bedachte sie ebenfalls mit einem Lächeln. »Du hast mir gefehlt.«

»Du mir auch.«

»Wie hast du mich gefunden, Daddy?«, fragte Aurora.

»Nicht ich, Liebes«, antwortete Alexander, während er den Hügel nach Dunworley House hinauffuhr. »Grania hat erraten, wo du bist.«

»Hab ich mir fast gedacht«, stellte Aurora, fast ein wenig

selbstgefällig, fest. »Sie ist wie eine richtige Mutter. Ich mag dich, Grania. Jetzt lässt du mich nicht mehr allein, oder?«

Grania schluckte. »Nein, Liebes. Nie wieder.«

Als Aurora mit einer Wärmflasche im Bett lag, Shane Lily zu ihrer Hundemutter gebracht und Alexander der Polizei mitgeteilt hatte, dass Aurora gefunden war, bot er Grania in der Küche einen Brandy an.

»Danke.« Grania wölbte müde die Hände um das Glas.

»Ich habe Lindsay zu ihrer Mutter in Skibbereen geschickt«, sagte Alexander. »Sie war ziemlich durcheinander.« Er setzte sich zu Grania. »Was für eine Erleichterung. Gott sei Dank ist Aurora nichts Schlimmeres passiert als ein bisschen frieren.«

»Ja. Ich hatte Schreckliches befürchtet…« Grania sah Alexander an, der nickte und den Blick in Richtung Klippen wandte.

»Ich auch.« Er legte die Hand auf die Granias. »Danke, dass Sie sie für mich gefunden haben. Wenn ich Aurora verloren hätte…« Alexander schüttelte den Kopf. »Nicht auszudenken.«

»Ja.«

»Trotzdem muss ich Sie warnen, Grania. Aurora ist ein hübsches, liebenswertes und intelligentes Mädchen, besitzt jedoch genauso großes Manipulationsgeschick wie ihre Mutter. Das heute war ein Hilferuf, um Sie hierzuhalten. Sie dürfen sich nicht auf solche Erpressungsversuche einlassen.«

»So würde ich das nicht interpretieren, Alexander.«

»Das ist ihre kindliche Art, Sie zurückzuholen. Sie fühlt sich wohl bei Ihnen. Aber Sie dürfen sich nicht von ihr um den Finger wickeln und von Ihren Plänen abbringen lassen.«

Was für Pläne?, dachte Grania, die sich wieder einmal Alexanders körperlicher Nähe sehr bewusst war. »Ich verstehe, was

Sie mir sagen wollen, Alexander, und weiß Ihre Sorge zu würdigen. Das Problem ist nur, dass ich Aurora sehr mag.«

»Ich trage die Verantwortung für sie, nicht Sie.«

»Und wie sehen *Ihre* Pläne aus, Alexander?«

»Ich …« Alexander strich sich seufzend mit den Fingern durch die Haare. »Grania, ich muss Ihnen etwas beichten.«

»Ja?«

Er nahm ihre Hände in die seinen und blickte ihr tief in die Augen, bevor er den Kopf schüttelte. »Nein, ich kann es nicht.«

»Bitte, Alexander, sagen Sie es mir.«

Er beugte sich so weit zu ihr vor, dass ihre Knie sich berührten, und küsste sie sanft auf die Lippen. »Ich … Du bist einfach wunderbar.« Er zog sie ganz zu sich heran und küsste sie leidenschaftlich. Sie erwiderte seine Umarmung und seinen Kuss. Plötzlich löste er sich von ihr.

»Entschuldige! Ich kann … darf das nicht. Das wäre dir gegenüber nicht fair. Egal, wie meine Gefühle für dich aussehen …« Er sprang auf und schleuderte wütend das Glas gegen die Wand.

Grania beobachtete ihn verwundert und erschrocken.

»Tut mir leid …« Er setzte sich wieder und nahm sie in die Arme, bevor er sie sanft von sich wegschob und in ihre Augen blickte. »Du hast keine Ahnung, wie schwierig das für mich ist.«

»Versuch, es mir zu erklären«, meinte Grania.

»Es geht nicht.« Er ergriff ihre Hände und küsste sie sanft auf die Wange. »Wenn du meine Gedanken kennen würdest … Wie schön du bist … wie sanft, liebevoll und *lebendig*. Was du Aurora gegeben hast, werde ich nie gutmachen können. Am liebsten würde ich dich nach oben tragen.« Er zeichnete mit den Fingerspitzen die Konturen ihres Gesichts nach. »Aber glaube mir, Grania, es ist das Beste für dich, wenn du dieses

Haus verlässt und in dein altes Leben zurückkehrst. Vergiss mich und Aurora und ...«

»Alexander«, sagte Grania, »das klingt wie aus einem Film. Bitte hör auf damit. So kommen wir nicht weiter.«

»Du hast recht. Lily war der Meinung, dass ich eine melodramatische Seite habe. Entschuldige. Es war eine ziemlich dramatische Nacht.« Er verzog den Mund zu einem grimmigen Lächeln.

»Ja, allerdings.«

Alexander wandte den Blick ab. »Ich muss morgen weg.«

»Wie lange wirst du weg sein? Länger als zwei Monate?«

»Im schlimmsten Fall um etliches länger.«

»Ich hätte einen Vorschlag«, sagte Grania.

»Und der wäre?«

»Du hast heute wahrscheinlich gemerkt, wie gern meine Familie Aurora mag. Sie könnte in deiner Abwesenheit bei uns bleiben. Falls ich mich irgendwann entscheiden sollte, nach New York zurückzukehren, hätte sie immer noch meine Familie. Und wenn du wieder da bist, ist Zeit für langfristige Entscheidungen.«

»Meinst du, deine Eltern hätten etwas dagegen?«

»Das kann ich mir nicht vorstellen. Da ich ihnen noch keine Enkel beschert habe, adoptieren sie fürs Erste Aurora.«

»Die perfekte Lösung. Selbstverständlich würde ich für alle Kosten aufkommen, die dir und deinen Eltern entstehen.«

»Ich rufe meine Mutter morgen früh an, um sie zu fragen, ob sie einverstanden ist, aber ich bin mir sicher, dass sie zustimmt. Und jetzt«, fügte sie erschöpft von den Ereignissen und Alexanders unvermittelten Stimmungsumschwüngen hinzu, »gehe ich schlafen. Ich bin sehr müde.«

»Ja, es war eine mörderische Nacht – deren Heldin du warst.«

»Danke.« Grania erhob sich und ging zur Tür. »Gute Nacht, Alexander.«

»Grania?«

»Ja?«

»Bitte verzeih mir. Unter anderen Umständen ...«

Sie nickte. »Keine Sorge, ich kann dich verstehen«, log sie.

Aurora

Natürlich hatte mein Vater recht: Ich besaß tatsächlich Manipulationsgeschick.

Es war gar nicht so einfach, ein geeignetes Versteck zu finden, denn es musste ein Ort sein, den ich kannte und an dem sie mich finden würde. Aber er durfte auch nicht zu offensichtlich sein, zum Beispiel in der Scheune oder oben auf den Klippen.

Obwohl ich keine Angst vor Geistern habe, gefiel es mir so allein auf dem Friedhof nicht. Ich fühlte mich fehl am Platz als einzige Lebende unter all den Toten. Ich war ja erst acht ...

Arme, gutmütige Grania. Wie sollte sie sich gegen mich wehren? Dazu mochte sie mich zu gern.

Wenn alles ein bisschen anders gewesen wäre, hätte sie Daddy wahrscheinlich lieben können ...

Ich muss aufhören, mir eine andere Geschichte zu wünschen. Der Große Geschichtenerzähler verwebt die feinen Schicksalsfäden bedeutend geschickter als ich – auch wenn seine Beweggründe manchmal nicht leicht zu durchschauen sind. Wir müssen darauf vertrauen, dass er uns ein glückliches Ende gewährt, das möglicherweise jenseits des Todes liegt.

Inzwischen dürfte klar sein, dass ich keine Verfechterin der Evolutionstheorie bin, obwohl ich Darwins Entstehung der Arten gelesen habe.

Nein, das ist eine Lüge. Ich habe nach zwei Kapiteln das Handtuch geworfen und mich Krieg und Frieden zugewandt, einer deutlich leichteren Lektüre.

Ich bin Kreationistin.

Das muss man wohl sein, wenn man sich dem Ende des Lebens nähert.

Genug gejammert. Krieg und Frieden ist auch nicht gerade ein Märchen für Kinder.

Zur Aufmunterung werde ich nun wohl etwas von Jane Austen lesen, deren Romane immer gut enden.

Also weiter in der Geschichte ...

28

Grania, die, Aurora und deren wertvollste Besitztümer im hinteren Teil des Range Rover, zum Farmhaus ihrer Eltern fuhr, hatte keine Ahnung, was in Alexanders Kopf vor sich ging.

»Wir sind da!«, rief Aurora, sprang aus dem Wagen und rannte zur Küchentür, wo sie sich in Kathleens Arme warf. »Danke, dass ich hierbleiben darf. Kann Lily bei mir im Bett schlafen? Ich verspreche auch, dass ich sie am Morgen wieder zu ihrer Mummy bringe, damit sie ihre Milch kriegt.«

»Wir nehmen Welpen ihren Müttern erst dann weg, wenn sie entwöhnt sind. Und oben im Haus sind keine Hunde erlaubt. Außer bei ganz besonderen Gelegenheiten, zum Beispiel deiner ersten Nacht hier.« Kathleen streichelte Auroras Wange und warf Grania über den Kopf der Kleinen hinweg einen schicksalsergebenen Blick zu.

Vor dem Tee nahm Shane Aurora zu den Schafen und neugeborenen Lämmern mit.

»Hab ich dir nicht gesagt, dass immer wieder ein Lisle-Kind den Weg zu den Ryans findet?«, fragte Kathleen.

»Mam, hör auf mit deiner Kaffeesatzleserei und der Vergangenheit! Du bist doch völlig vernarrt in sie.«

»Ja«, gab Kathleen zu. »Irgendwie hat dieses Kind sich in mein Herz geschlichen, und deinem Daddy geht's genauso. Ich glaube, er erlebt mit ihr noch mal die Zeit, als du klein warst. Er hat das Gästezimmer rosafarben gestrichen und ist sogar nach Clonakilty gefahren, ein paar Puppen für sie kaufen.

Hässliche Dinger.« Kathleen kicherte. »Dein Bruder ist auch ganz hin und weg von der Kleinen.«

»Du weißt, dass es nur vorübergehend ist, Ma, bis Alexander zurückkommt.«

»Wenn Lisle-Kinder bei den Ryans landen, ist das nie vorübergehend«, widersprach Kathleen. »Aber ich muss zugeben, dass Aurora Leben ins Haus gebracht hat.« Kathleen stellte den Wasserkessel auf den Herd. »Wahrscheinlich würde ich sie, wenn nötig, mit Zähnen und Klauen verteidigen. Ich kann Lisle-Kindern genauso wenig widerstehen wie alle anderen Frauen unserer Familie. Wie soll man sich gegen ihr Lächeln wehren?« Sie wandte sich ihrer Tochter zu und verschränkte die Arme. »Viel mehr würde mich interessieren, was *du* vorhast, Grania. Jetzt, wo Aurora bei uns ist, kannst du frei entscheiden.«

»Dafür bin ich dankbar. Leider habe ich noch keine Beschlüsse gefasst. Vielleicht wären ein paar Tage Zeit nach den dramatischen Ereignissen hilfreich.«

»Ja«, seufzte Kathleen. »Alexander... er sieht ziemlich gut aus. Diese Augen...«

»Mam! Ein bisschen mehr Zurückhaltung, bitte«, schalt Grania sie lächelnd.

»Ich habe mich immer in Zurückhaltung geübt und im Leben eine ganze Menge verpasst. Man darf doch mal träumen, oder? Heute Abend gibt's jedenfalls was Feines zu essen. Ich koche was Besonderes für unsere kleine Prinzessin.«

Am Abend ging es bei Tisch lebhaft zu. Nach dem Essen holte John, entsetzt darüber, dass Aurora keines der alten Lieder aus ihrer Heimat zu kennen schien, sein Banjo hervor und spielte auf. Shane brach mit einer lebenslangen Tradition und verschwand nicht im Pub. Sie tanzten zu fünft zu irischen Weisen, bis Aurora zu gähnen begann.

»Zeit, schlafen zu gehen, Aurora.«

»Ja«, sagte sie, fast dankbar.

Grania führte Aurora die schmale Treppe hinauf zu dem frisch gestrichenen Gästezimmer und brachte sie ins Bett.

»Deine Familie ist toll, Grania. Ich möchte nie wieder weg.« Aurora fielen die Augen zu.

Als Matt nach Hause kam, stellte er die Reisetasche mit der Schmutzwäsche in die Kammer und ging in die Küche, um sich etwas zu essen zu machen. Seit dem Abend mit Charley und seinen Freunden war er nicht mehr daheim gewesen. Er schlenderte ins Wohnzimmer und ließ sich, erleichtert darüber, dass niemand da war, aufs Sofa plumpsen. Vermutlich war Charley inzwischen wieder in ihrem renovierten Apartment.

Matt errötete bei dem Gedanken an den letzten Morgen, den er hier verbracht und an dem er voller Entsetzen die nackte Charley neben sich entdeckt hatte. Er hatte geduscht, eine Tasche mit den Sachen gepackt, die er in den folgenden beiden Wochen brauchen würde, und sich aus seinem Loft geschlichen wie ein Dieb. Und das Schlimmste: Er hatte keinerlei Erinnerung daran, was in der Nacht zuvor geschehen war.

Charley hatte sich seitdem nicht bei ihm gemeldet, und er hatte sie seinerseits nicht angerufen. Was hätte er auch sagen sollen?

Matt hörte den Schlüssel im Schloss; kurz darauf spazierte Charley herein. Sie sah Matt überrascht an.

»Hallo, ich hatte dich nicht zurückerwartet.«

»Weißt du, ich wohne hier.«

»Klar.« Sie holte ein Glas Wasser aus der Küche und durchquerte damit den Wohnbereich in Richtung Schlafzimmer.

»Alles in Ordnung?«, rief Matt ihr nach.

»Ja. Ich bin bloß hundemüde.«

An diesem und den folgenden Abenden wich sie ihm aus. Wenn sie sich doch über den Weg liefen, antwortete Charley einsilbig auf seine Fragen, verschwand in ihrem Zimmer und tauchte erst am Morgen wieder auf.

Als sie einmal zum Kühlschrank ging, um sich ein Glas Milch einzuschenken, beschloss Matt, den Stier bei den Hörnern zu packen.

»Charley, ich finde, wir sollten miteinander reden.«

Charley blieb im Wohnzimmer stehen. »Worüber?«

»Das weißt du.«

»Was gibt es da zu sagen? Es ist passiert, es war ein Fehler, es liegt auf der Hand, dass du's bereust...«

»Moment mal!« Matt hob instinktiv die Hand. »Ich würde vorschlagen, wir gehen was essen und unterhalten uns.«

»Okay.« Charley zuckte mit den Achseln. »Wenn du meinst. Aber zuerst würde ich gern duschen.«

Eine Stunde später saßen sie in einem italienischen Restaurant ein paar Häuserblocks entfernt. Matt trank Bier, Charley Wasser.

»Alles in Ordnung? Ich meine, körperlich. Sonst trinkst du doch immer Wein«, stellte Matt fest.

»So toll fühle ich mich momentan nicht.«

»Du solltest dich beim Arzt durchchecken lassen«, schlug Matt vor.

»Ja.« Charley hielt den Blick gesenkt, spielte mit ihrer Serviette, weigerte sich, ihm in die Augen zu sehen.

»Hallo, Charley, ich rede mit dir. Tut mir leid, wenn ich dich irgendwie verletzt haben sollte.«

Charley schwieg, während Matt sich weiter abmühte.

»Neulich Nacht war ich völlig hinüber. Ich vertrage nicht mehr so viel wie früher.«

Keine Reaktion.

»Offen gestanden, weiß ich nicht so genau, was passiert ist, als wir von dem Lokal nach Hause gekommen sind. Haben wir ...? Habe ich ...?«

Charley hob den Blick. »Das *weißt* du nicht mehr?«

»Nein.« Matt wurde rot. »Tut mir leid, aber ich will dich nicht anlügen.«

»Oje«, seufzte Charley. »Das setzt dem Ganzen die Krone auf.«

»Was soll ich sagen? Es ist mir peinlich, und ich bin entsetzt über mich selbst. Wir kennen uns so lange.«

»Aha.« Charley traten Tränen in die Augen. »Und deswegen ist es in Ordnung, mich zu bumsen? Weil wir uns so lange kennen?«

»Nein, ich ... Scheiße, Charley!« Matt fuhr sich mit der Hand durch die Haare. »Ist das dein Ernst? Ich habe dich in der Nacht ›gebumst‹?«

»Ja, Matt. Glaubst du, ich lüge?«

»Natürlich nicht. Verdammt! Nicht zu fassen, dass ich mich so danebenbenommen habe. Tut mir leid, Charley, wirklich leid.«

»Nicht so leid wie mir. Dass ich in den zwei Wochen danach nichts von dir gehört habe, war Erklärung genug für mich. Es ist Aufgabe des Herrn, die Dame anzurufen, falls du das vergessen haben solltest«, fügte sie hinzu. »Du hast mich benutzt, Matt. Das habe ich nicht verdient.«

»Stimmt«, pflichtete Matt ihr bei, der sich unter ihrem kühlen Blick wand. »Ich komme mir vor wie ein richtiges Arschloch, und wenn ich du wäre, würde ich nichts mehr mit mir zu tun haben wollen.«

»Ich dachte, wir wären Freunde«, sagte Charley, als die Pizza serviert wurde. »So springt man mit seinem schlimmsten Feind nicht um.«

»Nein.« Matt konnte fast nicht glauben, was Charley be-

273

hauptete, denn solches Verhalten war völlig untypisch für ihn.

»Charley, ich weiß nicht, was ich sagen soll. Ich habe mich immer für einen anständigen Kerl gehalten und muss mich erst an den Gedanken gewöhnen, dass ich es nicht bin.«

Charley schob ein Stück Pizza in den Mund. »Und das, nachdem du dich Tag um Tag und Nacht um Nacht bei mir ausgeweint hast. Ich war immer für dich da, und wie behandelst du mich?«

»Charley, du verstehst es wirklich, mir ein schlechtes Gewissen zu machen.«

»Sorry, Matt. In der Nacht hast du mit Engelszungen auf mich eingeredet, um zum Ziel zu kommen.«

»Tatsächlich?«

»Ja. Du hast gesagt, du liebst mich.«

Matt hatte das Gefühl, in Vorwürfen zu ertrinken. Aber warum sollte Charley lügen? Sie waren zusammen aufgewachsen; er kannte sie besser als jede andere Frau – mit Ausnahme von Grania. Matt fehlten die Worte. Er musterte sie stumm über den Tisch hinweg.

Charley stieß einen tiefen Seufzer aus. »Ich verstehe ja, dass du in der Nacht betrunken warst und die Dinge, die du gesagt und getan hast, nicht ernst gemeint waren. Ich war gerade verfügbar und habe dir alles geglaubt. Also trifft mich auch ein Teil der Schuld.«

»Charley, du kannst nun wirklich nichts dafür. Wenn ich es ungeschehen machen könnte, würde ich das. Ich werde mir nie verzeihen, dass ich dir wehgetan habe. Es wundert mich, dass du nicht ausgezogen bist.«

»Wenn das gegangen wäre, hätte ich es getan, aber die Renovierung meiner Wohnung dauert länger als gedacht. Keine Sorge, Matt…«, sie zuckte traurig mit den Achseln, »…sobald sie fertig ist, verschwinde ich.«

»Ist das das Ende unserer Freundschaft?«, fragte er.

»Keine Ahnung, Matt. Ich brauche Zeit, um über alles nachzudenken.«

»Klar.«

»Matty, bitte sei ehrlich zu mir. Was du in der Nacht zu mir gesagt hast, bevor wir miteinander geschlafen haben, war nicht dein Ernst, oder?«

»Du meinst, dass ich dich liebe?«

»Ja.«

»Natürlich liebe ich dich, Charley, das weißt du. Ich habe nicht gelogen. Wir kennen uns ewig, du bist die Schwester, die ich nie hatte. Aber...« Matt wusste nicht, wie er es ausdrücken sollte.

»... es ist nicht *diese* Art von Liebe«, führte Charley den Satz für ihn zu Ende.

»Nein«, bestätigte Matt nach einer kurzen Pause.

»Weil du nach wie vor Grania liebst?«

»Ja, wahrscheinlich.«

Charley schnitt ein winziges Stück Pizza ab, schob es in den Mund, kaute und schluckte. Dann stand sie urplötzlich auf. »Entschuldige, Matt, ich muss aufs Klo.«

Matt beobachtete, wie Charley so schnell, wie ihre gute Kinderstube es erlaubte, das Restaurant durchquerte und die Treppe hinunterhastete. Er schob den Teller mit der Pizza beiseite, stützte die Ellbogen auf den Tisch und wölbte die Hände um den Kopf. Was für ein Albtraum... Wie hatte er nur tun können, was Charley ihm vorwarf? Er, ein Psychologe, der die menschlichen Schwächen kannte?

Matts Selbstwahrnehmung basierte seit sechsunddreißig Jahren auf der Überzeugung, dass er ein »anständiger Kerl« war. Er hatte immer geglaubt, er behandle Frauen mit Achtung, nutze sie nicht aus, wisse ihre Stärken und Qualitäten zu schätzen und bewege sich innerhalb des Rahmens, den seine Herkunft und Bildung ihm vorgaben. Er hatte stets versucht, integer zu bleiben, und der Gedanke, dass ihm das in jener Nacht mit Charley, einer seiner besten Freundinnen, nicht gelungen war, erfüllte ihn mit Verachtung für sich selbst.

Matt blickte in Richtung Treppe; noch immer keine Spur von Charley. Wenigstens hatte er den Mumm besessen, ihr ehrlich zu sagen, dass er sich keine Zukunft mit ihr vorstellen könne. Obwohl das möglicherweise das Ende ihrer Freundschaft bedeutete, wusste Matt, dass er das Richtige getan hatte.

Weil ...

Egal, ob ihm das gefiel: Er liebte Grania.

Charley kehrte ziemlich blass von der Toilette zurück und setzte sich wieder an den Tisch.

»Alles in Ordnung?«, fragte Matt stirnrunzelnd. »Du siehst nicht gut aus.«

Charley schüttelte den Kopf. »Nichts ist in Ordnung.«

»Bin ich schuld?«

»Könnte man so ausdrücken.« Charley blickte ihn mit Tränen in den Augen an. »Matt, ich bin schwanger.«

29

Als Grania eines Morgens aufwachte, entdeckte sie die ersten Knospen der wilden Fuchsien, die bald die Hecken am Weg tiefrot färben würden. Diese Frühlingsboten zeigten Grania, dass sie sich inzwischen fast vier Monate in Irland aufhielt. Sie zog sich an, frühstückte in der Küche, fuhr Aurora in die Schule und machte sich auf den Weg nach Dunworley House. Sie war erstaunt darüber, wie leicht sie sich an diese Routine gewöhnt hatte und dass sie den Alltag hier als genauso normal empfand wie den früher in New York. Vielleicht, dachte Grania, als sie die Tür zum Atelier aufschloss, hatte das auch mit ihrer Leidenschaft für ihr neues Projekt zu tun.

Lange hatte die Bildhauerei ihr keine solche Freude mehr bereitet. Die Skulpturen von Kindern und Tieren für die Betuchten der Ostküste hatten lediglich ihren Lebensunterhalt gesichert und ihr den Freiraum verschafft, sich auf ihr Lieblingsprojekt, die Vorbereitung auf das Baby, zu konzentrieren.

Grania betrachtete die beiden unvollendeten Skulpturen, die auf dem Arbeitstisch standen. Sie wusste, dass sie mit zum Besten gehörten, was sie je geschaffen hatte. Das Gefühl, mit dem sie sich ans Werk machte, rief ihr ins Gedächtnis, warum sie diesen Beruf gewählt hatte: Es befriedigte sie zutiefst, das Abbild von etwas Schönem in einem bestimmten Moment zu fertigen.

Die Idee war ihr eines Nachmittags bei einem Klippenspaziergang mit Aurora und Lily gekommen. Als Aurora anmutig vor ihr hergetänzelt war, hatte sie plötzlich den Drang verspürt, ihre Bewegungen einzufangen. Sie hatte ihr Handy gezückt, das Mädchen fotografiert und am folgenden Morgen mit der Arbeit an einer Skulpturenserie begonnen.

Seitdem erfüllte ein Gefühl tiefen inneren Friedens sie, wenn sie bei klassischer Musik, vor sich den grandiosen Ausblick, im Atelier arbeitete.

Grania war so vertieft in die Gestaltung der Skulpturen, dass sie erst nach drei auf die Uhr sah. Sie würde es gerade noch schaffen, Aurora von der Schule abzuholen und zur Ballettstunde nach Clonakilty zu bringen.

Im Wagen erzählte Aurora fröhlich von ihrer neuen besten Freundin, die sie am folgenden Tag auf der Farm besuchen wollte, um das Hündchen zu sehen. Die einfachen Dinge, die die meisten Kinder für selbstverständlich hielten, machten Aurora am glücklichsten, dachte Grania, als sie das Auto abstellte. Zum ersten Mal führte sie ein normales Leben.

Grania saß mit ihrem Zeichenblock in einer Ecke des Studios, um Skizzen von Aurora beim Tanzen zu fertigen. In den vergangenen beiden Monaten war Aurora ziemlich gut geworden. Ihre natürliche Begabung wurde allmählich in die Bahnen des klassischen Balletts gelenkt.

Am Ende der Stunde scheuchte Miss Elva Aurora aus dem Studio und wandte sich Grania zu. »Und, wie finden Sie sie?«

»Erstaunlich.«

»Ja«, pflichtete Miss Elva ihr bei. »Sie ist die vielversprechendste Schülerin, die ich je hatte. Ich hatte befürchtet, dass ihr später Einstieg Probleme verursachen würde, und an ihrer Technik müssen wir tatsächlich noch ein wenig feilen, doch ich glaube, sie hat gute Chancen, von der Royal Ballet School akzeptiert zu werden. Haben Sie mit ihrem Vater darüber gesprochen?«

»Er weiß, dass Aurora Ballettstunden nimmt, aber von einer professionellen Ausbildung habe ich noch nichts erwähnt. Ich bin mir nicht sicher, ob das das Richtige für sie ist. Zum ersten Mal führt sie ein geregeltes Leben. Wann wäre das Vortanzen?«

»Spätestens in achtzehn Monaten. Mit elf sollte die professionelle Ausbildung beginnen.«

»Warten wir ab, wie sie sich entwickelt. Nächstes Jahr sehen wir weiter.« Grania reichte ihr das Geld für die Stunde, bedankte sich bei Miss Elva und ging zu Aurora.

»Hättest du Lust auf eine professionelle Ausbildung in einer richtigen Ballettschule?«, fragte sie Aurora auf dem Heimweg.

»Du weißt, dass ich das Ballett liebe, Grania«, antwortete Aurora. »Aber wer würde sich dann um Lily kümmern und Shane beim Melken helfen?«

»Stimmt«, pflichtete Grania ihr bei.

»Außerdem würde ich meine neuen Freundinnen in der Schule verlieren«, fuhr Aurora fort. »Vielleicht später.«

Am Abend, als Grania gerade ins Bett gehen wollte, klingelte ihr Handy.

»Hallo?«

»Grania?«

»Ja.«

»Ich bin's, Alexander.«

Seine Stimme klang leise und gedämpft.

»Hallo, Alexander. Wie geht's?«

»Ich ...« Kurzes Schweigen. »Alles in Ordnung. Und Aurora?«

»Sie ist sehr glücklich bei uns auf der Farm. In der Schule scheint es gut zu laufen; sie hat sich mit vielen Mädchen angefreundet. Heute habe ich mit ihrer Ballettlehrerin gesprochen, und ...«

»Grania«, fiel Alexander ihr ins Wort, »ich muss dich sehen. Dringend.«

»Wann kommst du nach Hause?«

»Leider ist das momentan nicht möglich. Bitte komm du zu mir.«

»Und wohin?« Da sie über einen Monat lang nichts von ihm gehört hatte, wusste sie nicht, wo er sich aufhielt.

»Ich bin in der Schweiz.«

»Verstehe. Nun, wenn es so dringend ist…«

»Ja. Entschuldige, dass ich dich um diese Reise bitte, aber mir bleibt keine andere Wahl.«

»Gut. Heute ist Mittwoch… Dieses Wochenende werden die Schafe geschoren; wie wär's mit nächstem Dienstag?«

»Grania, du musst morgen los.«

»Morgen?«

»Ja. Der Flug ist bereits gebucht. Du fliegst um Viertel vor drei von Cork ab, landest um vier in London und nimmst von dort aus um sechs den British-Airways-Flug nach Genf. Mein Chauffeur holt dich vom Flughafen ab.«

»Aha. Soll ich Aurora mitbringen?«

»Nein. Und bitte nimm deine Geburtsurkunde mit. Die Beamten der Schweizer Passkontrolle können sehr penibel sein.«

»In Ordnung.«

»Bis morgen Abend dann. Und, Grania?«

»Ja?«

»Danke.«

Grania beendete das Gespräch und setzte sich an den Küchentisch. Wie hätte Alexander wohl auf eine Weigerung reagiert? Offenbar hatte er fest mit ihrem Einverständnis gerechnet.

»Worüber grübelst du nach, Grania?«, riss die Stimme ihrer Mutter sie aus ihren Gedanken.

»Alexander hat gerade angerufen. Ich soll morgen zu ihm in die Schweiz fliegen. Er hat den Flug schon gebucht.«

»Ach.« Kathleen, die an der Tür stand, verschränkte die Arme. »Und, machst du das?«

»Ich scheine keine andere Wahl zu haben.«

»Du kannst Nein sagen.«

»Ja, aber er hört sich nicht gut an. Irgendetwas stimmt nicht.«

»Wenn er ein Problem hat, sollte er herkommen, um es dir zu erklären, und nicht dich um die halbe Welt scheuchen.«

»Es geht offenbar nicht anders. Er hat mich gebeten, meine Geburtsurkunde mitzunehmen, angeblich, weil die Schweizer Behörden es sehr genau nehmen. Kannst du sie bitte für mich raussuchen, Mam?«

»Ich habe kein gutes Gefühl bei der Sache.«

»Ich auch nicht«, pflichtete Grania ihr bei. »Trotzdem muss ich hinfahren und mir anhören, was er will.«

»Grania...« Kathleen trat zu ihr. »Ich will mich wirklich nicht einmischen, aber ist da was zwischen dir und Alexander?«

»Das weiß ich nicht so genau.«

»Hat er...« Kathleen räusperte sich. »Als du oben in Dunworley House warst...?«

»Er hat mich geküsst«, gestand sie. »Ich muss zugeben, dass ich etwas für ihn empfinde. Andererseits...«, Grania schüttelte den Kopf, »...hat er gesagt, dass er sich nicht weiter vorwagen kann.«

»Hat er dir verraten, warum?«

»Nein. Vielleicht liebt er Lily nach wie vor, oder es gibt eine andere Frau in seinem Leben... Wer weiß?« Grania seufzte.

»Ich habe ihn beobachtet in der Nacht, in der Aurora verschwunden ist. Und er hat *dich* beobachtet. Ob sein liebevoller Blick damit zu tun hatte, dass du dich um seine Tochter kümmerst, oder ob es mehr ist, kann ich nicht beurteilen. Jedenfalls bedeutest du ihm etwas, Grania. Fragt sich nur: Geht es dir mit ihm genauso?«

»Ja, Mam. Doch wohin das führen wird, weiß ich nicht. Außerdem ...«

»Ja?«

»... bin ich noch nicht über Matt hinweg«, gab Grania zu.

»Das ist mir klar. Möglicherweise wirst du das nie sein. Obwohl du immer wieder betont hast, dass er der Vergangenheit angehört. Bitte stürz dich nicht übereilt in irgendeine Geschichte, ja?«

»Nein.« Grania stand auf. »Ich geh jetzt besser schlafen. Morgen wird ein anstrengender Tag.« Sie umarmte ihre Mutter. »Danke, Mam. Wie du so gern sagst: Irgendwann löst sich jedes Problem.«

»Wollen wir's hoffen. Gute Nacht.«

Kathleen sah ihrer Tochter nach, wie sie die Küche verließ, und stellte Milch auf den Herd.

»Diese Familie«, murmelte sie, während sie ihre Strickjacke enger um den Leib zog und auf und ab ging, bis die Milch für den Kakao heiß war. Dann setzte sie sich mit einer Tasse an den Tisch.

Als sie den Kakao getrunken hatte, seufzte sie tief. »Na schön«, meinte sie mit einem Blick gen Himmel, erhob sich, ging mit schweren Schritten die Treppe hinauf und klopfte an der Tür zu Granias Zimmer. »Ich bin's, Mam«, flüsterte sie. »Darf ich reinkommen?«

»Natürlich«, antwortete Grania, die im Schneidersitz auf dem Bett saß, den halb gepackten Koffer vor sich. »Ich bin auch noch nicht müde.«

Kathleen setzte sich zu ihr aufs Bett. »Eine Stimme in meinem Innern sagt mir, dass ich dir den Rest von Lilys Geschichte erzählen muss, bevor du abreist.« Kathleen ergriff die

Hand ihrer Tochter und drückte sie. »Es ist eine ziemlich lange Geschichte; möglicherweise wird es spät.«

»Macht nichts, Mam, wir haben keine Eile«, ermutigte Grania sie. »Ich bin ganz Ohr.«

»Gut.« Kathleen schluckte. »Ich habe sie noch niemandem geschildert. Könnte sein, dass ich weinen muss. Dieser Teil beginnt, als ich sechzehn war und Lily Lisle fünfzehn.«

»Wart ihr befreundet?«, fragte Grania überrascht.

»Ja. Lily hat so viel Zeit bei uns im Farmhaus verbracht, dass sie für mich so etwas wie eine kleine Schwester war. Und mein großer Bruder…«

»Dein *Bruder*?« Grania sah ihre Mutter erstaunt an. »Ich wusste gar nicht, dass du einen Bruder hast, Mam. Du hast ihn nie erwähnt.«

»Nein…« Kathleen schüttelte den Kopf. »Wo soll ich anfangen…?«

30

Dunworley, West Cork, Irland, 1970

Die sechzehnjährige Kathleen sprang aus dem Bett und zog die Vorhänge zurück, um zu sehen, wie das Wetter war. Wenn die Sonne schien, wollten sie, Joe und Lily ein Picknick am Strand von Dunworley machen; wenn es regnete – in dieser Gegend keine Seltenheit, auch im Sommer –, würden sie einen weiteren langweiligen Tag mit Karten- und Brettspielen im Haus verbringen. Lily würde sich ein Stück ausdenken, in dem sie die Hauptrolle spielte, denn sie tat nichts lieber, als sich mit den abgelegten Abendkleidern ihrer Mutter herauszuputzen.

»Wenn ich erwachsen bin, werde ich so schön sein, dass ein gut aussehender Prinz mich entführt«, sagte sie gern, wenn sie vor dem Spiegel posierte.

Und Lily würde schön werden, denn schon mit fünfzehn Jahren zog sie die Blicke aller auf sich. »Die Jungs rennen ihr bald die Tür ein, so viel steht fest«, hatte Kathleens Mutter einmal zu ihrem Mann Seamus gesagt.

Kathleen betrachtete ihren eigenen stämmigen Körper im Spiegel, ihre mausbraunen Haare und das blasse Gesicht mit den Sommersprossen auf der Nase.

»Die Männer interessiert nicht nur Schönheit, Liebes. Sie werden dich deiner anderen Qualitäten wegen lieben«, hatte ihre Mutter sie getröstet. Kathleen wusste nicht so genau, was das für »andere Qualitäten« waren, aber letztlich machte es ihr nichts aus, dass sie unscheinbar war und Lily immerzu im Mittelpunkt stehen wollte.

Oder dass Kathleens Bruder Joe Lily vergötterte. Kathleen würde sich nie mit Lily, ihrer glamourösen Mutter oder ihrem reichen Vater in Dunworley House messen können.

Sie beneidete sie nicht. Nein, sie tat ihr eher leid. Tante Anna, Lilys Mutter, eine berühmte Ballerina, war kaum je zu Hause. Sebastian Lisle, ihr Vater, war ziemlich alt und hielt Abstand zu seiner Tochter, die ihn nur selten zu Gesicht bekam. Ihre Erziehung übernahmen Hauslehrerinnen, denen sie aus dem Weg zu gehen versuchte, was ihr meist gelang.

Als Kathleen sich anzog, um die Eier einzusammeln und den Eimer mit der frischen Milch aus dem Kuhstall zu holen, dachte sie an Lily, die wahrscheinlich noch in ihrem hübschen Zimmer in Dunworley House schlief. Lily hatte keinerlei Pflichten. Ein Dienstmädchen machte ihr Frühstück, Mittag- und Abendessen, wusch ihre Kleidung und besorgte ihr alles, was sie brauchte. Manchmal, wenn Kathleen morgens in der Kälte hinausmusste, beklagte sie sich bei ihrer Mutter darüber.

»Dafür hast du das, was Lily fehlt, Kathleen, eine Familie«, antwortete ihre Mutter dann.

Kathleens Ansicht nach hatte sie die schon, denn Lily lebte praktisch bei ihnen. Aber auch auf der Farm musste sie nie einen Finger rühren.

Trotz Lilys privilegierter Stellung und manchmal irritierender Allüren meinte Kathleen, sie beschützen zu müssen. Obwohl Lily lediglich achtzehn Monate jünger war als sie selbst, hatte sie etwas Kindliches, Verletzliches, das Kathleens Mutterinstinkt weckte. Außerdem schien sie kein bisschen gesunden Menschenverstand zu besitzen. Lily schlug gern abenteuerliche Unternehmungen vor – gefährliche Felsen hinunterklettern, mitten in der Nacht aus dem Haus schleichen und im Meer schwimmen – und kannte keine Angst. Oft gingen solche Ausflüge schief, und Kathleen rettete Lily nicht nur aus misslichen Lagen, sondern nahm die Strafe ihrer Eltern auf sich, als wäre alles ihre Idee gewesen.

Und Joe wäre Lily ans Ende der Welt gefolgt, wenn sie das von ihm verlangt hätte.

Auch ihren großen, sanften Bruder beschützte Kathleen. Drei Jahre zuvor hatte Kathleen ihn auf dem Feldweg gefunden, wo die Jungen aus dem Ort ihn nach der Kastanienernte als Zielscheibe benutzt hatten.

»Sie haben ihn beschimpft, Mam, schrecklich beschimpft, ihn den Dorftrottel genannt und gesagt, er gehört in ein Heim. Warum tun sie ihm das an, Mam?«

Nachdem Sophia die Verletzungen ihres Sohnes mit Hamamelis behandelt hatte, schickte sie ihn hinaus zu seinem Vater, damit er ihm half, die Kühe in den Stall zu bringen, schloss die Küchentür und erklärte Kathleen, warum ihr großer Bruder sich von den anderen Jungen unterschied.

»Es war eine schwere Geburt. Die Ärzte meinen, Joe hätte dabei nicht genug Sauerstoff gekriegt. Das hat seinem Gehirn geschadet.«

»Aber Joe ist nicht beschränkt. Er kann seinen Namen schreiben und sogar zählen.«

»Nein, Liebes, er ist nicht dumm, nur ein bisschen langsam.«

»Die Tiere lieben ihn, Mam. Er geht sanft mit ihnen um; sie vertrauen ihm.«

»Ja, Kathleen. Tiere sind netter als Menschen.«

»Die Jungs in der Schule bringen ihn immer in Schwierigkeiten. Weil er größer ist als die andern, glauben die Lehrer, Joe hätte alles angezettelt. Und er lässt sich das gefallen! Ich kann's nicht mitansehen, wie sie ihn rumstoßen. Er wehrt sich nie.

Das ist nicht fair. Joe würde keiner Fliege was zuleide tun, das weißt du, Mam.«

Kurze Zeit später hatten Kathleens Eltern Joe aus der Schule genommen. »Er hat genug gelernt. Bei mir und den Tieren auf der Farm ist er besser aufgehoben«, hatte Seamus gesagt.

Ihr Daddy hatte recht behalten. Jetzt nutzte Joe sein Geschick mit Tieren und seine beachtlichen Körperkräfte auf dem Hof.

Während Kathleen die Eier einsammelte, dachte sie über Joe nach. Er schien zufrieden zu sein und ließ sich durch nichts unterkriegen oder provozieren. Joe stand früh auf, frühstückte und blieb bis zum Einbruch der Dunkelheit auf den Feldern. Dann kam er nach Hause, aß und ging ins Bett. Obwohl Joe außerhalb der Familie keine Freunde hatte, wirkte er nicht einsam. Mit siebzehn wurde er nicht von den Nöten der anderen Jungen in seinem Alter geplagt. Wenn Lily zu ihnen kam, leuchteten seine Augen. Er beobachtete stumm, wie sie in der Küche herumtänzelte und ihre rotgoldene Haarmähne zurückwarf.

»Tiger«, hatte Joe einmal unvermittelt gesagt, als sie zu dritt einen Spaziergang machten.

»Wo ist der Tiger, Joe?« Lily hatte sich umgesehen.

»Du Tiger.«

»Tiger-Lily!«, hatten Kathleen und Lily unisono ausgerufen.

»Haare.« Joe hatte auf Lily gedeutet. »Tigerfarbe.«

»Joe, wie clever!«, hatte Lily ausgerufen und sich bei ihm untergehakt. »Das ist eine Indianerprinzessin aus einem Buch mit dem Titel *Peter Pan*.«

»Du Prinzessin.« Joe hatte Lily mit liebevollem Blick angesehen.

Obwohl Lily egoistisch war, konnte sie gut mit Joe umgehen. Sie wartete geduldig, bis er sich die Worte zurechtgelegt hatte, und tat so, als interessierte sie sich aufrichtig für die Drossel mit dem gebrochenen Flügel, die Joe gerettet hatte und aufpäppelte. Deshalb verzieh Kathleen Lily ihre zahlreichen Fehler. Sie mochte verwöhnt und ich-bezogen sein, aber auf Joe nahm sie immer Rücksicht.

Kathleen brachte die frischen Eier in die Speisekammer und ging zum Frühstücken in die Küche. Joe saß bereits am Tisch.

»Guten Morgen«, begrüßte Kathleen ihn, schnitt eine Scheibe Brot vom Laib und strich Butter darauf. »Schönes Wetter heute, Joe. Wollen wir an den Strand gehen?«

»Ja. Und Lily.«

»Sie hat gesagt, sie kommt so gegen elf. Und sie hat versprochen, was zu essen mitzubringen, aber bestimmt vergisst sie das wieder. Ich mache lieber genug Sandwiches für uns drei.«

»Hallo, alle!«, rief Lily in ihrer üblichen theatralischen Art aus, als sie später die Küche betrat. »Ratet mal, wer wieder da ist.« Sie verdrehte die Augen, während sie einen Apfel aus der Obstschale nahm und hineinbiss.

»Wer?«, fragte Kathleen, die gerade die Sandwiches in den Picknickkorb legte.

»Gerald, mein grässlicher Halbbruder!« Lily sank anmutig auf einen Stuhl. »Ich habe ihn seit über einem Jahr nicht gesehen – die letzten Ferien hat er bei den Verwandten seiner Mutter in Clare verbracht.«

Kathleen und Joe nickten mitfühlend. Gerald, Sebastian Lisles einziger Sohn von seiner ersten Frau Adele, war eine echte Landplage. Obwohl er Kathleen und Joe verachtete, wollte er bei den Spielen der drei mitmachen und verdarb sie am Ende meist. Er schmollte, wenn er nicht jedes Mal gewann, beschuldigte sie, geschwindelt zu haben, und wurde, besonders dem gleichaltrigen Joe gegenüber, den er erbarmungslos hänselte, oft aggressiv.

»Er kommt doch hoffentlich nicht zum Strand mit, oder?«, fragte Kathleen entsetzt.

»Nein. Er hat mir heute Morgen erklärt, dass er mit seinen fast achtzehn Jahren praktisch erwachsen ist. Ich glaube, wir haben Glück; er will nichts mehr mit uns zu tun haben. Er sieht tatsächlich ziemlich erwachsen aus, wie ein richtiger Mann, und ist fast so groß wie Daddy. Wenn er nicht der Grässliche Gerald wäre, könnte ich ihn glatt attraktiv finden.« Lily kicherte.

»Aber sein Charakter…«, wandte Kathleen schaudernd ein. »Was für ein Glück, dass er sich zu gut zu sein scheint für uns. Bist du fertig, Joe?«

»Fertig«, antwortete Joe, der wie immer Lily anhimmelte.

Sie machten sich zu dritt auf den Weg zum Strand, Lily wie ein Äffchen auf den breiten Schultern Joes. Als er die Felsen hinunterkletterte, kreischte sie in gespielter Angst.

»Da wären wir«, sagte Kathleen schwer atmend und stellte den großen Picknickkorb in den weichen Sand. »Lass Lily runter, Joe, damit sie mir helfen kann, den Korb auszupacken.«

»Puh, ist das heiß! Ich muss sofort ins Wasser«, entgegnete Lily und schlüpfte aus ihrem Kleid, unter dem sie einen Badeanzug trug, der ihren bereits weibliche Formen annehmenden Körper umschmeichelte. »Wir laufen um die Wette, Joe!«, rief Lily und sprintete zum Wasser.

Kathleen sah Joe nach, wie er hinter Lily hertappte, unterwegs das Hemd auszog und sich wenige Sekunden später in die Fluten stürzte. Kathleen breitete die Decken auf dem Boden aus und legte die Sandwiches auf eine von ihnen. Dann betrachtete sie Lily, die grazil mit Joe in den Wellen herumplanschte, und ihren eigenen pummeligen Körper und wünschte sich die Unbefangenheit ihrer Cousine.

Zehn Minuten später kam Joe zurück und deutete auf ein Handtuch. »Lily kalt«, erklärte er.

Kathleen nickte, reichte ihm das Handtuch und beobachtete, wie er zu der zitternden Lily zurückkehrte und es ihr um die Schultern legte. Zum Glück, dachte Kathleen, neigte sie nicht zu Eifersucht. Sie liebte Joe, verteidigte und beschützte ihn, weil er selbst nicht dazu in der Lage war, und wusste, wie es in Joes Herzen aussah. Wenn er vor der Wahl gestanden hätte, seine Schwester oder seine Cousine vor dem Ertrinken zu retten, hätte er sich bestimmt für Lily entschieden. Jedes Lächeln von ihr war mehr wert als ein ganzes Jahr von Kathleens Bemühungen um ihn. Kathleen hoffte nur, dass Joe es verkraftete, wenn Lily irgendwann von Dunworley wegging.

Kathleen war klar, dass Schönheit im Leben half; sogar in der Schule wurde den hübschen Mädchen mehr nachgesehen als den unscheinbaren. Es schien nicht wichtig zu sein, was für ein Mensch man war; die Verpackung musste stimmen. Besonders Männer bewunderten Schönheit. Filmstars waren schön, Damen in den Herrenhäusern waren schön, doch in den Küchen fand man – außer im Märchen – nur selten hübsche Dienstmägde.

»Kathleen, ich habe einen Bärenhunger! Kann ich mir ein Sandwich nehmen?«, fragte Lily, die sich mit Joe zu ihr gesellt hatte.

»Klar. Es gibt eingemachtes Fleisch oder Marmelade.« Kathleen reichte Lily eine Papierserviette mit einem Sandwich.

Joe hob eine Decke vom Boden auf und legte sie Lily um die Schulter. Dann setzte er sich in seinen nassen Shorts neben seiner Schwester in den Sand.

»Joe, du musst auch was essen«, sagte Kathleen.

»Tauschst du deine Marmelade gegen mein eingelegtes Fleisch?«, fragte Lily Joe.

Joe überließ ihr wortlos sein Marmeladensandwich. Lily biss hinein, kaute und warf die Kruste weg, bevor sie sich auf den Boden legte und ihre langen, schlanken Beine in Richtung Sonne streckte.

»Warum nur habe ich diese grässlich blasse irische Haut?«, beklagte sie sich. »Ich seh aus wie der weiße Mond in einer schwarzen Nacht.«

»Nein. Schön«, widersprach Joe.

»Danke, Joe. Weißt du was, Kathleen?« Lily stützte sich auf die Ellbogen. »Joe hat mir im Wasser einen Heiratsantrag gemacht.« Sie kicherte. »Ist das nicht süß?«

»Ja«, antwortete Kathleen, der Lilys herablassender Blick nicht gefiel.

»Ich pass auf dich auf«, sagte Joe, während er ein weiteres Sandwich mit eingelegtem Fleisch verspeiste.

»Danke, Joe. Ich weiß, dass du immer auf mich aufpassen wirst. Ich denke über deinen Antrag nach.« Lily lehnte sich belustigt zurück.

31

»Gerald will mit. Ich hoffe, ihr habt nichts dagegen.«

Kathleen sah den groß gewachsenen, attraktiven Mann mit großen Augen an, der hinter Lily auf der Schwelle zur Küche stand. Als sie versuchte, den »neuen«, männlichen Gerald mit dem von früher zu vergleichen, entdeckte sie den vertrauten verächtlichen Ausdruck um seinen schmallippigen Mund. »Hallo, Gerald«, begrüßte sie ihn.

»Hallo …« Gerald kratzte sich am Kopf. »Tut mir leid, ich weiß deinen Namen nicht mehr.«

»Kathleen. Und das ist mein Bruder Joe.«

»Natürlich, entschuldige. Wie geht's euch?«

»Gut, danke«, antwortete Kathleen. »Wollen wir gehen?«

»Hallo, Lily«, sagte Joe und wartete auf die übliche Umarmung.

»Hallo, Joe«, entgegnete Lily, ohne sich von Geralds Seite zu bewegen. »Wir haben Daddys Angeln gemopst, stimmt's, Gerald?« Lily lächelte ihren Halbbruder an.

»Ja, die sind besser als ein Holzstecken mit einer Schnur und einem Stück Speck dran«, meinte Gerald mit einem verächtlichen Blick auf Kathleens und Joes Ruten.

Sie verließen das Haus und gingen zum Bach hinunter. Lily unterhielt sich entspannt mit ihrem Halbbruder; Joe trottete hinter ihnen her. Am Wasser stellte Gerald einen Klappstuhl auf, den er mit großer Geste Lily anbot. »Damit dein hübsches Hinterteil nicht schmutzig wird«, sagte er.

»Danke, Gerald, sehr nett von dir.« Lily machte es sich bequem.

Die anderen setzten sich ans Ufer, ohne wie sonst fröhlich vor sich hin zu plappern. Gerald zeigte Lily den Umgang mit der Angel. Kathleen fühlte sich in seiner Gegenwart befangen. Joe starrte missmutig in die Wellen, betrübt darüber, dass er nicht neben seiner geliebten Lily sitzen konnte.

Natürlich fing Gerald als Erster einen Fisch. Lily überschlug sich fast vor Lob, als Gerald eine ansehnliche Forelle an Land zog.

»Gut gemacht«, sagte sie. »Du scheinst Talent fürs Angeln zu haben.«

»In den Gewässern hier wimmelt's von Fischen. Vater pflegt unsere Ländereien gut.«

»Entschuldige, Gerald, wenn ich das richtigstelle, aber der Bach gehört jetzt uns. Meine Eltern haben den Grund letztes Jahr gekauft. Wir wollen auch noch das übrige Land, das wir gepachtet haben, und das Farmhaus erwerben, sobald dein Daddy bereit ist, es uns zu überlassen.«

»So, so, Grundbesitzer nach all den Jahren«, murmelte Gerald verächtlich. »Dahinter steckt bestimmt Lilys Mutter. Wollte ihrer Schwester wahrscheinlich einen Gefallen tun.«

»Nein, Gerald«, erwiderte Kathleen mit zornrotem Gesicht. »Meine Eltern haben das Land regulär erworben.«

»Verstehe.« Gerald hob, alles andere als erfreut über diese Information, eine Augenbraue.

»Wen interessiert schon, wem es gehört?«, sagte Lily. »Der arme Fisch landet so und so heute Abend auf einem Teller. Dem ist es egal, auf welchem. Nimm meine Rute, Joe. Mir ist heiß. Ich will ins Wasser.«

Joe tat ihr den Gefallen. Lily suchte das Ufer nach einer geeigneten Stelle ab. Als sie sie gefunden hatte, zog sie ihr Kleid aus und stürzte sich in die eisigen Fluten. Kathleen beobachtete Joe und Gerald, die beide Lily nachstarrten.

»Ich muss zugeben, dass es hier bei Sonnenschein ziemlich pittoresk ist«, bemerkte Gerald, nachdem sie ihre Sandwiches verspeist hatten. »Nur schade, dass deine Mutter nicht öfter herkommt, um sich dran zu erfreuen. Wo steckt sie gerade?«

»In London. Du weißt ja, wie sehr sie das Land hasst«, antwortete Lily.

»Es wundert mich, dass Pa das erträgt. Eine so umtriebige Frau zu haben muss ziemlich anstrengend sein.«

»Du kennst doch Mummy. Sie ist ein Paradiesvogel und braucht ihre Freiheit. Wenn ihr danach ist, kommt sie schon wieder nach Hause.«

»Wann auch immer das sein mag«, murmelte Gerald. »Ich werde jedenfalls nicht mehr allzu oft hier sein, weil ich in Sandhurst eine Offiziersausbildung mache«, verkündete er und fügte, an Joe und Kathleen gewandt, hinzu: »In gewisser Hinsicht beneide ich euch beide. Bei euch verändert sich nie was. Ihr zählt Schafe und melkt Kühe …«

»Unser Leben hat durchaus mehr zu bieten«, widersprach Kathleen, erbost über seine Arroganz.

»Seines auch?«, fragte Gerald mit einem Blick auf Joe.

»Joe ist zufrieden, stimmt's, Joe?«, fragte Kathleen ihren Bruder mit sanfter Stimme.

Joe nickte. »Ich liebe Lily. Lily glücklich, Joe glücklich.«

»Ach.« Gerald hob eine Augenbraue. »Liebe‹, so, so. Meinst du, Lily wird dich eines Tages heiraten, Joe?«

»Ja. Heirate Lily. Pass auf sie auf.«

»Gütiger Himmel!« Gerald lachte. »Hast du das gehört, Lil? Joe glaubt tatsächlich, dass du ihn heiratest.«

»Mach dich nicht über ihn lustig, Gerald, er versteht das nicht«, rügte Lily ihn.

»Das muss er aber, wenn du in ein paar Wochen deine Sachen packst und ins Internat verschwindest.«

Lily zog die Knie an die Brust. »Dazu können sie mich nicht zwingen, Joe. Und ich will nicht«, meinte Lily schmollend.

»Lily geht?«, fragte Joe bestürzt.

Lily stand auf, trat zu Joe, setzte sich neben ihn und tätschelte seine Hand. »Keine Sorge, Joe. Ich verspreche dir, ich gehe nicht von hier weg, egal, was meine Eltern sagen.«

»Ich bezweifle, dass du da was mitzureden hast, kleine Schwester«, widersprach Gerald.

»Lily bleibt.« Joe legte schützend den Arm um Lilys Schulter.

»Siehst du?« Lily lächelte. »Joe lässt mich nicht fort, oder?«

»Nein.« Joe stand auf und stellte sich drohend vor Gerald. »Lily bleibt hier.«

»Joe, das ist die Entscheidung unserer Eltern, nicht meine. Obwohl ich es gut finde, wenn Lily endlich Manieren lernt wie eine Lady.«

»Lily *ist* Lady!« Joe versetzte Gerald einen Faustschlag ins Gesicht, der ihn niederstreckte.

»Immer mit der Ruhe, mein Freund!«

Kathleen war entsetzt über Joe, der nie zuvor jemanden geschlagen hatte.

»Joe! Entschuldige dich sofort bei Gerald! Er hat's nicht so gemeint, Gerald. Er wollte nur Lily beschützen.« Kathleen zog Joe weg. »Mach schon, Joe, entschuldige dich.«

Joe senkte den Blick, holte tief Luft und sagte: »'tschuldige.«

»Nichts passiert.« Gerald stand auf, klopfte den Schmutz von seiner Kleidung und wandte sich Lily zu. »Hab schon schlimmere Kinnhaken kassiert.«

Doch Kathleen sah, dass sein Ego einen empfindlichen Schlag erlitten hatte.

»Lassen wir uns nicht den Tag verderben«, meinte Kathleen.

»Ja«, pflichtete Gerald ihr bei. »Vergeben und vergessen. Hand drauf, Joe?«

Zögernd hielt Joe ihm die Hand hin.

»Siehst du, schon vergessen«, sagte Gerald.

Aber Kathleen wusste, dass Gerald weder vergessen noch vergeben würde.

In den Sommermonaten sahen Joe und Kathleen Lily seltener als sonst. Joe brachte Stunden damit zu, am Fenster seines Zimmers auf Lily zu warten. Wenn sie dann tatsächlich auftauchte, wirkte sie geistesabwesend. Kathleen vermutete, dass die Angst vor dem Internat sie quälte.

»Ich bleibe nicht, wenn es mir dort nicht gefällt«, teilte Lily Kathleen und Joe eines lauen Augustabends mit, als sie gemeinsam den Klippenpfad entlangspazierten. »Dann laufe ich weg.«

»Es wird sicher besser, als du denkst, Lily.« Kathleen bemerkte Joes trauriges Gesicht. »Im Handumdrehen sind die Weihnachtsferien da, und du kannst nach Hause. Stimmt's, Joe?«

»Lily bleibt.«

»Ich verspreche dir, dass ich zurückkomme, Joe.« Lily umarmte ihn. »Aber in einer Woche muss ich nach London, Schulkleidung kaufen. Mummy begleitet mich nach England. Vater ist ganz aufgeregt, seit er weiß, dass sie kommt.« Lily runzelte die Stirn. »Keine Ahnung, wie er es mit ihr aushält. Wenn sie daheim ist, spielt sie die ganze Zeit diese schreckliche Ballettmusik, die ich so deprimierend finde. Wie kann es jemandem nur gefallen, anderen Leuten zuzuschauen, wie sie auf einem Bein stehen und zwei Stunden lang kein Wort sagen? Gott, ist das langweilig.«

Kathleens Mam war der Meinung, dass Lilys Abneigung

gegen das Ballett mit der Leidenschaft ihrer Mutter dafür zu tun hatte, die sie ihre Tochter vergessen ließ. Kathleen war ähnlicher Ansicht wie Lily. Als ihre Tante sie einmal in Dublin ins Ballett mitgenommen hatte, war sie nach der Hälfte eingeschlafen.

»Ich muss los. Gerald bringt mir Bridge bei; ich stelle mich ziemlich geschickt an.« Lily verabschiedete sich mit einem Kuss von Joe und Kathleen.

Joe blickte ihr noch lange nach, bevor er sich auf einen Stuhl setzte und aufs Meer hinausstarrte. Kathleen kniete neben ihm nieder und legte die Arme um ihn.

»Sie kommt zurück, Joe.«

Joe traten Tränen in die Augen. »Liebe sie, Kathleen. Liebe sie.«

Kathleen erkannte immer gleich am Geruch von Parfüm und Zigarettenrauch, der aus dem Wohnzimmer in die Küche wehte, dass Tante Anna zu Besuch im Farmhaus war. Dazu das kehlige Lachen und das Klappern der Porzellantassen, die ihre Mutter nur dann aus der Vitrine holte, wenn Tante Anna sie beehrte.

»Kathleen, Schätzchen! Wie geht's d-dir?«, fragte Tante Anna und fügte mit einem prüfenden Blick hinzu: »Du bist aber groß geworden seit meinem letzten B-Besuch.«

»Danke«, sagte Kathleen, obwohl sie nicht wusste, ob das ein Kompliment war.

»Komm.« Tante Anna klopfte auf den Sofaplatz neben sich. »Erzähl mir, was es Neues gibt.«

Kathleen setzte sich. Neben ihrer gertenschlanken Tante kam sie sich vor wie ein Brauereipferd. Tante Annas pechschwarzes Haar, dessen Farbe, wie ihre Mammy behauptete, aus der Flasche kam, lag in einer eleganten Rolle in ihrem Nacken.

Ihre großen Augen waren mit Kajalstift geschminkt, ihre Lippen leuchtend rot, was ihr mit ihrer makellosen weißen Haut ein dramatisches Aussehen verlieh.

Wie üblich fehlten Kathleen in Anwesenheit dieser Frau, die in der Ballettgemeinde Weltruhm genoss, die Worte. Der Kontrast zwischen den Schwestern, die nicht blutsverwandt, jedoch zusammen aufgewachsen waren – Mammy hatte von Annas Adoption erzählt –, hätte nicht größer sein können. In diesem kleinen Raum mit den düsteren, dunklen Möbeln wirkte Tante Anna wie eine exotische Pflanze, die sich in einen irischen Sumpf verirrt hatte.

»Kathleen, nun erzähl schon, was sich ereignet hat«, ermutigte Anna sie.

»Ich …« Kathleen fiel absolut nichts ein, was ihre Tante interessieren konnte. »Wir hatten Ferien. In einer Woche muss ich wieder in die Schule«, brachte Kathleen schließlich heraus.

»Hast du dir schon G-Gedanken gemacht, was du mal machen willst?«, erkundigte sich Anna.

Kathleen hatte nicht die geringste Ahnung. Sie wolle Ehefrau und Mutter sein, war wohl nicht die passende Antwort. »Ich weiß es nicht, Tante.«

»Und wie steht's mit Jungs?« Anna stieß sie verschwörerisch in die Rippen. »Es gibt d-doch sicher einen jungen Mann, der sich für dich interessiert, oder?«

Kathleen musste an den Jungen aus Skibbereen denken, den sie kurz zuvor bei einer örtlichen Veranstaltung kennengelernt hatte. John Ryan hatte viermal mit ihr getanzt, und sie hatten festgestellt, dass sie über Colleen Ryan entfernt miteinander verwandt waren. Aber in dieser Gegend waren alle irgendwie miteinander verwandt.

»Ich sehe doch, dass es da jemanden g-gibt, Schätzchen. Du wirst ja ganz rot!«

»Wirklich, Kathleen?«, fragte ihre Mutter. »Mir gegenüber hat sie davon nichts erwähnt, Anna.«

»Mädchen haben eben gern G-Geheimnisse, nicht wahr, Kathleen?«, meinte Tante Anna schmunzelnd.

»Ich habe keine Geheimnisse«, stammelte Kathleen, erneut errötend.

»Ein paar G-Geheimnisse können nicht schaden, oder, Sophia?«, sagte Tante Anna. »Kathleen, deine Mutter hat dir bestimmt erzählt, dass meine Adoptivmutter Mary meinem Vormund Lawrence Lisle weisgemacht hat, ich sei im Internat an G-Grippe gestorben. Kannst du dir das vorstellen?« Anna lachte. »Und dann habe ich die Stirn besessen, in Irland aufzukreuzen und den Bruder des Mannes zu heiraten, der d–dachte, ich sei seit Jahren tot. Das ist mal ein richtiges Geheimnis.«

»Ich finde das nicht besonders witzig«, stellte Sophia verärgert fest. »Du weißt so gut wie ich, dass unsere Mutter alles in ihrer Macht Stehende getan hat, um dich zu schützen, und dabei selbst auf vieles verzichten musste. Sie hätte im Gefängnis landen können.«

»Ja, kleine Schwester. Ich b–bin ihr auch schrecklich dankbar.«

»Deshalb hast du fünfzehn Jahre lang nicht mit ihr gesprochen und ihr das Herz gebrochen, oder?«, konterte Sophia.

Kathleen wäre am liebsten im Erdboden versunken.

»Also wirklich, Sophia! Ich muss mir von dir keine G-Gardinenpredigt anhören.« Anna verdrehte die Augen. »Ich bin nur wie jedes Mädchen in dem Alter f–flügge geworden. Du darfst nicht vergessen, dass ich zu dem Zeitpunkt nicht ahnte, was M–Mary für mich getan hatte. Aber wenden wir uns der Zukunft zu. Du weißt, dass ich nächste Woche mit Lily nach London fahre, um sie fürs Internat auszustatten?«

»Ja.«

Als Kathleen das Gesicht ihrer Mutter sah, wurde ihr klar, dass sie noch immer nicht die ganze Geschichte der Schwestern kannte.

»Ich kann's nicht glauben, dass ich am Montag wegmuss«, seufzte Lily, als sie mit Kathleen im Sand lag und zu den Sternen hinaufblickte. »Wie soll ich ohne das hier leben? Ohne die Weite und die Freiheit... ohne den Geruch des Meeres, den der Wind morgens in mein Zimmer weht... ohne die Stürme, die die Wellen gegen die Klippen peitschen. Und am schlimmsten: ohne die Einsamkeit. Ich glaube, ich mag die Menschen nicht. Du, Kathleen?«

Kathleen war Lilys bisweilen bizarre Gedanken gewohnt. »Darüber hab ich noch nie nachgedacht. Die Menschen sind einfach da; man muss mit ihnen zurechtkommen.«

»Aber kannst du dir vorstellen, das Schlafzimmer mit sieben Wildfremden zu teilen? Genau das muss ich in einer Woche. Ich glaube, dort hat man nicht mal beim Waschen seine Ruhe. Kathleen, kannst du dir das vorstellen?«

Das konnte Kathleen nicht. Plötzlich erschien ihr das eigene Leben sehr behaglich. Sie verstand nicht, warum ein Mädchen aus so gutem Hause wie Lily in eine Einrichtung musste, die sie an Charles Dickens' *Oliver Twist* erinnerte.

»Wie gesagt: Wenn ich's dort nicht aushalte, laufe ich weg«, fuhr Lily fort. »Ich habe Daddy Geld geklaut, genug für die Rückfahrt nach Irland. Wenn nötig, kann ich in eurer Scheune schlafen, und du bringst mir was zu essen.«

»Lily, so schlimm wird's schon nicht werden«, versuchte Kathleen, sie zu trösten. »Die Töchter vieler wohlhabender Familien besuchen dieses Internat. Du findest dort sicher Freundinnen.«

»Ich hasse Regeln, Kathleen, das weißt du«, jammerte Lily. »Ich komme einfach nicht mit ihnen klar.«

Kathleen fragte sich, ob das daran lag, dass man ihr zu Hause keine Grenzen setzte, oder eher an ihrer Persönlichkeit. Sophia bezeichnete ihre Nichte als Freigeist, und Kathleen musste ihr recht geben.

»Es wird sicher nicht so schlimm«, wiederholte Kathleen. »Junge Damen müssen nun mal da durch.«

»Gerald sagt, ihm hat's in Eton gefallen.« Lily drehte sich um, stützte den Kopf in die Hände und schaute zu Kathleen hoch. »Ich finde Gerald jetzt ziemlich attraktiv. Du auch?«

»Er ist nicht mein Typ«, antwortete Kathleen schaudernd.

»Jedenfalls ist er nicht mehr der pickelige arrogante Schnösel von früher. Er möchte übrigens an meinem letzten Abend in Irland zum Strand gehen und ein Abschiedspicknick für mich machen. Kommst du mit Joe?«

»Ich gern, aber Joe...?« Kathleen seufzte. »Ich hätte nicht gedacht, dass Gerald wert auf Joes Anwesenheit legt.«

»Ach, die Sache hat Gerald schon vergessen.« Lily tat Kathleens Bedenken mit einer Handbewegung ab. »Sag Joe, dass ich es mir wünsche, dann kommt er bestimmt. Ohne ihn wäre es nicht das Gleiche, oder?«

»Stimmt«, pflichtete Kathleen ihr bei.

32

Natürlich begann Joe bei der Aussicht auf einen Strandabend mit Lily zu strahlen. – Auch wenn sie den Grässlichen Gerald ertragen mussten. Bei Einbruch der Dunkelheit gingen Kathleen und Joe zur Bucht hinunter.

»Vergiss nicht, Joe, heute ist Lilys letzter Abend. Egal, was Gerald zu dir sagt: Lass dich nicht provozieren, ja?«

»Ja, Kathleen.«

»Versprochen?«

Joe nickte. »Versprochen. Hab was für Lily.« Joe nahm einen kleinen, fein geschnitzten Engel aus seiner Tasche. »Lily Engel«, stellte er fest.

Kathleen blieb stehen, um die Figur in Joes Hand zu betrachten. Sie wusste nicht, wie lange er gebraucht hatte, den Holzengel anzufertigen, und wie das mit seinen groben Fingern überhaupt möglich gewesen war.

»Joe«, sagte Kathleen mit aufrichtiger Bewunderung, »der ist wunderschön.« Sie legte ihre Hand auf die seine. »Damit machst du ihr bestimmt eine Riesenfreude.«

Gerald und Lily hatten bereits ein kleines Feuer am Strand entfacht; Gerald grillte über den Flammen Würstchen.

»Hallo, ihr zwei«, begrüßte Lily Kathleen und Joe. »Hoffentlich habt ihr genug Essen dabei. Mir knurrt der Magen! Ist es nicht toll hier?«

Die drei sahen ihr zu, wie sie vor Freude Luftsprünge machte und Pirouetten drehte.

»Sie hasst das Ballett, aber die Anmut hat sie von ihrer Mutter geerbt, findest du nicht auch, Kathleen?«, fragte Gerald.

»Ja.« Kathleen schaute zu Joe hinüber, der Lily voller Bewunderung betrachtete. Kathleen breitete die Decken, die sie mitgebracht hatte, auf dem Boden aus. »Setz dich, Joe.«

Joe tat ihr den Gefallen, ohne den Blick von Lily zu wenden.

Lily kehrte zu ihnen zurück und warf sich völlig außer Atem auf den Boden. »Wenn die Zeit in der blöden Schule vorbei ist, komme ich wieder her und bleibe für immer in Dunworley. Möchte jemand vor dem Essen schwimmen?«

Kathleen schüttelte den Kopf. »Mir ist es zu kalt, Lily.«

»Was bist du bloß für· eine Memme. Es ist mein letzter Abend daheim!«

»Na schön«, antwortete Kathleen widerwillig. »Kümmert ihr euch um die Würstchen, Jungs, ja?«

Joe und Gerald blickten den Mädchen nach, wie sie zum Wasser rannten. Gerald holte eine Flasche aus seinem Rucksack. »Während die beiden schwimmen, genehmigen wir uns einen Schluck. Das hilft gegen die Kälte.«

Joe wandte sich Gerald zu.

»Kartoffelschnaps, hausgebrannt. Den hat mein Vater von einem Pächter. Hast du schon mal welchen getrunken?«

Joe schüttelte den Kopf.

»Dann lass ihn uns probieren. Prost!« Gerald nahm einen großen Schluck und reichte Joe die Flasche.

Joe schnupperte daran und rümpfte die Nase.

»Was bist du? Mann oder Mäuschen? Jeder Ire sollte das Nationalgetränk mal versucht haben. Sonst hält Lily dich am Ende für einen Schlappschwanz, Joe.«

Joe setzte die Flasche vorsichtig an die Lippen. Hustend und würgend gab er sie Gerald zurück.

»Der erste Schluck ist der schlimmste, später schmeckt's besser.« Gerald trank noch einmal.

Als die Mädchen zurückkamen, waren die Würstchen durch, und Joe und Gerald alberten herum. Kathleen schlang zitternd eine Decke um den Leib, froh darüber, dass es keine Spannungen zwischen den Jungen zu geben schien.

»Probiert mal den Holundersaft.« Gerald zwinkerte Joe zu und reichte den Mädchen Gläser. Sie leerten sie durstig.

»Igitt!«, rief Lily aus. »Schmeckt komisch.«

»Ja«, pflichtete Kathleen ihr bei und sah Gerald an. »Was ist da drin?«

»Was gegen die Kälte, stimmt's, Joe? Möchtest du noch was?« Gerald reichte ihm die Flasche und erkundigte sich: »Wer will Würstchen?«

Vierzig Minuten später schaute Kathleen auf dem Boden liegend zum Himmel hinauf und fragte sich, warum die Sterne sich drehten. Gerald und Joe kicherten hemmungslos, und Lily tanzte ums Feuer.

Lächelnd schloss Kathleen die Augen und schlief ein.

Beim Aufwachen war ihr speiübel.

»Jesus, Maria und Josef!«, stöhnte sie und übergab sich. Als sie das Erbrochene mit Sand zuschüttete, stellte sie fest, dass sie sehr durstig war, und suchte nach der Flasche Wasser, die sie mitgebracht hatte.

Die Decke neben ihr war leer, das Feuer erloschen.

Sie trank gierig, sah sich nach den anderen um und trottete auf wackeligen Beinen zum Wasser, wo sie weder vergnügtes Lachen noch lautes Planschen hörte. Kathleen kehrte zum Feuer zurück und rief: »Ich weiß, dass ihr euch versteckt. Kommt raus!«

Keine Reaktion, nur das Geräusch sich am Strand brechender Wellen. »Sind sie am Ende nach Hause gegangen und haben mich allein zurückgelassen?«, fragte sich Kathleen laut. »Ich trage die Sachen nicht allein die Klippen hinauf.«

Nachdem sie sich heiser gerufen hatte, setzte Kathleen sich wieder auf die Decke. Dort bemerkte sie die leere Flasche im Sand. Sie hob sie auf, roch daran und stöhnte auf. Jetzt begriff sie, warum ihr so übel gewesen war. Gerald hatte den Holundersaft mit Kartoffelschnaps versetzt.

»Gerald, du Idiot! Warum hast du das gemacht?«

Mit einem flauen Gefühl im Magen stellte sich Kathleen vor, wie die drei betrunken ins Meer gegangen waren. Sie überlegte, was sie tun sollte. Wenn sie Hilfe holte und die Geschichte herauskam, versohlte Vater ihr den Hintern. Er glaubte ihr sicher nicht, dass Gerald Schnaps in den Saft gegeben hatte. Wie viel hatte Joe, der sonst nie Alkohol anrührte, getrunken? Der Himmel allein wusste, wie er auf ihn wirkte.

Nach weiteren zehn Minuten Suche wurde Kathleen klar, dass ihr nichts anderes übrig blieb, als Alarm zu schlagen. Sie wusste nicht, wie spät es war, und konnte nur hoffen, dass die anderen nach Hause zurückgekehrt waren. Kathleen ging ohne schlechtes Gewissen darüber, dass sie ihre Sachen am Strand ließ, in Richtung Klippenpfad.

Plötzlich hörte sie jemanden rufen.

Sie blickte sich um, konnte jedoch nichts erkennen.

»Kathleen, bist du das?«

»Ja!«, rief sie zurück.

»Ich bin's, Gerald!« Er rannte auf sie zu und erreichte sie schwer atmend. Nachdem er Luft geschöpft hatte, fragte er: »Hast du Lily und Joe gesehen? Sie wollten vor ungefähr einer Stunde ins Wasser. Ich habe ihnen versprochen, aufs Feuer aufzupassen. Als sie nicht zurückgekommen sind, habe ich nach ihnen gesucht, konnte sie aber nirgends finden. Waren sie bei dir? Hab ich sie verpasst?«

»Nein, ich war die ganze Zeit hier und hab sie auch nicht gesehen.«

»O Gott«, stöhnte Gerald. »Joe war ganz schön beschwipst. Hoffentlich ist ihnen nichts passiert.«

Kathleen stemmte die Hände in die Hüften. »Wieso hast du ihm Alkohol gegeben?«

»Joe ist erwachsen. Er hat nicht Nein gesagt.«

»Und was ist mit Lily und mir?«, fragte Kathleen wütend. »Du hast den Saft mit Kartoffelschnaps versetzt, du Idiot! Was für ein Teufel hat dich da geritten? Was, wenn Lily ertrunken ist? Dann bist du schuld!«

»Kathleen, ich hab nur ein bisschen Leben in die Sache gebracht. Mir kann keiner was nachweisen. Wem, glaubst du, glauben sie? Dir oder mir? Aber egal.« Er zuckte mit den Achseln. »Wir müssen Lily und Joe finden. Ich habe wirklich überall nach ihnen gesucht.«

Kathleens Blick fiel auf einen verschmierten Blutfleck an Geralds Shorts.

»Was ist das?« Sie deutete darauf.

Gerald schaute an sich herunter. »Hab mich wahrscheinlich beim Klettern an den Felsen verletzt. Ist nicht schlimm. Wollen wir uns noch mal umsehen, oder holen wir Hilfe?«

»Ich würde sagen, wir holen Hilfe.«

»Gut. Aber ich warne dich.« Gerald baute sich drohend vor ihr auf, und sie wich ängstlich zurück. »Vielleicht gehören euch ein paar Hektar Sumpf unten am Bach, doch ihr seid immer noch Pächter auf dem Grund meines Vaters. Wenn du ein Wort von der Flasche erwähnst, sorge ich dafür, dass mein Vater dich und deine Familie vor die Tür setzt. Kapiert?«

»Ja.« Kathleen nickte mit nassen Augen.

306

Eine Stunde später waren die Bewohner von Dunworley geweckt und begannen die Suche nach Lily und Joe.

Als der Morgen herandämmerte, holte ein Farmer aus der Gegend die anderen in die kleine Bucht, in der er die bewusstlose Lily mit zerrissenem Kleid entdeckt hatte. Sie war brutal verprügelt worden. Der Farmer trug sie zur Straße hinauf, wo er sie vorsichtig auf den Rücksitz eines Wagens legte und ins Krankenhaus nach Cork City brachte.

Wenig später fand man Joe tief und fest schlafend hinter einer Felsnase, keine zwanzig Meter von der Stelle entfernt, an der Lily gelegen hatte.

Als sie ihn weckten, wusste er nicht, wo er war.

»Lily«, murmelte er. »Wo Lily?«

33

Später am Nachmittag klopfte es an der Tür des Farmhauses. Sophia öffnete; zwei Polizisten standen davor.

»Mrs. Doonan?«

»Ja?«

»Wir würden uns gern mit Ihrem Sohn und Ihrer Tochter über vergangene Nacht unterhalten«, sagte einer der Beamten.

»Gibt's ein Problem?«, fragte Sophia nervös und ließ sie herein. »Sie sind gute Kinder und haben noch nie was angestellt.«

»Wir möchten zuerst mit Ihrer Tochter reden, Mrs. Doonan«, erklärte einer der Polizisten, als Sophia sie ins Wohnzimmer führte.

»Wie geht's Lily? Kathleen – meine Tochter – meint, sie ist die Felsen runtergestürzt. Ich ...«

»Darüber wollen wir mit ihr sprechen«, fiel der andere Beamte ihr ins Wort.

»Ich hole sie.«

Wenige Minuten später betrat Kathleen den Raum mit zitternden Knien.

»Kathleen Doonan?«

»Ja, Sir.«

»Setz dich, Kathleen. Du musst nicht nervös sein, wir wollen dir nur ein paar Fragen über vergangene Nacht stellen.«

»Lily geht's gut, oder?«, erkundigte sich Kathleen unsicher.

»Keine Sorge, sie erholt sich wieder«, antwortete einer der Polizisten. »Würdest du uns bitte die Ereignisse der Nacht schildern? Von dem Zeitpunkt an, als ihr vier zum Strand hinuntergegangen seid.«

Sie schluckte. »Wir wollten für Lily ein Abschiedspicknick machen, bevor sie ins Internat muss. Die Jungs haben sich ums Feuer gekümmert und Würstchen gegrillt; Lily und ich waren schwimmen.«

»Und dann?«, hakte der Beamte nach, während sein Kollege alles notierte.

»Wir sind zurückgekommen und haben was gegessen, und ich bin eingeschlafen.«

»Warst du müde?«

»Scheint so, Sir.«

»Wann bist du wieder aufgewacht?«

»Keine Ahnung. Jedenfalls waren Lily, Joe und Gerald verschwunden. Ich habe überall nach ihnen gesucht, konnte sie aber nicht finden. Irgendwann ist Gerald aus der kleinen Bucht aufgetaucht, wo Lily entdeckt wurde. Er sagte, er hätte ebenfalls nach ihnen gesucht. Wir haben Alarm geschlagen. Mehr weiß ich auch nicht«, erklärte Kathleen achselzuckend.

»Kathleen, sei jetzt ehrlich«, bat der Polizist. »Hattet ihr Alkohol dabei?«

»Ich ... Nein, Sir. Warum denken Sie das?«

»Weil im Krankenhaus festgestellt wurde, dass das Blut deiner Cousine Lily einen beträchtlichen Alkoholgehalt aufwies. Hat nur sie etwas getrunken?«

»Sir ...« Kathleen musste an Geralds Drohung denken. »Wir haben alle ein paar Schluck probiert, Sir. Bei Gerald weiß ich es nicht so genau«, fügte sie hastig hinzu.

»Und dein Bruder Joe?«

»Na ja, ein bisschen was hat er wohl schon getrunken.«

»Gerald Lisle behauptet, Joe hätte ganz schön gebechert.«

»Das glaube ich nicht, Sir. Joe trinkt normalerweise keinen

Alkohol, also steigt ihm wahrscheinlich bereits wenig zu Kopf.«

»Ja, etwas ist ihm zu Kopf gestiegen«, bestätigte der andere Beamte.

»Gerald sagt, dein Bruder hat Lily sehr gern. Stimmt das?«

»Ja, Sir, er vergöttert sie.«

»Gerald hat außerdem gehört, dass Joe Lily einen Heiratsantrag gemacht hat. Entspricht das den Tatsachen?«

Kathleen suchte nach Worten. »Wir kennen uns von Kindesbeinen an. Joe hat Lily immer geliebt.«

»Ja, doch jetzt seid ihr keine Kinder mehr. Jedenfalls nicht dein Bruder«, bemerkte der andere Polizist grimmig. »Neigt dein Bruder zu Aggressivität?«

»Joe? Ach was! Er ist sanft wie ein Lamm und würde keiner Fliege etwas zuleide tun.«

»Da hat Gerald uns aber etwas anderes erzählt, Kathleen. Seiner Aussage nach hat Joe ihm vor ein paar Wochen mit der Faust ins Gesicht geschlagen, und du kannst das bezeugen. Stimmt das?«

»Ich...« Kathleen trat Schweiß auf die Stirn. »Ja, ich war dabei, als Joe Gerald geschlagen hat, Sir. Er hat's nur gemacht, weil Gerald etwas über Lily gesagt hat, was ihm nicht gefiel. Er versucht, sie zu beschützen. Sie können jeden fragen: Joe ist harmlos, ein sanfter Mensch. Er hat's nicht so gemeint, wirklich nicht.«

»Ist er besessen von seiner Cousine Lily?«

»Nein.« Kathleen schüttelte den Kopf, weil sie das Gefühl hatte, dass ihr Dinge in den Mund gelegt wurden. »Er himmelt sie einfach nur an.«

»Kathleen, hast du je beobachtet, dass dein Bruder Lily angefasst hat?«

»Natürlich! Er trägt sie auf der Schulter, hebt sie hoch und wirft sie ins Wasser... Es ist ein Spiel...«

»Danke, Kathleen. Wir reden jetzt mit deiner Mutter, und dann mit Joe.«

»Joe steckt doch nicht in Schwierigkeiten, oder, Sir? Vielleicht hat er was getrunken und Gerald mal geschlagen, aber glauben Sie mir: Er würde niemandem ein Haar krümmen, am allerwenigsten Lily.«

»Das wär's fürs Erste, Kathleen. Könnte allerdings sein, dass wir noch einmal mit dir sprechen müssen.«

Kathleen verließ das Wohnzimmer mit Tränen in den Augen. Ihre Mutter, die in der Küche wartete, hob besorgt den Blick, als Kathleen hereinkam.

»Was wollen sie, Kathleen?«

»Keine Ahnung, Mam. Sie haben mir alle möglichen Fragen über Joe gestellt, ohne Erklärung. Ich weiß, dass Lily sich verletzt hat. Bei einem Sturz vom Felsen, oder? Nicht weil jemand...« Kathleen schlug die Hand vor den Mund. »O nein, Mam, die Leute von der Polizei denken doch nicht, Joe hätte...«

»Mrs. Doonan?«, fragte einer der Beamten von der Tür aus.

»Ja.« Sophia erhob sich seufzend und folgte ihm.

Kathleen zog sich in ihr Zimmer zurück, wo sie unruhig auf und ab lief, weil sie wusste, dass da etwas ziemlich schiefging. Nach einer Weile verließ sie das Zimmer und klopfte an der Tür zu dem von Joe. Als sie keine Antwort erhielt, öffnete sie sie und sah Joe auf dem Bett liegen, der, die Hände hinter dem Kopf, zur Decke starrte.

»Joe.« Sie trat zu ihm und setzte sich auf die Bettkante. »Wie geht's dir?«

Keine Reaktion.

Kathleen legte eine Hand auf seinen Arm. »Weißt du, was letzte Nacht mit Lily passiert ist? Und warum die Leute von der Polizei hier sind?«

Joe schüttelte den Kopf.

»Hast du gesehen, wie sie hingefallen ist und sich verletzt hat, Joe? Das ist doch so gewesen, oder?«

Joe schüttelte noch einmal den Kopf. »Weiß nicht. Hab geschlafen.«

»Joe, ich habe Angst. Denk nach. Hast du gesehen, wie Lily gefallen ist und sich verletzt hat?«, wiederholte sie.

»Nein. Hab geschlafen.«

»Joe, bitte hör mir zu. Versuch zu verstehen, was ich dir sage. Die Beamten könnten meinen, dass du Lily wehgetan hast.«

Joe richtete sich kerzengerade auf. »Nein! Lily wehtun? Nie!«

»Mir ist das klar, Joe, aber sie wissen es nicht. Sie sind hier, um rauszufinden, was heute Nacht geschehen ist. Ich habe den Eindruck, dass sie dir die Schuld in die Schuhe schieben möchten.«

»Nein! Ich tu Lily nicht weh!«, rief er empört aus.

»Den Polizisten da unten ist das möglicherweise nicht klar. Sie sehen es mit anderen Augen. Versprichst du mir, dass du nicht wütend wirst, wenn sie dir Fragen stellen, die dir nicht passen? Bitte, Joe, bemüh dich, ruhig zu bleiben, auch wenn sie wissen wollen, ob du Lily wehgetan hast«, flehte Kathleen ihn an.

»Ich tu Lily nicht weh. Ich liebe Lily!«, wiederholte Joe.

Kathleen biss sich in ihrer Verzweiflung auf die Lippe. »Vielleicht sehe ich zu schwarz, und Lily kann ihnen ihre Version der Geschichte erzählen.« Kathleen kniete sich aufs Bett und schlang die Arme um Joe. »Sag einfach, du hättest geschlafen.«

»Ja.« Joe nickte.

Kurz darauf trat ihre Mutter mit blassem Gesicht ein, um Joe zu holen.

Am Nachmittag nahmen die Polizisten Joe zur weiteren Befragung mit. Zwei Tage später kam ein anderer Beamter zu ihnen, um ihnen mitzuteilen, dass Joe wegen Vergewaltigung und Körperverletzung angeklagt werde. Bis zur Verhandlung müsse er im Gefängnis von Cork bleiben.

Als der Polizist weg war, setzte Sophia sich an den Tisch, stützte den Kopf auf die Unterarme und begann, stumm zu weinen. Seamus trat zu ihr und legte, ebenfalls Tränen in den Augen, die Arme um sie.

Nach einer Weile hob Sophia den Blick und ergriff die Hand ihres Mannes. »Er war es nicht, oder?«

»Nein, Schatz.« Seamus schüttelte den Kopf. »Keine Ahnung, wie wir die Anschuldigungen entkräften sollen.« Seamus wandte sich Kathleen zu. »Irgendjemand muss sich doch erinnern, was in der Nacht passiert ist. Kathleen, wie konntest du nur Kartoffelschnaps trinken? Du weißt, was der mit dem Hirn anstellt, besonders mit einem wie dem von Joe!«

»Pa, es tut mir so leid.« Kathleen hätte sich nichts sehnlicher gewünscht, als ihm zu erzählen, wie Gerald sie hereingelegt hatte.

»Die Polizei glaubt wie immer dem Engländer. Vielleicht sollte ich persönlich mit Gerald sprechen«, überlegte Seamus laut, während er in der Küche hin und her ging.

»Glaubst du, er würde dir die Wahrheit sagen? Wir wissen, dass unser Joe Lily das nicht angetan hat. Aber was sollen wir machen?« Sophia schüttelte verzweifelt den Kopf. »Wenn Gerald es war, gibt er es nie zu.«

»Und Lily?«, schlug Kathleen vor. »Darf ich sie besuchen? Du weißt, wie nahe wir uns sind, Mam.«

Sophia sah fragend ihren Mann an. »Was meinst du, Seamus? Soll Kathleen zu ihr gehen?«

»Es wäre einen Versuch wert«, antwortete Seamus.

Am folgenden Tag fuhr Kathleen mit dem Bus nach Cork, wo Lily im Bons Secours Hospital lag.

Als Kathleen das Zimmer betrat, hatte Lily die Augen geschlossen. Kathleen betrachtete die geplatzte Lippe und die blauen Flecken in ihrem Gesicht. Sie konnte sich nicht vorstellen, dass Joe seiner geliebten Lily so etwas angetan hatte. Kathleen setzte sich auf den Stuhl am Bett.

Wenig später schlug Lily blinzelnd die Augen auf.

Kathleen griff nach ihrer Hand. »Wie fühlst du dich?«

»Ich bin müde«, antwortete Lily. »Sehr müde.«

»Haben sie dir was gegen die Schmerzen gegeben? Vielleicht macht dich das müde.«

»Ja.« Lily leckte sich die Lippen. »Gibst du mir was zu trinken?«

Kathleen half Lily, sich aufzusetzen. Als das Glas leer war, stellte Kathleen es auf das Tischchen und fragte vorsichtig: »Was ist passiert, Lily?«

»Ich weiß es nicht.« Lily schloss die Augen wieder. »Ich erinnere mich nicht.«

»Du musst dich an was erinnern«, drängte Kathleen sie. »Du glaubst nicht, dass ... Joe würde dir so etwas nie antun, das weißt du doch, oder, Lily?«

»Die Leute von der Polizei fragen mich das auch die ganze Zeit, und ich kann ihnen keine Antwort darauf geben.«

»Lily, sie haben Joe verhaftet«, flüsterte Kathleen. »Sie halten ihn für den Schuldigen. Bitte sag ihnen, dass Joe dich liebt und dir niemals wehtun würde ... Bitte, Lily.«

Lilys Augen blieben geschlossen. »Ich kann es mir auch nicht vorstellen, aber wie soll ich etwas beschwören, woran ich mich nicht erinnere?«

»Was ist mit Gerald? Hat er versucht ...? Hast du dich gegen ihn wehren müssen ...?«

Lily schlug die Augen auf. »Kathleen! Er ist mein Halbbruder. Ihn kann ich wohl schlecht dafür verantwortlich machen. Außerdem...«, die Augen fielen ihr wieder zu, »... weiß ich es wirklich nicht. Bitte, ich bin sehr müde und will nicht weiter darüber reden.«

»Lily.« Kathleen schluckte die Tränen hinunter. »Wenn du dich nicht für Joe einsetzt, kommt er vielleicht ins Gefängnis! Ich flehe dich an...«

»Genug«, sagte eine Stimme hinter ihr.

Tante Anna stand mit verschränkten Armen an der Tür. »Ich g-glaube, es ist Zeit, dass du gehst, Kathleen.«

»Bitte, Tante Anna. Sie denken, unser Joe hätte Lily das angetan, aber du weißt, dass er sie anhimmelt und sie immer beschützen würde.«

»Genug!«, wiederholte ihre Tante mit rauer Stimme. »Es tut L-Lily nicht gut, wenn du dich so aufregst. Ich würde vorschlagen, du lässt die Polizei ihre Arbeit machen. Niemand weiß, wozu Joe imstande ist, wenn er g-getrunken hat, und ich glaube auch nicht, dass du dir dazu eine Meinung erlauben kannst, Fräulein. Du hast selber g-getrunken und nichts gesehen und gehört.«

»Nein, aber ich bin Gerald begegnet, und er hatte Blut...«

»Jetzt reicht's! Verschwinde sofort aus dem Zimmer meiner T-Tochter, sonst lasse ich dich rauswerfen. Sebastian und ich sind uns einig, dass der Schuldige seiner g-gerechten Strafe zugeführt werden muss. Und dafür werden wir sorgen!«

Kathleen rannte weinend aus dem Krankenhaus und setzte sich auf eine Bank in dem hübschen Garten draußen. Es hatte keinen Sinn... Wenn Lily und Tante Anna sich nicht für Joe einsetzten, war alle Hoffnung vergebens, das wusste sie.

Drei Monate später mussten Kathleen und ihre Eltern mit ansehen, wie Joe wegen Vergewaltigung und Körperverletzung zu lebenslänglich verurteilt wurde. Joes Anwalt gelang es aufgrund von Joes geistiger Behinderung immerhin, dass dieser seine Strafe in einer psychiatrischen Anstalt in den Midlands absitzen konnte.

Joe wurde mit verwirrtem und verängstigtem Blick unsanft von zwei Wächtern abgeführt.

»Joe!«, rief Sophia ihnen nach. »Bitte nehmt ihn mir nicht weg! Er ist mein Sohn, er versteht das alles nicht! Bitte… Er braucht mich… Joe!«

Als Joe draußen war, sank Sophia hemmungslos schluchzend auf einen Stuhl. »Eingesperrt im Irrenhaus und ohne seine Tiere – da geht er ein. Mein Gott…«

Kathleen setzte sich neben ihre Mutter. Sie würde den Lisles niemals verzeihen, was sie ihrer Familie angetan hatten.

Dunworley, Farmhaus, Gegenwart

»Mam«, murmelte Grania, als sie sah, dass Kathleen zu weinen anfing, und nahm sie in den Arm.

»Sorry, Liebes, es tut so weh, das zu erzählen.«

»Mam, ich weiß nicht, was ich sagen soll.« Grania holte ein Papiertaschentuch aus der Box neben dem Bett und tupfte ihrer Mutter sanft die Augen ab.

»Du denkst sicher, das ist lange her, aber ich habe Joe noch immer vor mir. Er hat überhaupt nicht verstanden, was passierte. Sie haben ihn in dieses schreckliche Heim gesteckt.« Kathleen schauderte bei der Erinnerung. »Grania, du kannst dir das nicht vorstellen.«

»Stimmt«, pflichtete Grania ihr mit leiser Stimme bei. »Habt ihr versucht, Berufung einzulegen?«

»Unser Anwalt meinte, das wäre Geldverschwendung.«
Kathleen lächelte traurig. »Joes Zustand hat sich in der Anstalt verschlechtert. Er hat sich immer schwergetan mit dem Reden und dort ganz aufgegeben. In den folgenden zehn Jahren seines Lebens hat er kein Wort mehr gesprochen, die ganze Zeit nur am Fenster gesessen und hinausgestarrt. Wenn wir ihn besucht haben, schien er uns nicht zu erkennen. Wahrscheinlich haben sie ihn mit Medikamenten ruhiggestellt wie die andern auch. Damit die Schwestern es leichter hatten mit ihnen.«

»Ist er nach wie vor dort, Mam?«

Kathleen schüttelte den Kopf. »Er hat einen Herzinfarkt erlitten, als du zwölf warst. Haben sie jedenfalls behauptet. Joe hatte einen Herzfehler; am Ende ist er wohl an gebrochenem Herzen gestorben.« Kathleen seufzte. »Worauf konnte der arme Junge sich denn noch freuen? Man hatte ihm unterstellt, Lily wehgetan zu haben, die er mehr liebte als sein eigenes Leben. Joe war nicht der Hellste und hat vermutlich nie begriffen, was da vor sich ging. Er hat sich in sich selbst zurückgezogen, sagte der Psychiater.«

»Mam.« Grania schüttelte den Kopf. »Was für eine grässliche Geschichte. Hat Lily jemals mit dir darüber gesprochen? Hat sie sich später erinnert, was geschehen ist?«

»An dem Tag im Krankenhaus habe ich das letzte Mal mit Lily Lisle geredet«, antwortete Kathleen. »Tante Anna hat sie nach London gebracht, sobald sie aus der Klinik heraus war, und wir haben sie erst wieder gesehen, als sie viele Jahre später mit ihrem Mann im Schlepptau zurück nach Dunworley House kam.«

»Und Gerald? Er hat sich ja wohl an Lily vergangen, oder?«

»Das werde ich jedenfalls bis an mein Lebensende glauben«, erklärte Kathleen. »Einer von ihnen muss es gewesen sein, und mein sanfter Bruder Joe war's bestimmt nicht. Ein Trost bleibt mir wenigstens: Von einem späteren Bediensteten Sebastian Lisles weiß ich, dass Gerald im Ausland umgekommen ist. Übrigens nicht für sein Vaterland, sondern betrunken, im Streit vor einer Bar auf Zypern. Noch vor Joe, mit vierundzwanzig. Weswegen Lily Dunworley House geerbt hat.«

»Denkst du, Lily wurde von dem, was ihr in jener Nacht zugestoßen ist, aus der Bahn geworfen? Alexander hat mir erzählt, dass sie psychisch sehr labil war.«

»Keine Ahnung. Lily war immer ein bisschen merkwürdig. Sie hat nie rausgelassen, ob sie sich an die Ereignisse jener Nacht erinnerte oder nicht. Wenn, hat es sicher ihr weiteres Leben beeinflusst.«

»Ja. Jetzt ist mir klar, warum meine Verbindung zu den Lisles dich so beschäftigt.« Grania ergriff die Hand ihrer Mutter. »Tut mir leid, wenn durch mich alles wieder aufgewühlt wurde.«

»Wie dein Vater richtig sagt: Die Vergangenheit hat nichts mit dir zu tun, auch wenn unsere Familie durch sie ruiniert wurde. Mam und Dad haben sich nie mehr richtig gefangen. Nicht nur Lily, sondern auch Mams Schwester Anna hat sich geweigert, sich für ihren Neffen einzusetzen, obwohl meine Mutter sie angefleht hat. Vielleicht hätte die Polizei auf sie gehört. Schließlich war sie die Frau des Gutsherrn.«

»Mam«, wandte Grania ein, »wie hätte das gehen sollen? Gerald war Annas Stiefsohn und sie die Frau seines Vaters. Was für ein Schlamassel.«

»Ja«, pflichtete Kathleen ihr bei. »Tante Anna hat immer gewusst, wo was zu holen ist. Sebastian konnte ihr ein behagliches Leben und alle Freiheit dieser Welt bieten. Nach dem Zwischenfall ist Tante Anna nur noch selten nach Irland gekommen und hat den größten Teil der Zeit in dem Londoner Haus verbracht, in dem sie aufgewachsen war. Die beiden Schwestern haben nie wieder miteinander gesprochen.«

Grania schwieg eine Weile, um zu verarbeiten, was sie gerade erfahren hatte. »Ich begreife, dass du Lily für das hasst, was sie Joe angetan hat, aber war es wirklich ihr Fehler? Sie hat auch gelitten, egal, wer der Schuldige war. Vielleicht fehlte ihr tatsächlich die Erinnerung, und ihren Halbbruder hätte sie schlecht bezichtigen können. Wer weiß? Gerald hat dir gedroht; möglicherweise hat er das Gleiche bei Lily gemacht, damit sie den Mund hielt.«

»Das predigt dein Daddy seit Jahren. Als Sebastian Lisle kurz nach Gerald gestorben ist und Lily Dunworley von ihrem Vater erbte, hat mein Daddy ihr nach London geschrieben und sie gefragt, ob er unsere Farm kaufen kann. Sie hat zugestimmt und ihm einen sehr fairen Preis gemacht.«

»Ohne zynisch sein zu wollen: Unter Umständen hat das ja geholfen, den Kontakt zwischen unseren Familien auf ein Minimum zu reduzieren?«

»Ja, wahrscheinlich. Vielleicht hatte sie auch ein schlechtes Gewissen.«

»Offenbar ahnt Alexander nichts von alldem.«

»Ich kann mir nicht vorstellen, dass seine Frau ihm davon erzählt hat.«

»Nein, doch es könnte helfen, wenn er Bescheid wüsste. Er sagt, er hätte sich noch nie wohlgefühlt in Dunworley.« Grania kratzte sich am Kopf. »Trotzdem hat Alexander alles in seiner Macht Stehende für Lily getan.«

»Das glaube ich gern. Wenn dich das beruhigt: Ich habe aufgehört, Lily Vorwürfe zu machen. Aber der Schmerz über die Sache mit Joe wird nie nachlassen.«

»Armer Joe, arme Lily. Hast du was dagegen, wenn ich Alexander einweihe, falls sich dazu Gelegenheit ergibt?«

»Nein. Ich hatte plötzlich das Gefühl, dass es wichtig ist, dir alles zu erzählen, bevor du morgen zu ihm fliegst. Ich bin als

Einzige übrig. Die Nacht damals hat unser aller Leben verändert.«

»Mam! Ich bin doch noch da, und Shane und Dad«, erwiderte Grania gespielt schockiert. »So schief kann es also gar nicht gelaufen sein.«

»Ja, Liebes.« Kathleen strich ihrer Tochter über die Wange. »Wenn dein Vater nicht gewesen wäre, hätte ich den Verstand verloren. Er war ein Schatz. Das ist er nach wie vor, auch wenn er mir manchmal auf die Nerven geht.« Sie schmunzelte. »Aber jetzt lasse ich dich lieber schlafen. Du musst morgen früh los. Versprich mir, auf dich aufzupassen, ja?«

»Klar, Mam. Ich bin schon erwachsen.«

»Nicht so erwachsen, dass du dir keine Ohrfeige von deiner Mutter mehr einfangen könntest«, meinte Kathleen schmunzelnd.

»Ich weiß. Gute Nacht, Mam. Ich hab dich lieb.«

»Ich dich auch, Grania.«

Kathleen verließ das Zimmer ihrer Tochter und ging in ihr eigenes nebenan. John schlief tief und fest; das Licht brannte. Nachdem sie ihren Mann sanft auf die Stirn geküsst hatte, trat sie an die Frisierkommode und nahm den kleinen Holzengel in die Hand, den Joe mit so viel Liebe für Lily geschnitzt hatte. Den hatte sie einige Wochen nach Joes Verurteilung im Sand entdeckt, wo Lily gefunden worden war. Sie drückte ihn an die Brust und hob den Blick.

»Schlaf gut, Joe, und träum was Schönes«, murmelte sie.

Aurora

Arme Kathleen! Unter den gegebenen Umständen wundert es mich, dass sie mich, eine Lisle, ins Haus gelassen hat.

Und armer Joe, dem das Schicksal so übel mitgespielt hatte!

Je mehr ich über meine Vergangenheit erfahre, desto mehr Gedanken mache ich mir darüber, wie mein genetisches Erbe aussieht. Immerhin war der Grässliche Gerald mein Onkel! Und Anna meine Großmutter, deren Egoismus dazu führte, dass Lily praktisch ohne Mutterliebe aufwuchs. Wie ich, bis Grania auftauchte.

Allerdings verstehe ich Lily jetzt besser. Ihre Schönheit machte sie genauso verletzlich wie Joe die geistige Behinderung. Sie war zerbrechlich wie er, wenn auch auf andere Weise. Möglicherweise spürte er das als Einziger. Für die meisten Leute gehen Schönheit und Reichtum mit Macht und Stärke einher. Doch Joe erkannte ihre Schwäche und wollte sie beschützen.

An anderer Stelle habe ich behauptet, dass die Welt nichts dazulernt. Ich glaube, ich habe mich getäuscht. Früher hat man Menschen wie Joe entweder gleich nach der Geburt ertränkt oder weggesperrt; heute kümmert die Gesellschaft sich um sie. Natürlich hat das auch seine Kehrseite. Kinder müssen – zumindest in der westlichen Welt – nicht mehr als Kaminkehrer Schornsteine hochklettern; sie sind der Mittelpunkt des Familienuniversums. Gerade in letzter Zeit habe ich mit einigen sehr verwöhnten kleinen Egoisten Bekanntschaft gemacht.

Ich bin froh, in der Gegenwart aufgewachsen zu sein. In der Vergangenheit wäre ich sicher als Hexe ertränkt worden.

Doch zurück zur Geschichte …

34

Ein livrierter Chauffeur wartete mit einem Schild, auf dem Granias Name stand, in der Ankunftshalle des Genfer Flughafens und brachte sie zu einem schwarzen Mercedes. Grania stieg ein.

Als sie durch Genf fuhren, fragte Grania sich, ob sie blauäugig gewesen war. Konnte sie Alexander vertrauen? Sie wusste so wenig über ihn. Vielleicht war er ein Drogenbaron oder Waffenhändler ...

Der Wagen hielt in den Bergen hinter der Stadt vor einem hell erleuchteten modernen Gebäude. Der Chauffeur öffnete die Beifahrertür für Grania.

»Ich warte hier auf Sie. Mr. Devonshire ist im zweiten Stock. Die Schwestern zeigen Ihnen das Zimmer.«

Erst jetzt fiel Grania auf, dass sie sich vor der Clinique de Genolier befand. »Oje«, murmelte sie.

Sie nahm den Lift nach oben und stellte sich im Schwesternzimmer vor.

Eine der Schwestern begrüßte sie mit einem Lächeln. »Mr. Devonshire erwartet Sie. Folgen Sie mir bitte.«

Grania ging mit ihr den Flur entlang. Als die Schwester an der Tür zu Alexanders Zimmer klopfte, erklang ein schwaches: »Herein.«

Alexander war ein Schatten seiner selbst. Er hatte keine Haare mehr auf dem Kopf, die Haut schimmerte fahlgrau, er hing am Tropf und war mit Monitoren verbunden.

»Ich lasse Sie eine Weile allein«, erklärte die Schwester und schloss die Tür hinter sich.

»Grania, danke, dass du gekommen bist.«

Grania wusste, dass ihr das Entsetzen im Gesicht geschrieben stand.

»Das hast du sicher nicht erwartet«, krächzte Alexander.

Grania schüttelte den Kopf. Er gab ihr mit einer matten Geste zu verstehen, dass sie näher kommen solle. Sie zog einen Stuhl heran, setzte sich und küsste ihn auf die kalte Stirn.

»Alexander«, flüsterte sie, »was ist los? Bitte erklär es mir.«

Er nahm ihre Hand in die seine.

»Hirntumor. Ich weiß es seit einem Jahr. Es ist nicht die erste Behandlung.« Er lächelte traurig. »Wie du siehst, hat nichts angeschlagen. Ich liege im Sterben, Grania. Ich dachte, mir bleibt noch Zeit, aber…«, er fuhr sich mit der Zunge über die trockenen Lippen, »…ich hab nicht mehr lang.«

Grania begann zu weinen. »O Gott, Alexander. Warum hast du nichts gesagt? Mir war klar, dass etwas nicht stimmt. Du hast furchtbar ausgeschaut. Und dann immerzu diese Kopfschmerzen… Jetzt begreife ich.« Sie holte ein Taschentuch hervor. »Warum hast du nichts gesagt?«, wiederholte sie.

»Ich wollte nicht, dass ihr euch Sorgen macht.«

»Können die Ärzte denn nichts mehr tun?«

»Nein. Sie haben alles versucht.«

»Wie lange…?« Grania schaffte es nicht, den Satz zu beenden.

»Zwei Wochen, vielleicht drei… So, wie ich mich fühle, eher weniger. Grania…«, er drückte ihre Hand, »…du musst mir helfen.«

»Was soll ich tun?«

»Es beschäftigt mich, dass ich niemanden habe, der sich um Aurora kümmert, wenn ich nicht mehr bin.«

»Mach dir darüber keine Gedanken. Meine Familie und ich, wir nehmen sie unter unsere Fittiche.«

»Armes Mädchen ... was sie schon alles durchmachen musste. Grania, warum ist das Leben so grausam?«

»Ich weiß es nicht, Alexander. Aber ich verspreche dir, dass es Aurora gut gehen wird.«

»Entschuldige ... Ich bin furchtbar müde. Kommt von den Medikamenten.« Alexander schloss die Augen.

Nach einer Weile öffnete er sie wieder. »Ich vertraue dir, Grania, weil ich weiß, wie sehr du Aurora magst. Und deine Familie ... ihr seid gute Menschen. Ich möchte, dass Aurora bei euch ist.«

»Wir nehmen sie bei uns auf.«

Alexander schüttelte matt den Kopf. »Das reicht nicht. Ich will kein Risiko eingehen. Grania, ich muss dich um einen Gefallen bitten.«

»Ja?«

»Heiratest du mich?«

Grania sah Alexander entgeistert an.

»Dich heiraten? Aber ...?«

»Ich weiß, das ist nicht gerade ein Traumangebot.« Alexanders Mund verzog sich zu einem traurigen Lächeln. »Ich wünschte, ich könnte dich unter angenehmeren Umständen fragen.«

»Ich verstehe nicht, Alexander. Würdest du es mir bitte erklären?«

»Das macht morgen mein Anwalt. Dann kann ich in dem Wissen sterben ...«, Alexander holte tief Luft, »... dass für Aurora gesorgt ist.«

»Alexander ...«

»Würdest du das für mich tun?«, krächzte er.

»Ich ... Das kommt alles ziemlich unerwartet. Ich brauche Zeit zum Nachdenken.«

»Ich habe leider keine Zeit. Bitte, Grania, ich flehe dich an. Ich verspreche dir, dass du den Rest deines Lebens keine finanziellen Sorgen mehr haben wirst.«

»Ich brauche dein Geld nicht, Alexander.«

»Bitte, Grania. Bevor's ... zu spät ist.«

»Okay«, sagte sie, »ich mach's.«

Nach einer schlaflosen Nacht in der exklusiven Suite eines Genfer Hotels wurde Grania um zehn Uhr von Alexanders Chauffeur abgeholt und erneut zur Klinik gebracht.

Alexander rang sich ein mattes Lächeln ab, als sie sein Zimmer betrat. Neben seinem Bett saß ein älterer Herr im makellosen Anzug.

Er erhob sich und reichte Grania die Hand.

»Hallo, Miss Ryan, ich bin Hans Schneider, ein alter Freund von Mr. Devonshire, sein Anwalt und Patenonkel von Aurora«, stellte er sich vor.

»Hans möchte mit dir besprechen, worüber wir uns gestern Abend unterhalten haben«, sagte Alexander. »Du hast es dir doch nicht anders überlegt, oder?«

»Offen gestanden, habe ich überhaupt nichts gedacht. Ich glaube, ich stehe immer noch unter Schock«, antwortete Grania.

»Das kann ich verstehen«, meinte Hans. »Ich würde vorschlagen, dass wir beide ins Restaurant hinuntergehen und ich Ihnen dort alles erkläre.«

Grania, die das Gefühl hatte, eine Figur in einem komplexen Spiel zu sein, nickte stumm.

Unten bestellte Hans Kaffee für sich und Grania, bevor er mehrere Aktenordner auf den Tisch legte. »Miss Ryan«, fragte er mit seinem deutschen Akzent, »darf ich Sie Grania nennen?«

»Natürlich.«

»Sie sollten wissen, dass alle Arrangements dazu dienen, nach Alexanders Tod Sicherheit für Aurora zu schaffen.«

»Reicht es nicht, wenn er in seinem Testament oder einem anderen juristischen Dokument festlegt, dass ich mit meiner Familie Aurora adoptieren soll?«

»Unter normalen Umständen wäre das wahrscheinlich genug. Aber dies sind keine normalen Umstände. Ich spreche in Alexanders Namen, weil er selbst nicht mehr die Kraft besitzt, Ihnen seine Gedanken angemessen zu erläutern, und selbstverständlich müssen Sie genauestens darüber informiert sein. Es geht ihm ausschließlich um Aurora. Er möchte in dem Wissen sterben, dass ihre Zukunft gesichert ist. Wenn Sie ihn heiraten, werden Sie Auroras Stiefmutter. Reichen wir den Adoptionsantrag jetzt ein, kann niemand Einwände dagegen erheben.«

»Warum sollte jemand das tun?«

»Alexander ist sehr wohlhabend. Sein Besitz geht an Aurora, die außerdem Dunworley House und andere Immobilien ihrer Mutter Lily erbt. Ein Großteil des Vermögens ist fest in Fonds angelegt, auf die Aurora erst mit einundzwanzig Jahren zugreifen kann, und ein hoher Betrag wird der oder den Personen anvertraut, die sie großziehen. Mr. Devonshire hat Verwandte, die gern so viel Geld hätten. Zum Beispiel seine Schwester, seine engste Blutsverwandte, der zuzutrauen ist, dass sie Alexanders Letzten Willen vor Gericht anficht. Er hat seit zehn Jahren keinen Kontakt mehr zu ihr, weswegen ich verstehe, warum Alexander nicht möchte, dass Aurora und sein Vermögen bei seiner Schwester landen.«

»Ja.«

»Vielleicht halten Sie Alexander für übervorsichtig, aber meine fünfunddreißigjährige Erfahrung als Anwalt lehrt, dass die Aasgeier sich nach Alexanders Tod auf das Erbe stürzen werden. Er möchte kein Risiko eingehen.«

»Das leuchtet mir ein.«

»Als Alexanders Anwalt, guter Freund und Patenonkel von Aurora muss ich Sie fragen, ob Sie bereit sind, die Verantwortung einer Adoption auf sich zu nehmen.«

»Wenn es nicht anders möglich ist: ja. Ich mag sie sehr.«

»Das ist das Wichtigste. Alexander möchte jedoch nicht, dass die Adoption in irgendeiner Weise Ihre Zukunft beeinflusst. Ich soll Ihnen sagen, dass Aurora in Irland bei Ihren Eltern bleiben kann, falls Sie beschließen sollten, nach New York zurückzukehren. Darf ich Sie fragen, wie das Verhältnis Ihrer Familie zu Aurora aussieht?«

»Sie haben sie sehr gern, und Aurora fühlt sich wohl bei ihnen. Sie ist gerade dort. Aber Hans ...«, Grania schüttelte den Kopf, »... wie soll ich es Aurora beibringen, dass ihr Vater ...«

Hans tätschelte ihre Hand. »Deshalb möchte Alexander, dass Sie ihn heiraten. Aurora verliert zwar den Vater, gewinnt jedoch eine Mutter. Er meint, das könnte den Schlag abmildern. Seiner Ansicht nach sind Sie für sie ohnehin eine Art Mutterersatz.«

»Ich liebe sie tatsächlich, als wäre sie meine Tochter. Die Beziehung zu ihr war von Anfang an etwas ganz Besonderes.«

»Gottes Wege sind bisweilen verschlungen«, bemerkte Hans. »Wenn Sie Alexanders Vorschlag annehmen, stirbt er immerhin in dem Wissen, dass seine Tochter in guten Händen ist und geliebt wird. Ich kann Ihnen gar nicht sagen, wie sehr Alexander Sie schätzt, Grania. Und ich muss Ihnen mitteilen, dass die Zeit knapp ist, vielleicht knapper, als Alexander denkt. Wir sollten die Trauung gleich für morgen ansetzen. Ich bitte den örtlichen Standesbeamten, sie im Krankenhaus vorzunehmen.«

Sie nickte stumm. Da hatte sie sich nun so viele Jahre geweigert, Matts Frau zu werden, und konnte nun nicht anders, als Alexander zu heiraten.

»Alexander hat Sie gebeten, Ihre Geburtsurkunde mitzubringen. Wenn Sie mir die und Ihren Pass geben und dieses Formular unterzeichnen, das ich bereits für Sie ausgefüllt habe, veranlasse ich alles Nötige.«

Grania unterschrieb und reichte ihm Geburtsurkunde und Pass.

»Danke. Nun zu den Adoptionsunterlagen.«

Grania unterzeichnete Formular um Formular.

Hans verstaute die Papiere in seiner Aktentasche. »Sie wissen nicht, worauf Sie sich als Alexanders Ehefrau einlassen, und haben trotzdem alle Formulare unterschrieben.«

»Um das Geld geht es mir nicht. Ich tue es nur, weil ich Aurora und ihren Vater sehr gernhabe.«

Hans bedachte sie mit einem freundlichen Lächeln. »Jetzt begreife ich, warum Alexander möchte, dass Sie seine Tochter großziehen. Er sagt, Sie interessieren sich nicht fürs Geld, und soeben hat sich seine Einschätzung als richtig erwiesen.«

Grania wurde klar, dass er sie auf die Probe gestellt hatte. »Ich habe mich nicht um dieses Arrangement gerissen, verdiene mir selbst meinen Lebensunterhalt und brauche Alexanders Geld nicht.«

»Ich musste sichergehen, dass er im Vollbesitz seiner geistigen Kräfte ist. Nun weiß ich, dass das der Fall ist. Ich fungiere als Testamentsvollstrecker und regle alles Finanzielle für Sie und Aurora. Ich helfe Ihnen, wo immer ich kann. Nun zu dem, was er Ihnen hinterlässt…«

»Darüber können wir uns ein andermal unterhalten«, erwiderte Grania erschöpft. »Ich würde jetzt gern zu Alexander gehen.«

»Alexander«, flüsterte Grania, als sie sich neben ihn setzte. Er schlug die Augen auf.

»Hallo, Grania.«

»Hans hat mir alles erklärt. Ich habe den Adoptionsantrag unterschrieben, und morgen heiraten wir.«

Unter großen Mühen wandte er ihr den Kopf zu und hielt ihr die Hand hin. »Danke, Grania. Kaufst du dir was Schönes zum Anziehen? Ach ja, und der Ring.« Alexander deutete auf eine Schublade in dem Nachtkästchen neben seinem Bett.

Sie holte ein rotes Lederetui von Cartier heraus. Alexander streckte die Hand danach aus, richtete sich stöhnend auf und öffnete es. Granias Blick fiel auf einen funkelnden Diamantring.

»Grania Ryan, willst du meine Frau werden?«

Grania nickte. »Ja, Alexander.«

Mit letzter Kraft steckte er ihr den Ring an den Finger. »Noch eins, Grania.« Er drückte ihre Hand. »Bleibst du bei mir ... bis es zu Ende ist? Wie meine Frau?«

»Natürlich. Aber was sagen wir Aurora?«

»Dass wir Flitterwochen machen. Darüber freut sie sich bestimmt.«

»Wie soll ich ihr das erklären?«

»Dir fällt schon das Richtige ein. Jetzt hat sie immerhin eine Mutter, die sie liebt.«

Alexander fielen die Augen zu. Grania blieb neben seinem Bett sitzen, während er schlief, den Blick auf den fernen Mont Blanc gerichtet.

Noch nie hatte sie sich so einsam gefühlt.

Nachdem Kathleen Aurora zur Schule gebracht hatte, fütterte sie die Hühner und sammelte die Eier ein. Grania war nun vier Tage weg und hatte sich noch nicht gemeldet. Kathleen hatte mehrfach versucht, sie anzurufen, doch ihr Handy war die ganze Zeit ausgeschaltet.

Später am Tag klingelte das Telefon. Kathleen nahm den Hörer von der Gabel.

»Mam? Ich bin's, Grania.«

»Jesus, Maria und Josef! Endlich.«

»Tut mir leid, Mam. Du machst dir keine Vorstellung, was passiert ist. Momentan habe ich keine Zeit zum Reden. Ist Aurora da?«

»Nein, heute ist Montag, falls du das vergessen hast. Sie ist in der Schule.«

»Ach so, ja. Ich versuch's später noch mal. Im Augenblick ist es schwierig. Mam, würdest du ihr bitte etwas von mir ausrichten?«

»Was?«

»Sag ihr ... dass ihr Daddy und ich ... dass wir geheiratet haben. Und dass ich im Moment ihre neue Mammy bin.«

»Wie bitte? Du hast Alexander geheiratet?«

»Ja, Mam, das ist eine lange Geschichte. Ich kann dir das jetzt nicht erklären. Aber es ist nicht so, wie es scheint.«

»Am Abend vor deiner Abreise hast du gesagt, dass du dich immer noch nach Matt sehnst. Bist du von allen guten Geistern verlassen?«

»Mam, bitte vertrau mir und sag Aurora, dass ihr Daddy und ich Flitterwochen machen. Wir wissen nicht genau ...«, sie schluckte, »... wie lange.«

»Aha. Könntest du es *mir* verraten?«

»Ich wünschte, ich könnte es, Mam.«

»Grania Ryan ... oder Grania ... wie heißt du jetzt?«

»Devonshire. Mrs. Devonshire.«

»Wenigstens nicht Lisle.«

»Mam, ich erkläre dir alles, wenn ich daheim bin. Gib Aurora einen dicken Kuss von mir und sag ihr, dass ihr Daddy und ich sie sehr gernhaben. Ich melde mich bald wieder.«

Sie legte auf.

Kathleen, die nur selten Alkohol trank, war so durcheinander, dass sie sich im Wohnzimmer ein Glas Sherry einschenkte. Nachdem sie es mit einem Zug geleert hatte, kehrte sie zum Telefon zurück, suchte die selten benutzte Handynummer ihres Mannes heraus und wählte sie.

35

Matt fühlte sich elend und verwirrt. Für einen Autor der Harvard Press, der regelmäßig Vorträge über Psychologie hielt und Fachartikel verfasste, herrschte bemerkenswertes Chaos in seinem Leben.

Seine Reaktion auf Charleys Eröffnung, dass sie schwanger sei, war jämmerlich gewesen. Charley hatte das Lokal in Tränen aufgelöst verlassen. Er hatte bezahlt und war ihr wenige Minuten später gefolgt. Zu Hause hatte Charley sich in ihr Zimmer zurückgezogen. Er hatte geklopft und keine Antwort erhalten.

»Darf ich reinkommen?«, hatte er gefragt.

Schweigen, also war er einfach hineingegangen. Charley hatte die Bettdecke über den Kopf gezogen.

»Darf ich mich setzen?«

Ein gedämpftes »Ja«.

»Charley, ich wollte mich entschuldigen.«

»Okay.«

»Hast du überlegt, was du tun wirst? Ich meine ... willst du es?«

Charley hatte wütend die Decke zurückgeschlagen und sich aufgesetzt. »Bittest du mich etwa um eine Abtreibung?«

»Nein. Ich hab mir noch keine Gedanken darüber gemacht, was *ich* will. Im Augenblick geht's mir um *dich*.«

»Hey, Matty, du warst auch mit von der Partie. Es geht also um ›uns‹.«

Was für ein ›uns‹?, hatte Matt sich gefragt, ohne es auszusprechen, weil er Charley nicht noch zorniger machen wollte. »Ich weiß, aber ich möchte zuerst hören, was du denkst.«

Charley hatte ihre langen Beine hochgezogen und die Arme darum geschlungen. »Da du mir in der fraglichen Nacht erklärt hast, dass du mich liebst, würde ich mich gern auf die Aussicht eines Du, Ich und ›Es‹ freuen. Weil du mir aber heute Abend deutlich zu verstehen gegeben hast, dass das nicht so ernst gemeint war, weiß ich nicht, was ich will.«

»Dann brauchen wir beide Zeit zum Nachdenken.«

»So viel Zeit bleibt mir leider nicht. Das Kind wächst in meinem Bauch, und ich möchte mich nicht zu sehr daran gewöhnen, falls ich ...«

»Nein. Du bist ... ganz sicher?«

»Zweifelst du etwa? Als Nächstes muss ich dir wahrscheinlich mit einem Vaterschaftstest beweisen, dass das Baby von dir ist!«

»Natürlich nicht, Charley. Wir kennen uns ewig; du lügst mich nicht an. Wir kriegen das schon hin. Ich muss morgen weg; vielleicht ist das gar nicht so schlecht. Das gibt uns Raum und Zeit zum Nachdenken. Reden wir doch weiter, wenn ich zurück bin und wir uns beide ein bisschen beruhigt haben, ja?«

»Okay«, hatte Charley unter Tränen zugestimmt.

Daraufhin hatte Matt sie auf die Stirn geküsst und war aufgestanden. »Versuch zu schlafen.«

»Matty?«

»Ja?«

»Willst du dieses Baby?«

»Ehrlich gesagt, weiß ich das nicht.«

Das war eine Woche zuvor gewesen. Wem, fragte er sich jetzt, als er die Tür zum Loft aufschloss, machte er eigentlich etwas vor? Er war sich absolut sicher, dass er Charley nicht

liebte und kein Kind mit ihr wollte. Wenn er sich darauf ein-
ließ, tat er es nur, weil er ein Gentleman und seit Kindertagen
mit Charley befreundet war. Außerdem verkehrten ihre Eltern
in denselben Kreisen. Ihn schauderte bei der Vorstellung, wie
die Mitglieder des Country Clubs die Stirn runzeln würden,
wenn sich herumsprach, dass Charley von ihm schwanger war
und er sich geweigert hatte, bei ihr zu bleiben.

Leider, dachte Matt, als er seine Reisetasche ins Schlafzimmer stellte, hielt Charley alle Trümpfe in der Hand. Wenn sie
beschloss, das Kind zu bekommen, blieb ihm letztlich keine
andere Wahl, als es zumindest mit ihr zu versuchen. Er hätte
es schlechter treffen können – immerhin kannte er sie gut,
sie verstanden sich, hatten denselben gesellschaftlichen Hintergrund und dieselben Freunde …

Vielleicht sollte er es wie eine arrangierte Ehe betrachten;
die war immerhin ein erprobtes Konzept. Mit Grania hatte
es ja nicht geklappt. Matt warf einen Blick auf ihr Foto auf
dem Nachtkästchen und schluckte. Die lachende, von Tauben
umflatterte Grania sah darauf kaum älter als ein Teenager aus.
Es war während eines gemeinsamen Florenzurlaubs vor dem
Dom aufgenommen worden.

Matt setzte sich auf das Bett, das sie einmal geteilt hatten
und in dem er sie, ohne es zu wissen, mit Charley betrogen
hatte. Grania fehlte ihm. Am liebsten hätte er ihr erzählt, was
passiert war. Sie war nicht nur seine Partnerin, sondern auch
seine beste Freundin gewesen. Ihre irische Bodenständigkeit
hatte ihm immer geholfen, klarer zu sehen. Einem plötzlichen
Impuls folgend, griff Matt in seine Reisetasche und holte sein
Handy heraus. Ohne zu überlegen, wählte er Granias Nummer. Er wusste nicht einmal, was er sagen würde, wenn sie tatsächlich ranging, wollte nur ihre Stimme hören. Da das Handy
ausgeschaltet war, rief er bei ihren Eltern an.

»Hallo?«, meldete sich eine Matt unbekannte Kinderstimme nach dem zweiten Klingeln.

»Hallo. Mit wem spreche ich denn?«

»Mit Aurora Devonshire«, antwortete die Stimme mit englischem Akzent. »Und wer sind Sie?«

»Matt Connelly. Habe ich die richtige Nummer gewählt? Ich würde gern mit Grania Ryan reden.«

»Ja, Mr. Connelly. Leider ist Grania nicht da.«

»Weißt du zufällig, wo sie ist?«

»Ja, in der Schweiz. Sie macht dort Flitterwochen mit meinem Vater.«

»Wie bitte?« Matt versuchte den Worten, die er soeben gehört hatte, Sinn abzugewinnen. »Könntest du das bitte wiederholen?«

»Selbstverständlich. Grania hat meinen Vater vor einer Woche geheiratet und macht mit ihm Flitterwochen in der Schweiz. Soll ich ihr etwas ausrichten? Wir erwarten sie jeden Tag zurück.«

»Nein… Ich meine…« Matt wollte sicher sein, dass das Kind ihm die Wahrheit sagte. »Ist Kathleen zu Hause?«

»Ja. Soll ich sie holen, Mr. Connelly?«

»Ja, das wäre nett.« Matt betete, dass Kathleen die Sache aufklären würde.

»Hallo?«

»Kathleen, ich bin's, Matt.«

»Ach…« Kathleen schwieg kurz. »Hallo, Matt. Wie geht's?«

»Gut. Entschuldige, dass ich störe, aber das Kind, mit dem ich gerade geredet habe, behauptet, Grania hat geheiratet und macht Flitterwochen. Stimmt das?«

Schweigen am anderen Ende der Leitung, dann hörte Matt Kathleen seufzen. »Offenbar ja.«

»Grania ist… verheiratet?«

335

»Ja, Matt, tut mir leid.«

»Ich muss aufhören, Kathleen. Danke für... die Information. Tschüs.«

»Pass auf dich auf, Matt«, sagte Kathleen, doch er hatte bereits aufgelegt.

Grania... *verheiratet?*, dachte Matt. Nachdem sie sich so viele Jahre lang geweigert hatte, ihn zum Mann zu nehmen... Sie hatte ihn ohne Erklärung verlassen und wenige Monate später einen anderen geheiratet. Matts Herz klopfte wie wild, und ihm war schwindlig. Er wusste nicht, ob er lachen oder weinen sollte. Es war grotesk...

Matt wurde wütend. Er nahm Granias Foto vom Nachtkästchen und schleuderte es an die Wand, wo das Glas in tausend Scherben zerbarst. Da hörte er, wie die Wohnungstür aufging.

»Jesus.« Matt strich sich die Haare aus dem Gesicht. »Kann man denn keine Sekunde seine Ruhe haben?« Er versuchte, seinen Zorn zu zügeln.

Fünf Minuten später klopfte es an seiner Schlafzimmertür. Er öffnete sie. »Hallo, Charley.« Erleichtert stellte er fest, dass sie sich erholt hatte.

Sie strahlte ihn an. »Hallo, Matt, wie geht's, wie steht's?«

»Na ja...«

»Hey, Schätzchen, du scheinst ganz schön durch den Wind zu sein.«

»Bin ich auch.«

»Harte Woche?«, fragte sie.

»Könnte man sagen, ja.«

»Wollen wir was essen gehen?«

»Ja, warum nicht?«

»Okay. Ich dusch nur noch schnell; in einer Viertelstunde bin ich fertig.«

»Gut.«

Während Charley duschte, nahm Matt ein Bier aus dem Kühlschrank, schaltete den Fernseher ein, zappte herum und blieb bei einem Baseballmatch hängen. Wenig später klingelte es an der Tür, und Matt ging hin.

»Hallo?«, sagte er in die Gegensprechanlage.

»Hallo, Matt, ich bin's, Roger. Grania hat mir ein Buch geliehen. Das wollte ich zurückbringen.«

Roger war ein Freund von Grania, mit dem sie in ihrer Anfangszeit in New York zusammengewohnt hatte. Matt konnte ihn gut leiden.

»Komm rauf.« Er drückte auf den Öffner, und bereits drei Minuten später bot er ihm ein Bier an. »Was machst du hier?«, erkundigte er sich.

»Ich hab mir gerade ein Zimmer in einem Loft ein paar Blocks von hier angeschaut. Wahrscheinlich nehm ich es. Die Gegend gefällt mir. Ist Grania nicht da?«

»Nein.«

»Schade. Wie läuft's beruflich? Grania hat mir erzählt, dass du dir allmählich einen Namen machst.«

»Hat sie das? Nun, irgendwie muss man sich ja seinen Lebensunterhalt verdienen. Du arbeitest im Krankenhaus, stimmt's?«

»Ja, und bei den vielen Stunden, die ich da verbringe, überlege ich, ob ich mir nicht einen gemütlicheren Job suchen soll.« Roger nahm einen Schluck Bier. »Wie geht's Grania?«

Matt seufzte. »Offen gestanden: Ich weiß es nicht.«

»Aha.«

Verlegenes Schweigen.

»Ich bin fertig«, verkündete Charley, als sie aus der Dusche kam. Ihr Blick fiel auf Roger. »Wer ist das?«, erkundigte sie sich.

»Roger Sissens. Hallo«, stellte er sich vor und streckte ihr die Hand hin. »Und du?«

»Charley Cunningham. Schön, dich kennenzulernen.«

»Gleichfalls«, sagte Roger und musterte Charley. »Kennen wir uns nicht irgendwoher?«

»Nein. Ich habe ein gutes Gedächtnis für Menschen und erinnere mich nicht an dich. Wollen wir gehen, Matty?«

»Ja, klar.« Matt fühlte sich ausgesprochen unbehaglich. Er wusste genau, was Roger dachte.

»Ich will euch nicht aufhalten«, sagte Roger und leerte sein Bier. »Ich fahr mit euch runter.«

Sie verließen die Wohnung und warteten schweigend auf den Lift.

»Freut mich, dich kennengelernt zu haben, Charley«, sagte Roger unten, Granias Buch nach wie vor in der Hand. »Bis bald, Matt.«

»Ja, Roger.«

Charley hakte sich bei Matt unter und schob ihn hinaus auf den Gehsteig. »Merkwürdiger Typ«, lautete ihr Kommentar.

Beim Essen schien Charley darauf bedacht, Konversation zu machen. Sie waren schon beim Kaffee, als Matt endlich den Mut aufbrachte, das eigentliche Thema anzuschneiden.

»Also, was hast du dir überlegt?«

»In puncto Baby, meinst du?«

»Ja.«

»Natürlich kriege ich es. Ich bin fünfunddreißig und wollte immer schon Kinder. Außerdem wollte ich dir sagen, dass mir mein dramatischer Auftritt von voriger Woche leidtut. Ich hab mich aufgeführt wie diese Weibchen, die ich so verachte. Ich bin erwachsen, habe einen guten Job und eine eigene Wohnung. Die übrigens«, fügte sie hinzu, »nächste Woche fertig wird. Ich falle dir bald nicht mehr zur Last.«

»Das heißt also«, tastete Matt sich vor, »dass du das Kind kriegen willst, auch ohne mich?«

»Ja. Wir leben im einundzwanzigsten Jahrhundert. Heutzutage braucht eine Frau keinen Mann mehr, um ein Kind aufzuziehen. Schön, im Country Club wird man sich das Maul darüber zerreißen, und Mom und Dad wird's auch nicht gefallen, aber die müssen eben damit leben.«

»Okay.«

»Hey, Matty.« Charley streckte die Hand aus. »Schau nicht so erschrocken. Letzte Woche hab ich dich ziemlich aus der Fassung gebracht, das weiß ich. Ich wollte dich nicht in die Enge treiben. Du hast mir deutlich gezeigt, dass es ein Fehler war, ein Missverständnis … Das hab ich inzwischen verdaut. Wir sind erwachsene Menschen und schaffen das schon. Wie auch immer«, fügte sie hinzu.

»Wie meinst du das?«

»Jetzt bist du dran mit Entscheidungen. Wenn du sagst, du bist nicht bereit, Vater zu werden, ist das okay. Ich habe aber auch nichts dagegen, wenn du das Kind sehen und an seiner Erziehung teilhaben willst. Doch darüber können wir uns unterhalten, wenn's so weit ist.« Charley schenkte ihm ein strahlendes Lächeln.

Matt nickte. »Dann hast du dich von dem Gedanken, dass ›wir‹ das Baby gemeinsam großziehen, verabschiedet?«

»Ja. Du hast mir ja letzte Woche klipp und klar gesagt, dass eine Beziehung mit der Kindsmutter für dich nicht infrage kommt.«

Matt wurde rot. Grania war weg, und Charley, die er sein Leben lang kannte, bekam ein Kind von ihm. Was hatte er schon zu verlieren?

»Ich hab's mir anders überlegt«, verkündete er.

»Ach.«

»Ich bin zu dem Schluss gekommen, dass das mit uns funktionieren könnte.«

»Wirklich?«, fragte Charley skeptisch.

»Ja.«

»Und was ist mit Grania?«

»Das ist vorbei.«

»Bist du sicher?« Charley musterte ihn argwöhnisch. »Letzte Woche schien das noch nicht so klar zu sein. Was hat dich dazu bewogen, es dir anders zu überlegen?«

»Mir ist aufgegangen, dass wir uns immer nahe waren. Und jetzt...«, er deutete auf Charleys Bauch, »...vielleicht ist das ein Fingerzeig des Schicksals.«

»Bist du wirklich sicher, Matty? Wie gesagt: Ich schaffe das mit dem Kind auch allein. Ich will dich nicht unter Druck setzen.«

»Das weiß ich, Charley. Aber ich bin bereit, es zu versuchen. Wie steht's mit dir?«

»Dein Meinungsumschwung kommt überraschend. Ich... möchte nicht wieder von dir verletzt werden.«

»Ich schwöre beim Leben unseres Kindes, dass ich dir nicht wehtun werde, Charley.«

»Ich dachte, du empfindest nicht das Gleiche für mich wie ich für dich.« Charley senkte verlegen den Blick. »Du weißt, dass ich dich schon lange liebe, Matty?«

»Ich liebe dich auch«, hörte Matt sich lügen.

»Als ›Freund‹?«

»Wir sind so lange befreundet, Charley. Ich glaube, das ist eine gute Grundlage für mehr.«

»Okay. Was schlägst du nun vor?«

»Dass du bei mir im Loft bleibst.«

»In meinem Schlafzimmer?«

»Nein.« Matt holte tief Luft und ergriff ihre Hand. »In meinem.«

»Schockierend. Das hätte ich nicht erwartet.«

»Ich bin immer für eine Überraschung gut«, scherzte Matt mit leichter Verbitterung in der Stimme.

»Dann also auf uns und auf das kleine Wesen, das wir gemeinsam geschaffen haben.«

»Ja.« Matt bekam ein flaues Gefühl im Magen. »Auf uns.«

36

Zwei Wochen nachdem Grania in die Schweiz gereist war, betrat sie kurz nach dem Mittagessen unangekündigt die Küche des Farmhauses. Als Kathleen von oben herunterkam, sah sie ihre Tochter zusammengesunken am Tisch sitzen, den Kopf auf den Armen ruhend. Sie musterte sie eine ganze Weile, bevor sie sich bemerkbar machte.

»Hallo, Grania.«

»Hallo, Mam.« Grania hob den Blick nicht.

»Ich stelle Wasser für den Tee auf, ja?«, sagte Kathleen.

Keine Antwort. Kathleen füllte den Kessel, setzte sich neben sie und legte ihr sanft die Hand auf die Schulter. »Was ist passiert, Grania?«

»Ach, Mam …«

Als Grania den Kopf hob, sah ihre Mutter ihr blasses, eingefallenes Gesicht. Kathleen legte die Arme um sie, und Grania begann, hemmungslos zu weinen. Der Wasserkessel pfiff gute zwei Minuten vor sich hin, bevor Kathleen aufstand. »Ich mach uns ein Tässchen Tee«, verkündete sie. Wenig später stellte sie eine Tasse vor Grania auf den Tisch, die apathisch vor sich hinstarrte.

»Grania, du siehst schrecklich aus. Willst du mir nicht erzählen, was los ist?«

»Alexander ist tot, Mam«, presste Grania hervor.

Kathleen schlug eine Hand vor den Mund und bekreuzigte sich mit der anderen. »Nein … Wie?«

Grania leckte sich die Lippen. »Er hatte einen Hirntumor und ist vor vier Tagen gestorben. Als seine Frau musste ich bleiben, um alles für seine Beisetzung zu regeln und sämtliche Papiere zu unterschreiben.«

»Liebes, trink einen Schluck Tee. Ich hole uns noch was anderes, das uns wieder auf die Beine bringt.« Kathleen nahm den Brandy aus dem Schrank, den sie sonst nur zum Kochen benutzte, und gab einen ordentlichen Schuss in ihre Tassen.

Grania nahm einen Schluck und begann zu husten.

»Grania, ich weiß, dass es viel zu erzählen gibt, aber...«, sie warf einen Blick auf die Küchenuhr, »... Aurora kommt in weniger als einer Stunde heim. Soll ich Jennifer, die Mutter ihrer besten Freundin, anrufen und sie bitten, sie von der Schule abzuholen und bis zum Abendessen bei sich zu behalten? Ich finde, sie sollte dich nicht so sehen.«

»Bitte, ja«, antwortete Grania. »Ich könnte jetzt nicht...«

»Du schaust aus, als hättest du die ganze letzte Woche nicht geschlafen. Wie wär's, wenn du dich mit einer Wärmflasche ins Bett legst?«

»Ich glaube nicht, dass ich schlafen kann«, sagte Grania, als Kathleen sie hinaufbegleitete.

»Du kannst es wenigstens versuchen.« Kathleen half Grania beim Ausziehen und setzte sich auf die Bettkante wie früher, um ihrer Tochter über die Stirn zu streichen. »Wenn du was brauchst: Ich bin unten.« Als sie sich erhob, fielen Grania bereits die Augen zu.

Zwei Stunden später tauchte Grania wieder in der Küche auf.

»Wie lang hab ich geschlafen? Es wird schon dunkel.«

»So lange wie nötig«, antwortete Kathleen. »Ich habe mit Jennifer ausgemacht, dass Aurora bei ihr übernachtet. Dein Vater hat vor einer halben Stunde eine Tasche mit den Sachen, die sie braucht, rübergebracht und ist mit deinem Bruder im Pub. Du musst dir also keine Gedanken machen, dass uns jemand stört.«

»Danke, Mam.« Grania setzte sich an den Tisch.

»Ich hab Lammfleischeintopf gekocht, den magst du doch so gern. Du hast bestimmt seit deiner Abreise nichts Ordentliches mehr gegessen.«

Grania bedankte sich noch einmal, als Kathleen ihre eine Schale mit Eintopf gab.

»Iss. Herzschmerz und ein leerer Magen, das passt nicht zusammen.«

»Ach, Mam ...«

»Iss, Grania, und red nicht.«

Grania führte einen Löffel nach dem anderen zum Mund. Nach einer Weile schob sie die Schale weg. »Ich kann nicht mehr.«

»Wenigstens hast du jetzt ein bisschen Farbe.« Kathleen stellte die Schale in die Spüle. »Grania, du weißt, dass ich dir zuhöre, wenn du so weit bist.«

»Keine Ahnung, wo ich anfangen soll.«

»Ich hab mir inzwischen selber einen Reim auf die Geschichte gemacht. Letzte Woche, als Alexander bei uns war, hat er sehr schlecht ausgesehen. Mir war klar, dass was nicht stimmt. Er wusste sicher schon lange von seiner Krankheit.«

»Ja. Als die Ärzte rausgefunden hatten, was los war, konnten sie nicht mehr operieren, weil der Tumor ziemlich groß war und ungünstig lag. Seine letzte Chance war die Chemotherapie. Doch die hat nichts genutzt.«

»O Gott.«

»Vor ein paar Wochen ist ihm klar geworden, dass er sich in sein Schicksal fügen muss, und er hat angefangen, die Zukunft für Aurora zu planen. Ich ...«

»Lass dir Zeit, Liebes.« Kathleen setzte sich wieder neben sie und legte ihre Hand auf Granias.

Stockend erzählte Grania ihrer Mutter die ganze Geschichte. Kathleen lauschte schweigend.

»Sein Anwalt Hans wird mir in den nächsten zwei Wochen seine Asche bringen. Er wollte, dass sie über Lilys Grab ausgestreut wird.« Grania stieß einen tiefen Seufzer aus. »Mam, es war grässlich, ihm beim Sterben zuzusehen.«

»Nach allem, was du sagst, scheint es eine Erlösung für ihn gewesen zu sein.«

»Ja, er hatte furchtbare Schmerzen. Gott sei Dank hast du mir Lilys Geschichte vor meiner Abreise in die Schweiz erzählt. So konnte ich Alexander schildern, was der jungen Lily damals zugestoßen ist. Das hat ihm geholfen. Alexander hat sie sehr geliebt.«

»Hoffentlich sind sie jetzt im Jenseits zusammen und wissen, dass ihre Tochter bei uns gut aufgehoben ist.«

Grania schüttelte verzweifelt den Kopf. »Wie soll ich ihr das bloß erklären?«

»Darauf weiß ich auch keine Antwort. Ich finde es schrecklich, dass ihr Vater das dir überlassen hat.«

»Wenn du ihn gesehen hättest... er war wie ein Gespenst. Er hätte Aurora so gern ein letztes Mal bei sich gehabt, ahnte jedoch, dass das alles für sie nur noch schlimmer machen würde. Alexander wollte, dass Aurora ihn so wie früher in Erinnerung behält. Wir wissen, wie labil Aurora nach dem Tod ihrer Mutter war. Ich glaube, er hat das Richtige getan.«

»Hast du eine Ahnung, was du ihr sagen wirst?«

»Hast du irgendwelche Vorschläge, Mam?«

»Du solltest nicht lügen. Sag die Wahrheit, so sanft wie möglich.«

»Ja, aber sie darf nicht erfahren, wie er leiden musste.«

»Er hat dir eine schwere Last aufgebürdet. Du kannst sicher sein, dass wir ihr beistehen und ihr so viel Liebe schenken, wie wir können. Aurora wird bei uns ein Zuhause haben, egal, welche Entscheidungen du über deine Zukunft triffst.«

»Danke, Mam. Genau das hat Alexander beschäftigt; er wollte nicht, dass die Adoption meine Pläne für die Zukunft beeinflusst.«

»Ich bin ganz seiner Meinung.«

Grania seufzte. »Ich bezweifle, dass ich in nächster Zeit irgendwo anders hingehen werde. Ich wüsste nicht, wohin.« Sie zuckte mit den Achseln. Wenig später stand sie vom Tisch auf. »Mam, ich bin furchtbar müde. Wenn ich es Aurora morgen erklären soll, muss ich noch eine Runde schlafen.«

»Ja.« Kathleen nahm ihre Tochter in den Arm. »Schlaf gut und träum was Schönes, Liebes. Ich bin stolz auf dich.«

»Danke, Mam. Gute Nacht.« Grania verließ die Küche.

Eine halbe Stunde später kamen John und Shane nach Hause. Kathleen erzählte ihnen, was sie von Grania erfahren hatte.

»Die Arme«, meinte John. »Wenigstens hat Aurora uns.«

»Ja«, pflichtete Shane ihm bei. »Sie gehört praktisch zur Familie.«

»Sie wird unsere Liebe brauchen«, sagte Kathleen. »Genau wie Grania. Sie hat eine schreckliche Zeit hinter sich.«

»Dein siebter Sinn hat dich wieder mal nicht getrogen«, bemerkte John. »Du hast von Anfang an gesagt, du hättest ein schlechtes Gefühl wegen den Lisles.«

»Mam, du bist eine richtige Hexe«, stellte Shane fest und tätschelte liebevoll ihren Arm, bevor er aufstand. »Ich geh jetzt ins Bett. Bitte sag Grania und Aurora, dass ich sie beide sehr lieb habe.«

Später, im Bett, fragte John seine Frau: »Wann will Grania es Aurora sagen?«

»Ich glaube, wenn sie morgen Nachmittag von der Schule nach Hause kommt. Dann hat Grania noch einen Tag, sich die richtigen Worte zu überlegen.«

»Komm, Schatz.« John schloss seine Frau in die Arme. »Versuch, dir keine Gedanken zu machen. Auroras Zukunft ist gesichert. Hier bei uns hat sie bis zu ihrem Lebensende ein Zuhause. Und obwohl Alexander Grania schwere Verantwortung aufgebürdet hat, muss ich ihn dafür bewundern, dass er den Weitblick hatte, alles für seine Tochter zu regeln.«

»Ja. Gute Nacht, Schatz.«

»Gute Nacht.«

Erst als Kathleen die Augen schloss, fiel ihr Matts Anruf wieder ein.

Am folgenden Morgen wachte Grania körperlich gestärkt auf. Im Bett versuchte sie zu rekapitulieren, was sich in den vergangenen vier Monaten ereignet hatte. Aurora war wie ein Wirbelwind in ihr Leben gefegt und hatte es auf den Kopf gestellt. Nun war Grania Mrs. Devonshire, Stiefmutter eines Mädchens, das bald offiziell ihre Tochter werden würde … Und Witwe.

Genau wie Mary vor ihr.

Plötzlich verspürte Grania das Bedürfnis, das Haus zu verlassen und frische Luft zu schöpfen. Die letzten beiden Wochen im Krankenhaus waren eine Qual gewesen. Sie schlüpfte in Jogginghose, Kapuzenshirt und Laufschuhe und ging nach unten. Kathleen war nirgends zu sehen. Grania joggte den Weg entlang und den Klippenpfad hinauf in Richtung Dunworley House. Es war ein wunderschöner Tag; die See lag spiegelglatt da.

Keuchend setzte sich Grania auf den grasbewachsenen Felsen, von dem aus sie das kleine Mädchen zum ersten Mal am Rand der Klippe gesehen hatte, und schaute zum Haus hinauf.

Am Ende hatte Hans Grania doch noch mitgeteilt, wie viel Alexander ihr vermachte; so viel, dass sie nie wieder arbeiten musste, wenn sie nicht wollte. Sie war eine wohlhabende Frau.

»Matt«, presste Grania plötzlich hervor. Ihre Mutter war ihr eine große Stütze gewesen, doch im Moment hätte sie sich die Wärme und Liebe des Mannes gewünscht, den sie immer als ihren Seelenverwandten erachtet hatte. Sie spürte den Verlust fast körperlich.

Grania stand auf und joggte weiter nach Dunworley House, wo sie das Tor aufdrückte und durch den Garten ging. Alexander hatte in seinem Testament verfügt, dass das Haus an Auroras einundzwanzigstem Geburtstag in deren Besitz übergehen würde. Dann lag es bei ihr, ob sie es behalten oder verkaufen wollte. Eine ansehnliche Summe war für die Renovierung bestimmt.

Grania zog den Schlüssel fürs Atelier unter dem Stein hervor, unter dem er immer lag. Im Innern betrachtete sie die Skulpturen auf dem Arbeitstisch. Zum ersten Mal seit Wochen empfand sie ein vages Gefühl der Freude. Sie waren so gut, wie sie sie in Erinnerung hatte.

»Jesus, Maria und Josef, Grania! Wo hast du gesteckt?«, rief Kathleen aus, als Grania die Küche betrat.

»Tut mir leid, Mam, ich war oben im Atelier und habe völlig die Zeit vergessen. Ich habe einen Bärenhunger.«

»Ich mach dir ein Sandwich.« Kathleen sah nervös auf die Uhr. »Du weißt, dass Aurora in einer halben Stunde heimkommt?«

»Ja.« Grania wurde flau im Magen. »Wenn sie da ist, mache ich einen Spaziergang mit ihr.«

»Grania!« Aurora warf sich in Granias Arme. Grania und Kathleen wechselten über ihren Kopf hinweg einen sorgenvollen Blick.

»Ich freu mich so, dich wiederzusehen, Liebes«, sagte Grania. »Wie geht's dir?«

»Sehr gut, danke. Maisie kriegt bald Junge. Shane sagt, ich darf bei der Geburt dabei sein, auch wenn's mitten in der Nacht ist. Und meinen Freundinnen in der Schule hab ich erzählt, dass du jetzt meine richtige Mutter bist.« Aurora löste sich von Grania und drehte in der Küche Pirouetten. »Ich bin ja so glücklich!«, rief sie aus. Plötzlich hielt sie mitten in der Drehung inne und fragte: »Wo ist Daddy?«

»Aurora, hol Lily. Wir machen einen Klippenspaziergang«, schlug Grania vor.

»Ja. Bin gleich wieder da.«

»Ich warte draußen auf dich«, rief Grania ihr nach.

Kathleen trat zu ihrer Tochter und legte ihr tröstend die Hand auf den Arm. »Viel Glück, Grania. Wir warten auf euch.«

Grania verließ die Küche mit einem wortlosen Nicken.

Aurora plapperte auf dem Weg den Hügel hinauf fröhlich vor sich hin, während das Hündchen Schmetterlinge jagte.

»Ich hab mir erst neulich gedacht, wie viel schöner mein Leben geworden ist«, stellte Aurora in ihrer merkwürdig erwachsenen Art fest. »Bevor ich dich und Kathleen und John und Shane kannte, war ich sehr einsam. Und ich liebe das Leben auf der Farm. Jetzt, wo du Daddy geheiratet hast, gehören sie alle zur Familie, oder?«

»Setzen wir uns, Aurora.« Grania deutete auf den grasbewachsenen Felsen.

»Ja.« Aurora nahm anmutig Platz, Lily kuschelte sich an sie. »Was ist los? Du willst mir was sagen, stimmt's?«

»Ja, Aurora.« Grania griff nach der Hand des Mädchens.

»Geht's um Daddy?«

»Ja. Woher weißt du das?«

»Keine Ahnung. Ich weiß es eben.«

»Aurora, Liebes, ich will mich kurz fassen ...«

»Daddy ist tot.«

»Ja.«

»Und jetzt ist er im Himmel?«

»Ja. Nach unserer Hochzeit ging es ihm sehr schlecht, und er ist gestorben. Es tut mir leid.«

»Verstehe.« Aurora streichelte das Hündchen auf ihrem Schoß.

»Wir sind deine neue Familie und kümmern uns um dich. Daddy und ich, wir haben alle nötigen Papiere unterschrieben, damit ich dich so schnell wie möglich adoptieren kann. Dann bist du meine Tochter, und niemand kann dich mir wieder wegnehmen.«

Aurora zeigte keine erkennbare Reaktion.

»Du weißt, dass ich dich liebe wie mein eigenes Kind ... Aurora, begreifst du, was ich dir zu erklären versuche?«

Aurora hob den Blick und schaute aufs Meer hinaus. »Ja. Mir war klar, dass er bald nicht mehr da sein würde. Ich wusste nur nicht, wann.«

»Woher?«

»Mummy ...«, Aurora korrigierte sich, »... meine alte Mummy hat es mir gesagt.«

»Ach.«

»Sie hat gesagt, die Engel bringen ihn zu ihr in den Himmel.« Aurora sah Grania an. »Sie ist einsam da oben.«

»Ja.«

Aurora schwieg eine ganze Weile, bevor sie feststellte: »Er wird mir sehr fehlen. Ich hätte mich gern von ihm verabschiedet.« Sie biss sich auf die Lippe, und zum ersten Mal traten ihr Tränen in die Augen.

»Liebes, ich kann dir deine Eltern nicht ersetzen, verspreche dir jedoch, mich redlich zu bemühen.«

»Ich begreife ja, dass Mummy ihn bei sich haben will, aber warum verlassen mich alle, die ich gernhabe?«

Sie begann hemmungslos zu schluchzen. Grania nahm sie tröstend in den Arm.

»Ich lasse dich nicht im Stich«, murmelte Grania wieder und wieder. »Daddy hat dich sehr geliebt und dafür gesorgt, dass du bei mir und meiner Familie gut aufgehoben bist. Deshalb haben wir geheiratet.«

»Dich hat er auch gerngehabt.« Aurora wischte die Tränen mit dem Unterarm weg und fragte: »Bist du traurig, Grania? Dass er nicht mehr da ist?«

»Ja, sehr.«

»Hast du Daddy geliebt?«

»Ja, ich glaube schon. Schade, dass ich nicht viel Zeit mit ihm hatte.«

Aurora drückte Granias Hand. »Wir haben ihn beide geliebt. Und er wird uns beiden fehlen, stimmt's?«

»Ja.«

»Dann können wir uns gegenseitig trösten, wenn wir traurig sind.«

»Ja«, sagte Grania, »das können wir.«

»Wo ist Aurora?«, fragte Kathleen, als Grania die Küche betrat.

»Sie bringt Lily ins Bett und will dann mit Shane nach den Schafen sehen.«

»Ach. Du hast es ihr gesagt?«

»Ja.«

»Und, wie hat sie's aufgenommen?«

Grania schüttelte verwirrt und erstaunt den Kopf. »Sie hat gesagt, sie hätte es schon gewusst.«

Aurora

Ja, ich wusste es tatsächlich.

Wenn ich behaupten würde, Stimmen hätten es mir eingeflüstert, entstünde völlig zu Recht der Eindruck, dass ich genauso psychisch labil bin wie meine arme Mutter Lily. Also nenne ich es einfach »Vorahnung«. So etwas haben viele Menschen.

Trotzdem war die Nachricht ein großer Schock für mich, gerade zu dem Zeitpunkt, als alles endlich so gut zu laufen schien. Grania verheiratet mit meinem Vater… genau das hatte ich mir gewünscht… und darauf hatte ich hingearbeitet.

Die Freude schlug von einer Sekunde zur nächsten in Kummer um; ich hatte keine Zeit, sie ein paar Monate oder auch nur Wochen zu genießen.

Daddy tat sein Möglichstes für mich, indem er Grania heiratete und ihr die Adoption leicht machte. Er bewies mir seine Liebe auf typisch männliche praktische Weise. Aber ich hätte mich gern persönlich von ihm verabschiedet, auch wenn er noch so schlecht aussah.

Wenn man jemanden gernhat, spielt das Aussehen keine Rolle… es geht eher um das Wesen.

Wahrscheinlich war es für Grania genauso schwer wie für mich. Sie war unversehens in das Leben unserer Familie und meines Vaters hineingezogen worden, der verzweifelt versuchte, seine geliebte Tochter zu schützen.

Ich habe neulich ein Buch über Geister gelesen, in dem stand, diese reisten in »Gruppen« durch die Zeit. Sie wechselten die Gestalt, würden aber immer wieder durch ein unsichtbares Band zueinander hingezogen.

Das würde erklären, warum Kathleen das Gefühl hatte, dass die Geschichte sich bei Grania und mir wiederholte. Sie nahm mich unter ihre Fittiche wie seinerzeit Mary Anna. Ich kann nur hoffen, dass ich nie so kaltherzig gewesen bin wie meine Großmutter Anna und Grania stets meine Dankbarkeit und Liebe gezeigt habe. Im Buddhismus heißt es, wir müssten so lange auf die Erde zurückkommen, bis wir unsere Lektion gelernt hätten. Im nächsten Leben würde ich gern auf einer höheren Stufe wiedergeboren werden. Auf jeden Fall würde ich mir dann einen kräftigeren Körper wünschen...

Doch zurück nach New York zu Matt, der gerade dabei ist, sein Leben in Unordnung zu bringen.

37

Charley war an jenem Abend, an dem sie sich darauf geeinigt hatten, ihrer Beziehung eine Chance zu geben, in Matts Schlafzimmer gewechselt, hatte ihn jedoch gebeten, aufgrund ihrer Schwangerschaft fürs Erste nicht miteinander zu schlafen. Matt war erleichtert gewesen, da er den Sex mit ihr als langweilig in Erinnerung hatte. Ganz anders als den mit Grania, bei dem er das Gefühl gehabt hatte, nicht nur körperlich mit ihr eins zu werden …

Als Matt zum Duschen ging, stellte er fest, dass Charleys Anwesenheit auch andere unangenehme Seiten hatte. Ihr riesiges Arsenal an Kosmetika füllte sämtliche verfügbaren Flächen im Bad. Grania hatte lediglich eine Gesichtscreme benutzt. Außerdem nahm Matts Kleidung nur noch etwa ein Achtel des Schranks ein; den Rest beanspruchten Charleys Designerklamotten. Hier wurde der Unterschied zwischen den beiden Frauen besonders augenfällig.

Als Matt bei der Suche nach seinem Rasierapparat einen Kulturbeutel ins Waschbecken stieß, versuchte er, nicht in die Luft zu gehen. Schließlich war es sein Vorschlag gewesen, der Beziehung eine Chance zu geben. Charley hatte keinerlei Druck auf ihn ausgeübt und ihm auch kein schlechtes Gewissen eingeredet.

Doch sie hatte angedeutet, dass sie ein Haus in Greenwich, näher bei ihren Eltern, erwerben wolle. Matt war alles andere als begeistert über diese Idee. Matts Einwand, er habe dazu nicht das nötige Geld, hatte Charley mit einer Handbewegung abgetan.

»Mom und Dad greifen uns unter die Arme, Matty, das weißt du doch.«

Nun konnte Matt nachvollziehen, wie Grania sich angesichts des Hilfsangebots seiner Eltern gefühlt hatte. Er wollte kein Geld von Charleys Vater und Mutter. Charley hatte ihn sogar ein paar Tage zuvor gefragt, ob er wirklich nicht vorhabe, in die Fußstapfen seines Vaters zu treten.

»Ich werde mit dem Arbeiten aufhören müssen, wenn das Kind da ist, jedenfalls ein paar Monate lang. Vielleicht sogar ganz.« Charley hatte mit den Achseln gezuckt. »Ich sage das ungern, Matty, aber dein Verdienst reicht grade mal für ein Filipinomädchen, das dreimal die Woche kommt, nicht für die Ganztagshaushaltshilfe, die ich brauchen werde.«

Matt zog sich an. Er war froh, dass Charley zu ihrem eigenen Apartment gefahren war, um dem Innenarchitekten den letzten Scheck zu überreichen. Sie hatte es Matt eine Woche zuvor gezeigt, und Matt waren angesichts der superschicken Ausstattung die Augen übergegangen. Alles war in Glas, Chrom und Weiß gehalten; das Ganze wirkte ungefähr so einladend wie ein OP. Matt fragte sich, wie Charley es bei ihm im Loft aushielt. Er machte sich einen Kaffee und kramte einen ziemlich alten Bagel aus dem Kühlschrank. Charley kochte nicht – in den vergangenen beiden Wochen hatten sie ausschließlich in Restaurants gegessen. Ihm lief das Wasser im Mund zusammen, wenn er an die köstlichen Gerichte dachte, die Grania regelmäßig zubereitet hatte.

Matt ermahnte sich, mit den Vergleichen aufzuhören, bei denen Charley jedes Mal schlecht abschnitt. Er setzte sich an den Schreibtisch und schaltete seinen Laptop ein. Matt arbeitete gerade an einem Thesenpapier, das bereits drei Wochen zuvor hätte fertig sein sollen, aber in dem emotionalen Chaos hatte er sich nicht konzentrieren können. Er las, was er geschrieben hatte, und stellte fest, dass es nichts taugte. Matt lehnte sich seufzend auf seinem Stuhl zurück. Er erkannte klar, wie die Zukunft aussehen würde. Nach all den Jahren, in denen er versucht hatte, nicht seinen Eltern nachzueifern, befand er sich auf direktem Weg zu ihrem Lebensstil. Hätte er doch nur jemanden zum Reden gehabt! Die Einzige, die ihm abgesehen von Grania einfiel, war seine Mutter.

Er nahm sein Handy und wählte ihre Nummer. »Mom? Ich bin's, Matt.«

»Matt, was für eine Überraschung! Wie geht's dir?«

»Ich könnte ein bisschen Landluft vertragen. Hast du heute oder morgen schon was vor?«

»Morgen kommen Freunde zum Grillen, aber heute ist dein Vater beim Golfspielen, und ich bin allein zu Hause. Möchtest du zum Essen vorbeischauen?«

»Gern, Mom. Bis gleich.«

Da auf dem Westside Highway nicht viel Verkehr war, erreichte er das Haus seiner Eltern in Belle Haven bereits fünfundvierzig Minuten später.

»Hallo.« Elaine begrüßte ihn mit einer Umarmung. »Was für eine angenehme Überraschung. Oft hab ich meinen Jungen nicht mehr für mich allein. Komm rein.«

Matt folgte seiner Mutter durch den Eingangsbereich in die geräumige Küche, in der es von Gerätschaften nur so wimmelte, die sein Vater ihr jedes Jahr zu Weihnachten und zum Geburtstag schenkte. Elaine öffnete die Pakete immer mit einem resignierten Lächeln, bedankte sich artig und stellte die Neuerwerbung zu den anderen Sachen in einen der großen Einbauschränke.

»Möchtest du was trinken?«

»Ja bitte, ein Bier.« Matt blieb unsicher in der Küche stehen. Er hatte keine Ahnung, was er sagen sollte, weil seine Mutter lediglich wusste, dass Grania weg war.

»Wie läuft das Leben in der Stadt?«

Matt schüttelte den Kopf. »Ich will dich nicht anlügen. Mein Leben liegt in Trümmern.«

Sie reichte ihm das Bier. »Erzähl.«

Matt war ehrlich, verschwieg ihr aber, dass er sich an die fragliche Nacht nicht erinnern konnte.

»Grania ist also kurz nach ihrer Heimkehr aus der Klinik nach Irland verschwunden und will dir nicht sagen, was los ist. Ihr habt monatelang nicht miteinander geredet. Und jetzt hörst du plötzlich, dass sie einen anderen geheiratet hat?«

»Ja, das ist die Kurzfassung«, bestätigte Matt.

»Charley zieht zu dir, während ihr Apartment renoviert wird, und ihr beide fangt was miteinander an. Aber du bist dir deiner Gefühle nicht sicher?«

»Ja. Kann ich noch ein Bier haben?«

Elaine holte es für ihn. »Möglicherweise willst du dich nur über Grania hinwegtrösten?«

»Ja. Und...«, Matt holte tief Luft, »...da ist noch was anderes.«

»Raus mit der Sprache.«

»Charley ist schwanger.«

Elaine bedachte ihn mit einem merkwürdigen Blick. »Tatsächlich? Bist du sicher?«

»Natürlich, Mom. In ein paar Wochen hat sie einen Ultraschalltermin. Ich begleite sie.«

»Aha«, sagte Elaine. »Ich hab uns einen Salat gemacht. Lass uns auf der Terrasse essen.«

Matt half ihr, Salat, Teller und Besteck nach draußen zu tragen.

»Tut mir leid, Mom.«

»Ach was. Ich bin Kummer gewohnt. Es ist auch gar nicht das …«, sie runzelte die Stirn, »irgendwas ist faul an der Sache. Aber lassen wir das Thema. Wichtiger ist: Liebst du Charley?«

»Ich liebe sie als Freundin, vielleicht auch als Partnerin … mehr weiß ich noch nicht. Klar, wir sind im selben Umfeld aufgewachsen und kennen dieselben Leute … Ihr seid mit ihren Eltern befreundet … Wie könnte ich sie nicht mögen? Es ist einfach.« Er seufzte.

»Jemanden mit demselben Hintergrund zu heiraten ist immer leichter als jemand völlig Fremden.« Elaine gab Salat auf die Teller. »Man muss sich nicht anstrengen, und aus Vertrautheit kann Liebe erwachsen. Doch es ist nicht …«, Elaine suchte nach dem richtigen Wort, »… aufregend.«

Matt war erstaunt über die Analyse seiner Mutter. »Genau.«

»Grania war dein Versuch, dich aus der Zwangsjacke zu befreien. Sie hat die Welt für dich bunter gemacht.«

»Ja.« Matt schluckte. »Erst seit sie weg ist, weiß ich, wie sehr ich sie liebe.«

»Ich habe auch einmal jemanden geliebt … vor deinem Vater. Meine Eltern fanden ihn unpassend; er war Musiker. Also habe ich mich von ihm getrennt …«

»Das wusste ich nicht.« Matt war verblüfft über die Enthüllung seiner Mutter. »Bedauerst du es?«

»Was für einen Sinn hätte das? Ich habe das getan, was ich für richtig hielt, um alle zufriedenzustellen. Aber es vergeht kein Tag, an dem ich nicht an ihn denke und mich frage, wo er ist …« Ihre Stimme schweifte ab. »Entschuldige, Matt, das hätte ich dir nicht erzählen sollen. Dein Vater und ich, wir führen eine gute Ehe. Und ich habe dich. Nein, ich bedaure nichts.«

»Der Unterschied ist nur, dass Grania mich verlassen hat.«

»Stimmt. Und jetzt ist sie verheiratet«, stellte Elaine fest.

»Hat jedenfalls ihre Mutter gesagt, als ich bei den Ryans angerufen habe.«

»Das überrascht mich genauso sehr wie dich. Sie hat sich in unserer Welt nicht wohlgefühlt und dachte vermutlich, wir mögen sie nicht, aber ich habe große Achtung vor ihr und ihren künstlerischen Fähigkeiten. Und«, fügte Elaine hinzu, »ich wusste immer, dass sie meinen Jungen liebt. Deswegen verzeihe ich ihr alles.«

»Tja, Mom, jetzt ist Grania weg und kommt so schnell nicht wieder. Ich muss in die Zukunft blicken. Die Frage ist nur: Will ich es tatsächlich mit Charley versuchen?«

»Schwierige Entscheidung. Charley ist attraktiv, klug und stammt aus deiner Welt. Durch das Kind wird die Sache komplizierter. Du bist wirklich sicher, dass sie schwanger ist?«, fragte Elaine noch einmal.

»Ja, Mom!«

»Tja, dann sieht's ganz so aus, als wäre es beschlossene Sache. Du warst völlig durch den Wind nach dem Verlust des Babys mit Grania. Obwohl…«

»Was, Mom?«

»Nichts«, antwortete Elaine hastig. »Wenn alles so ist, wie du es schilderst, hast du wohl keine andere Wahl.«

»Ja«, pflichtete Matt ihr mit düsterer Miene bei. »Allerdings muss ich mit ihr einen anderen Lebensstil finanzieren. Sie redet davon, dass ich bei Dad ins Geschäft einsteigen soll. Ein Mädchen wie Charley gibt sich nicht mit dem Verdienst eines Psychologiedozenten zufrieden.«

»Du weißt, dass es der Traum deines Vaters wäre, wenn du ihm nachfolgst. Aber wenn du das nicht willst…«

»Mom, im Moment ist nichts so, wie ich es will.« Matt legte das Besteck zusammen und sah auf seine Uhr. »Ich muss nach

Hause. Charley fragt sich sicher schon, wo ich stecke.« Er runzelte die Stirn.

»Ich wünschte, ich könnte dir etwas anderes raten, aber wenn Grania verheiratet ist ...«

»Irgendwie, ich weiß nicht mal wie, hab ich's vermasselt.«

»Du wirst lernen, Charley zu lieben. Ich musste auch lernen, deinen Dad zu lieben«, erklärte Elaine mit einem spöttischen Lächeln.

»Bestimmt hast du recht. Danke fürs Essen und Zuhören. Tschüs, Mom.«

Elaine verfolgte, wie ihr Sohn den Wagen aus der Ausfahrt lenkte, und kehrte dann auf die Terrasse zurück, wo sie über das nachdachte, was ihr Sohn gerade erzählt hatte.

Eine halbe Stunde später war Elaine zu folgender Erkenntnis gelangt: Sie konnte den Mund halten, um den Status quo zu bewahren und die Nähe zu ihrem Sohn und dem zu erwartenden Enkel zu sichern. Oder sie konnte ihrem Verdacht nachgehen ...

Elaine hörte den Jeep ihres Mannes in der Auffahrt.

Und beschloss, eine Nacht darüber zu schlafen.

38

Im Farmhaus behielten alle Aurora genau im Auge. Wie nicht anders zu erwarten, war sie nicht so lebhaft wie sonst.

Kathleen fragte Aurora, ob sie sie eine Weile aus der Schule nehmen solle, doch diese bestand darauf zu gehen.

»Daddy war es wichtig, dass ich lerne, und außerdem sucht sich Emily vielleicht eine andere beste Freundin, wenn ich nicht da bin«, erklärte Aurora.

»Ich ziehe den Hut vor der Kleinen«, bemerkte Kathleen, als sie die Küche betrat, nachdem sie Aurora ins Bett gebracht hatte. »Hoffentlich hält sie sich weiter so gut.«

»Ja«, pflichtete Grania ihr bei, die soeben aus dem Atelier zurückgekehrt war. »Es sieht fast so aus, als wäre sie innerlich darauf vorbereitet gewesen.«

»Da könntest du recht haben.« Kathleen sah ihre Tochter an. »Sie ist eben eine alte Seele. Ich habe Würstchen für dich warm gestellt.«

»Danke, Mam, ich habe völlig die Zeit vergessen.«

»Was treibst du überhaupt im Atelier?«, erkundigte sich Kathleen.

»Was ich immer mache, arbeiten«, antwortete Grania, die nur ungern über unfertige Werke sprach. »Hans kommt morgen.«

»Ach.« Kathleen reichte Grania den Teller mit Würstchen und Kartoffelpüree.

»Er übernachtet in Dunworley House. Ich habe ihm ein Zimmer hergerichtet.«

»Gut.« Kathleen setzte sich neben Grania. »Und wie fühlst du dich?«

»Alles in Ordnung. Ein bisschen müde, aber ich arbeite ja auch hart.« Grania schüttelte den Kopf. »Ich hab den richtigen Zeitpunkt fürs Essen verpasst und keinen Appetit mehr.« Sie legte Messer und Gabel beiseite.

»Sieht dir gar nicht ähnlich, nichts zu essen.«

Grania stellte den Teller in die Spüle. »Ich geh ins Bett, Mam.«

»Schlaf gut.«

»Danke, Mam.«

»Aurora scheint es besser zu verkraften als Grania«, bemerkte Kathleen.

John streckte die Hand nach dem Lichtschalter aus, als seine Frau sich neben ihn ins Bett legte. »Aurora hat ihren Vater verloren, aber ein völlig neues Leben gewonnen, während Grania auf das ihre verzichten musste.«

»Ich mach mir Sorgen um sie, John. Sie steht in der Blüte ihrer Jahre und nutzt sie nicht.«

»Lass ihr Zeit. Sie hat eine Menge durchgemacht.«

»Das ist der Fluch der Lisles. Ich ...«

»Hör auf, anderen die Schuld zu geben, Kathleen. Es war Granias eigene Entscheidung. Gute Nacht.«

Grania empfand ein merkwürdiges Gefühl der Erleichterung, als Hans Schneiders Wagen in den Hof von Dunworley House fuhr. Sie wischte sich die tonverschmierten Hände an der Schürze ab und ging hinaus, um ihn zu begrüßen.

»Wie geht's, Grania?« Er küsste sie auf beide Wangen.

»So weit ganz gut, danke. Hatten Sie eine angenehme Reise?«

»Ja.« Hans ließ den Blick über Dunworley House schweifen. »Das Haus könnte ein neues Dach gebrauchen.«

»Ja. Wollen wir reingehen?«

Eine Stunde später aßen sie frische Austern, die Grania am Hafen besorgt hatte. Dazu gab es Wein aus dem Keller. Bei der Auswahl hatte Grania sich von Hans beraten lassen.

»Wie macht sich Aurora?«, erkundigte er sich.

»Erstaunlich gut«, antwortete Grania. »Vielleicht sogar zu gut, aber wir werden sehen. Leider ist es keine völlig neue Erfahrung für sie, einen geliebten Menschen zu verlieren. Außerdem ist sie ständig beschäftigt. Sie muss in die Schule, besucht Ballettstunden und verbringt den Rest der Zeit auf der Farm. Da bleiben nicht viele Stunden zum Grübeln.«

»Und Sie?«

»Offen gestanden, versuche ich nach wie vor, die letzten Tage im Krankenhaus zu verarbeiten.«

»Das kann ich verstehen. Es war … schwierig. Ich habe die Urne mit der Asche dabei.«

»Danke.« Grania nickte.

»Soll ich Aurora fragen, ob sie die Asche mit mir auf Lilys Grab verstreuen möchte?«, fragte Grania.

»Meinen Sie, das bringt sie aus der Fassung?«

»Keine Ahnung. Ich weiß nur, dass sie ziemlich traurig war, weil sie nicht persönlich von ihrem Vater Abschied nehmen konnte. Vielleicht würde dieser symbolische Akt ihr helfen.«

»Sie haben bisher alles sehr gut bewältigt. Vertrauen Sie einfach Ihrem Instinkt.«

»Letztlich schlägt Aurora sich besser als ich. Und meine Familie war einfach wunderbar. Sie lieben sie sehr.«

»Das stabile Familienleben hilft ihr, über die Tragödie hinwegzukommen. Sie hatte eine sehr schwierige Kindheit.«

»Nach allem, was ich über die Geschichte der Lisles weiß, ist es ihrer Mutter nicht besser ergangen. Möglicherweise liegt's an diesem Haus und seiner merkwürdigen Atmosphäre.«

»Die ändert sich sicher, wenn es renoviert ist. Hat Aurora sich schon darüber geäußert, ob sie hier leben will? Oder möchte sie lieber auf der Farm bleiben?«

»Im Moment würden keine zehn Pferde sie von ihren Tieren wegbringen. Aber vielleicht überlegt sie es sich ja noch anders.«

»In der Woche, die ich hier verbringen werde, habe ich vor, mich mit einem Gutachter über die Sanierung zu beraten«, erklärte Hans. »Er kann mir bestimmt ein zuverlässiges Unternehmen für die Arbeiten empfehlen. Wenn es am Ende um die Farbe der Wände geht, würde ich allerdings Sie bitten, ein künstlerisches Urteil zu fällen«, sagte er lächelnd.

»Gern.«

»Egal, ob Aurora das Haus behalten will – es muss auf jeden Fall renoviert werden, damit es sich für einen eventuellen Verkauf in einem ordentlichen Zustand befindet. Außerdem werde ich nach Cork fahren, um festzustellen, wie weit der Adoptionsvorgang gediehen ist. Ich erwarte keine Probleme. Alexander erweist sich im Tod als genauso gründlich wie im Leben. Was unter den gegebenen Umständen tatsächlich nötig ist. Seine Schwester hat bereits Kontakt aufgenommen, um den Wortlaut von Alexanders Testament zu erfahren.« Hans verzog den Mund zu einem grimmigen Lächeln. »Die Aasgeier beginnen zu kreisen. Und Sie, Grania? Hatten Sie schon Zeit, über Ihre Zukunft nachzudenken?«

»Nein. Ich konzentriere mich auf Aurora und meine Arbeit. Das hilft mir.«

»Ich empfinde Arbeit auch als Balsam für die Seele. Und ich würde gern Ihre Skulpturen sehen, Grania. Alexander war von Ihren Fähigkeiten überzeugt.«

»Sehr freundlich …« Sie wurde rot. »Nach den letzten Monaten habe ich das Gefühl, dass mir nur noch die Arbeit geblieben ist. Meine Sachen zeige ich Ihnen später. Ich wollte Aurora zu Ihnen bringen. Morgen ist Samstag, da muss sie nicht in die Schule.«

»Gern. Ich habe sie lange nicht gesehen.«

Grania stellte das Geschirr in die Spüle. »Kommen Sie hier allein zurecht?«

»Natürlich.« Hans lächelte. »Warum fragen Sie?«

»Nur so. Sagen Sie Bescheid, falls Sie etwas brauchen sollten. Im Kühlschrank sind Milch, Speck und Eier fürs Frühstück. Brot ist auch da.«

»Danke, Grania. Ich freue mich auf Ihren Besuch morgen.«

»Auf Wiedersehen, Hans«, verabschiedete sich Grania, als sie das Haus verließ.

»Auf Wiedersehen«, rief er ihr nach und schenkte sich ein weiteres Glas Wein ein. Schade, dachte er, dass Alexander nicht länger Gelegenheit gehabt hatte, die Gesellschaft dieser wunderbaren Frau zu genießen.

Am folgenden Morgen brachte Grania Aurora mit dem Wagen nach Dunworley House.

»Onkel Hans!«, begrüßte Aurora ihn begeistert. »Dich hab ich Ewigkeiten nicht mehr gesehen! Wo warst du?«

»Wo ich immer bin, Aurora«, antwortete Hans lachend. »In der Schweiz, bei der Arbeit.«

»Warum verbringen Männer eigentlich ihr ganzes Leben mit Arbeit?«, fragte Aurora. »Kein Wunder, dass sie krank werden.«

»Stimmt«, sagte Hans und zwinkerte Grania zu.

»Hoffentlich hast du dir heute freigenommen, damit ich dir meine Tiere zeigen kann. Maisies Welpen sind erst zwei Tage alt. Ihre Augen sind noch geschlossen.«

»Gute Idee«, meinte Grania. »Während du Hans die Farm zeigst, kann ich arbeiten. Und mittags kommt ihr zurück, dann gehen wir alle zum Strand und machen ein Picknick.«

»Grania«, schmollte Aurora. »Jetzt musst *du* wieder arbeiten! Na schön, ich kümmere mich um Onkel Hans. Wir holen dich später ab.«

Der Morgen verging wie im Flug.

»Dürfen wir reinkommen? Ich hab Onkel Hans alles gezeigt und bin am Verhungern!« Aurora hüpfte ins Atelier, schlang die Arme um Granias Hals, küsste sie auf die Wange und setzte sich neben sie. Dabei fiel ihr Blick auf die Skulpturen auf dem Tisch.

»Bin ich das?«

Eigentlich hatte Grania sie ihr erst zeigen wollen, wenn sie fertig waren. »Ja.«

»Onkel Hans, schau! Das sind Statuen von mir!«

Hans gesellte sich zu ihnen und betrachtete die Figuren. »Grania, sie sind fantastisch! Es ist Ihnen gelungen, Auroras Energie in Ton einzufangen.«

»Danke.«

»Aus den Erfahrungen der letzten Wochen ist etwas Wunderschönes entstanden.«

»Könnt ihr jetzt bitte aufhören, über die Figuren zu reden, und mir sagen, was es zu essen gibt?«, meldete Aurora sich zu Wort.

Sie verbrachten einen angenehmen Nachmittag am Strand von Inchydoney. Aurora sprang im seichten Wasser herum und drehte Pirouetten, während Hans und Grania die warme Sonne in den Dünen genossen.

»Sie haben recht: Äußerlich scheint sie unverändert«, stellte Hans fest. »Sie wirkt … glücklich. Vielleicht liegt es daran, dass sie als kleines Mädchen so wenig Aufmerksamkeit bekommen hat. Jetzt wird sie dafür entschädigt.«

»Sie steht gern im Mittelpunkt. Ihre Ballettlehrerin meint, sie hätte außergewöhnliches Potenzial als Tänzerin. Das hat sie von ihrer Großmutter geerbt.«

»Sie muss ihrer inneren Stimme folgen wie Sie der Ihren«, sagte Hans. »Wo stellen Sie Ihre Werke aus?«

»In einer New Yorker Galerie. In den letzten Jahren habe ich viele Aufträge von Privatleuten angenommen. Das ist nicht unbedingt, was mir vorschwebt, aber so verdiene ich mir meinen Lebensunterhalt.«

»Dann haben die Ereignisse immerhin einen positiven Effekt für Sie gehabt. Sie sind jetzt eine reiche Frau.«

»Sie wissen, dass ich nicht vorhabe, das Geld anzunehmen.«

Hans musterte sie. »Grania, manchmal habe ich das Gefühl, dass Ihr Stolz stärker ist als Ihr gesunder Menschenverstand.«

»Wie meinen Sie das?«

»Was ist so verkehrt daran, sich von jemandem beschenken zu lassen?«

»Nichts, Hans. Es ist nur …«

Plötzlich musste Grania an Matt denken. Wie oft hatte sie sich geweigert, die Hilfe seiner Eltern anzunehmen, und noch schlimmer: ihn zu heiraten. Hätte sie bei Matt Ja gesagt, wäre sie nun nicht in dieser Lage gewesen. Und zweifelsohne hätte der Beistand von Matts Eltern ihnen das Leben erleichtert.

»Vielleicht haben Sie recht«, gab Grania schließlich zu. »Aber ich kann nichts dagegen tun; ich bin nun mal so.«

»Es mag ein Teil Ihrer Persönlichkeit sein oder aber auch einem Gefühl der Unsicherheit entspringen. Sie sollten überlegen, warum Sie keine Unterstützung anderer zulassen. Möglicherweise glauben Sie in Ihrem tiefsten Innern, ihrer nicht würdig zu sein.«

»Ich weiß es nicht. In gewisser Hinsicht hat mein Stolz mir tatsächlich das Leben erschwert. Danke, Hans, für Ihre Offenheit. Sie haben mir sehr geholfen.«

Am folgenden Morgen, als ihre Familie wie an jedem Sonntag zur Kirche ging, blieb Grania mit Aurora zu Hause.

»Möchtest du mich später zum Friedhof von Dunworley begleiten? Onkel Hans hat aus der Schweiz einen Behälter mitgebracht, in dem sich etwas befindet, das man Daddys Zauberstaub nennen könnte.«

»Du meinst seine Asche?«, fragte Aurora und biss ein Stück Toast ab.

»Ja. Hilfst du mir, sie zu verstreuen?«

»Natürlich. Kann ich aussuchen, wo?«

»Ja, obwohl Daddy Mummys Grab vorgeschlagen hat.«

»Nein.« Aurora schüttelte den Kopf. »Da bringen wir ihn nicht hin.«

»Warum nicht?«

»Da liegen nur die Knochen von Mummy. Sie selber ist nicht dort.«

»Dann zeig mir, wo sie ist.«

Bei Einbruch der Dunkelheit verkündete Aurora, dass sie nun die Asche ihres Vaters verstreuen wolle.

Alexanders Urne in einer Tragetüte, folgte Grania Aurora den Klippenpfad in Richtung Dunworley House. Als sie den grasbewachsenen Felsen erreichten, blieb Aurora stehen.

»Setz dich da hin wie immer, Grania«, sagte Aurora und nahm die Urne aus der Tüte. Dann öffnete sie den Deckel und schaute hinein.

»Sieht aus wie grober Sand.«

»Ja.«

Aurora ging zum Klippenrand, wo sie sich umdrehte. »Grania, hilfst du mir?«

»Natürlich.« Grania trat zu ihr.

»Da ist Mummy runtergefallen. Manchmal sehe ich sie hier. Mummy!«, rief sie. »Ich gebe dir jetzt Daddy.« Aurora blickte, Tränen in den Augen, in die Urne. »Auf Wiedersehen, Daddy. Geh zu Mummy. Sie braucht dich.« Aurora streute die Asche über den Klippenrand, wo der Wind sie erfasste und aufs Meer hinauswehte. »Ich liebe dich, Daddy. Und dich auch, Mummy. Bis bald im Himmel.«

Grania kehrte zu dem Felsen zurück, damit Aurora ungestört war, und beobachtete, wie diese niederkniete.

Nach einer Weile erhob sie sich wieder und wandte sich Grania zu. »Das war's. Jetzt sind sie bereit zu gehen.«

»Ja?«

»Ja.«

Aurora streckte die Hand aus, und Grania nahm sie.

Auf dem Weg zum Farmhaus drehte Aurora sich noch einmal um. »Schau!« Sie deutete zurück. »Siehst du sie?«

»Wen?«

»*Schau doch ...*«

Grania zwang sich zurückzublicken.

»Sie fliegen«, erklärte Aurora. »Sie hat ihn abgeholt, und jetzt fliegen sie miteinander in den Himmel.«

Grania, die lediglich im Wind dahinjagende Wolken sah, schob Aurora sanft den Hügel hinunter, in eine neue Zukunft.

39

Matt betrachtete blinzelnd das schattenhafte Bild. Auf dem Monitor befand sich der lebende Beweis für die Nacht, an die er sich nicht erinnerte.

»Wollen Sie's in 3D sehen?«, fragte die Ärztin.

»Gern«, antwortete Charley.

»Das ist der Kopf und das der Arm … wenn es aufhört, sich zu bewegen, erkennen Sie es besser …«

»Wow«, stieß Matt hervor. Auf dem Bildschirm war wirklich alles zu sehen, Vorder- und Rückseite, jede Einzelheit. So etwas bekam man nur in einer teuren Privatklinik. Im Vergleich dazu waren die Aufnahmen von Granias Baby, die man ihm im örtlichen Krankenhaus nicht weit vom Loft gezeigt hatte, wie ein Schwarzweißfilm aus den vierziger Jahren gewesen.

Charley nahm die Bilder entgegen und ergriff mit der anderen Hand die von Matt. »Wollen wir was essen? Ich hab plötzlich einen Mordshunger«, erklärte sie kichernd.

»Klar.«

Beim Lunch redete fast nur Charley. Das konnte Matt verstehen. Schließlich war es Charleys erstes Kind, und sie hatte das Recht, aufgeregt zu sein. Am folgenden Tag fand bei ihren Eltern ein Grillfest statt, um die Verbindung zwischen Charley und Matt sowie die Schwangerschaft bekanntzugeben. Matt seufzte. Sogar die Termine, die sie in der Klinik erhalten hatten, entsprachen genau dem Plan. Er musste endlich akzeptieren, dass er dieses Leben mit geschaffen hatte.

Als Charley von der Einladung am folgenden Tag sprach, wie sehr sie sich darauf freute, es allen ihren Freunden zu erzählen, ihren *gemeinsamen* Freunden, gab Matt sich geschlagen. Er sah Charley über den Tisch hinweg an. Es bestand kein Zweifel: Sie war die attraktivste Frau im Restaurant. Bestimmt würde es ihm gelingen, sie, das Baby und ihr gemeinsames Leben zu lieben.

Grania war weg...

Matt winkte den Kellner heran und flüsterte ihm etwas ins Ohr.

Wenig später brachte er eine Flasche Champagner.

Charley sah Matt fragend an. »Gibt's was zu feiern?«

»Ja, ich denke schon.«

»Ja?«

»Ja.«

»Du meinst das Baby?«

»Das und...« Der Kellner schenkte den Champagner ein. Matt hob sein Glas. »Uns.«

»Meinst du?«

»Ja. Würdest du mich heiraten?«

»Ist das ein Antrag?«

»Ja.«

»Bist du sicher?« Sie runzelte die Stirn.

»Ja. Was hältst du von dem Vorschlag? Sollen wir dem Baby einen Familiennamen geben? Und unsere Hochzeitspläne morgen bei dem Grillfest verkünden?«

»Matty, du weißt nicht, wie ich...« Charley begann zu weinen. »Entschuldige, das sind die Hormone. Ich möchte sicher sein, dass du es aus dem richtigen Grund tust. Dass es dir um uns und nicht nur um das Baby geht. Sonst funktioniert's nämlich nicht.«

»Schätze...«, Matt kratzte sich am Kopf, »...wir sind füreinander bestimmt.«

»Das habe ich immer schon geglaubt.«

»Und?« Matt hob sein Glas. »Sagst du Ja?«

»Natürlich, Matty.«

»Dann sollten wir jetzt einen Verlobungsring aussuchen, den wir morgen präsentieren können.«

Drei Stunden später kehrte Matt hundemüde mit Charley ins Loft zurück. Er war mit ihr bei Cartier und Tiffany und wieder bei Cartier gewesen, wo sie jeden Ring in dem verfluchten Laden anprobiert hatte. Der einzige Unterschied zwischen dem, der ihr als Erster gefallen hatte, und dem, den sie schließlich wählte, schien ihm der deutlich höhere Preis zu sein. Er kostete Matt fast so viel, wie er in sechs Monaten verdiente.

Du wirst lernen, sie zu lieben ...

Als Matt ins Bett sank, waren die Worte seiner Mutter der einzige Trost, den er finden konnte.

Matt kannte Umgebung, Atmosphäre und alle Leute bei dem Grillfest, und Charley war strahlend schön in ihrem neuen Kleid von Chanel. Er trank weit mehr, als gut für ihn war – sie würden über Nacht bei seinen Eltern bleiben –, und als er ihre Verlobung und die geplante Hochzeit verkündete, traten ihm Tränen in die Augen. Vermutlich zweifelte keiner der Anwesenden an seiner Liebe. Sobald die Gäste sich verabschiedet hatten und nur noch Matt, Charley und die beiden Elternpaare da waren, ergriff Charleys Vater das Wort.

»Ich kann gar nicht sagen, wie sehr ich mich freue. Und deinen Eltern, Matt – unseren lieben Freunden Bob und Elaine – geht es genauso. Wir vier haben beschlossen, euch Kindern ein Hochzeitsgeschenk zu machen. In der Oakwood Lane ist ein Haus, das ideal für euch wäre. Es hat innen viel Platz und einen großen Garten fürs Kind zum Spielen ... Matt, dein Dad und ich sprechen morgen mit dem Makler. Wir wollen es für euch kaufen.«

»Matty!«, rief Charley begeistert aus und ergriff Matts Hand. »Ist das nicht toll? Stell dir vor, dann sind beide Großelternpaare ganz in der Nähe und können jederzeit zum Babysitten kommen!«

Alle lachten, nur nicht Matt, der sein Glas nachfüllte.

Später am Abend, im Haus seiner Eltern, gesellte sich Matts Mutter auf der Terrasse zu ihm.

»Bist du glücklich?«, fragte sie ihn.

»Natürlich, warum sollte ich es nicht sein?«

»Nur so.« Sie legte eine Hand auf Matts Schulter. »Ich möchte bloß, dass mein Junge glücklich ist.«

Matts Körpersprache sagte das genaue Gegenteil von dem, was er ihr gerade versichert hatte. Elaine seufzte. Später lag sie schlaflos neben ihrem Mann im Bett und dachte über die vergangenen neununddreißig Jahre ihres Lebens nach, das, zumindest an der Oberfläche, perfekter nicht sein konnte. Doch im Innern sah es anders aus.

Und ihrem Sohn stand das gleiche Schicksal bevor wie ihr.

Der Sommer in Dunworley Bay verlief ereignislos; es gab Tage, an denen es warm genug war, um an den Strand zu gehen und im Meer zu schwimmen, und andere mit leichtem Regen. Aurora, die zufrieden zu sein schien, verbrachte die Zeit auf der Farm mit John und Shane, fuhr mit Kathleen nach Cork, um Kleider zu kaufen, und genoss Ausflüge mit Grania zu landschaftlich schönen Stellen entlang der Küste. Wenn Grania nicht mit Aurora zusammen war, arbeitete sie im Atelier.

Eines Tages im August streckte sich Grania und trat einen Schritt vom Arbeitstisch zurück. Jede weitere Veränderung an den Skulpturen hätte sie nur schlechter gemacht. Sie waren vollendet. Mit einem Gefühl der Befriedigung wickelte sie sie einzeln für die Fahrt nach Cork ein, wo sie mit Bronze überzogen werden sollten. Dann setzte sie sich erschöpft hin. Das Projekt hatte sie von ihrer merkwürdigen Benommenheit abgelenkt. Es war, als fände sie keinen rechten Bezug zur Welt, als sähe sie sie hinter einem Schleier.

Natürlich freute sie sich, dass Aurora bald ihre Tochter werden würde – die irischen Behörden hatten sich bereits bei Grania gemeldet. Sie versuchte, sich darauf zu konzentrieren und andere, schwierigere Aspekte ihres gegenwärtigen Lebens auszublenden, zum Beispiel den, dass sie nicht ewig unter dem Dach ihrer Eltern wohnen wollte. Aber sie wusste auch nicht, ob sie sich in Dunworley House wohlfühlen würde, das man gerade komplett renovierte. Außerdem war Aurora glücklich auf der Farm.

Fürs Erste schien Grania also bleiben zu müssen, wo sie war.

Im September kam Hans wieder nach Irland. Zu dritt erschienen sie vor dem Familiengericht in Cork, um den offiziellen Adoptionsprozess abzuschließen.

»Du hast jetzt eine neue Mutter, Aurora«, stellte Hans fest. »Wie fühlt sich das an?«

»Wunderbar!« Aurora drückte Grania. »Und eine neue Großmutter und einen neuen Großvater und ...«, sie kratzte sich an der Nase, »... Shane ist, glaube ich, mein Onkel, oder?«

»Ja«, antwortete Grania lächelnd.

»Meinst du, sie hätten was dagegen, wenn ich sie Oma und Opa und Onkel Shane nenne?« Aurora kicherte.

»Das kann ich mir nicht vorstellen.«

»Und du, Grania?« Plötzlich wurde Aurora verlegen. »Darf ich Mummy zu dir sagen?«

»Gern.«

»Da werde ich fast neidisch«, schmollte Hans. »Ich scheine der Einzige zu sein, der nicht offiziell mit dir verwandt ist, Aurora!«

»Sei nicht albern, Onkel Hans! Du bist mein Patenonkel! Und selbstverständlich darfst du mein Onkel ehrenhalber sein.«

»Danke, Aurora.« Hans zwinkerte Grania zu. »Ich weiß es zu schätzen.«

Hans blieb zum Abendessen, das Kathleen anlässlich der offiziellen Aufnahme Auroras in die Ryan-Familie zubereitet hatte. Danach stand er auf und verkündete, er müsse in sein Hotel in Cork, weil er früh am folgenden Morgen in die Schweiz zurückfliegen werde. Zum Abschied gab er Aurora einen Kuss, dankte Kathleen und John, und Grania begleitete ihn zum Wagen.

»Schön, dass sie so glücklich ist in dieser Familie.«

»Meine Mutter sagt, Aurora hätte neuen Schwung ins Haus gebracht.«

»Und Sie, Grania?«, erkundigte sich Hans. »Wie sehen Ihre Pläne aus?«

»Ich habe keine.« Sie zuckte mit den Achseln.

»Alexander wollte nicht, dass Ihre Entscheidungen über Aurora Ihre Pläne für die Zukunft beeinflussen«, erinnerte Hans sie. »Ich habe mit eigenen Augen gesehen, wie zufrieden Aurora bei Ihrer Familie ist, und bezweifle, dass sich daran etwas ändern würde, wenn Sie ein anderes Leben anfingen.«

»Danke, Hans, aber ich habe kein ›anderes Leben‹ mehr. Das hier *ist* mein Leben.«

»Dann müssen Sie sich eines suchen. Vielleicht fahren Sie ja mal wieder nach New York?« Hans legte ihr eine Hand auf die Schulter. »Sie sind zu jung und begabt, um sich hier zu vergraben. Nehmen Sie Aurora nicht als Vorwand. Wir gestalten unser Schicksal selbst.«

»Ich weiß«, pflichtete Grania ihm bei.

»Entschuldigung, ich halte Ihnen Vorträge. Aber ich habe den Eindruck, dass die letzten Monate härter für Sie waren, als Sie denken. Sie sitzen in einem Loch, aus dem Sie wieder herausklettern sollten. Dazu müssen Sie Ihren Stolz vergessen. Ich weiß, wie schwer Ihnen das fällt, Grania.« Er küsste sie auf beide Wangen und stieg ein. »Passen Sie auf sich auf und rufen Sie mich an, wenn Sie Hilfe brauchen. Ich stehe Ihnen beruflich wie privat bei, so gut ich kann.«

»Danke.« Grania winkte Hans traurig nach. In den vergangenen Monaten hatte sich ein enges Verhältnis zwischen ihnen entwickelt. Grania schätzte die Meinung dieses Mannes, der ihr Innerstes zu kennen schien.

Vielleicht sollte sie tatsächlich nach New York fliegen …

Als vom Atlantik wieder kalte Winde über die Küste von West Cork fegten und die Menschen dort begannen, ihre Kamine zu entzünden, wandte Grania sich einer neuen Serie von Skulpturen zu. Diesmal verwendete sie das Gemälde von Auroras Großmutter Anna als »Sterbender Schwan«, das im Speisezimmer von Dunworley House hing, als Vorlage.

Und sie besorgte Tickets für einen Gastauftritt des English National Ballet in Dublin als Geschenk für Aurora zu ihrem neunten Geburtstag Ende November. Natürlich war Aurora ganz aus dem Häuschen.

»Grania, das ist das schönste Geschenk, das ich je bekommen habe! Und noch dazu für *Dornröschen*, mein Lieblingsballett!«

Auroras verzücktes Gesicht bei der Aufführung zu sehen war für Grania spannender als das Ballett selbst.

Beim Verlassen des Theaters verkündete Aurora: »Ich habe

mich entschieden: Obwohl ich die Tiere auf der Farm liebe, muss ich Ballerina werden. Eines Tages möchte ich die Rolle der Prinzessin Aurora tanzen.«

»Das schaffst du bestimmt, Liebes.«

Im Hotelzimmer gab Grania Aurora einen Gutenachtkuss und legte sich zu ihr ins Doppelbett. Als sie das Licht löschten, fragte Aurora: »Grania?«

»Ja?«

»Lily hat immer gesagt, sie hasst Ballett, aber warum hat sie mich dann nach der Prinzessin in *Dornröschen* benannt?«

»Gute Frage. Möglicherweise hat sie das Ballett doch nicht gehasst.«

»Ja…«

Kurzes Schweigen, dann: »Grania?«

»Ja, Aurora?«

»Bist du glücklich?«

»Ja. Warum fragst du?«

»Du siehst manchmal sehr traurig aus.«

»Tatsächlich? Natürlich bin ich glücklich, Liebes. Ich habe doch dich und meine Arbeit und meine Familie.«

Wieder Schweigen. »Aber keinen Mann.«

»Stimmt.«

»Ich glaube, Daddy würde es nicht gefallen, wenn er wüsste, dass du allein bist. Und einsam.«

»Ich fühle mich wohl und bin zufrieden, wirklich.«

»Grania?«

»Ja, Aurora?« Grania seufzte müde.

»Hast du vor Daddy schon mal jemanden geliebt?«

»Ja.«

»Und was ist passiert?«

»Das ist eine lange Geschichte. Ehrlich gesagt, weiß ich es nicht so genau.«

»Solltest du das nicht rausfinden?«

»Aurora, schlaf jetzt. Es ist spät.«

»Entschuldige. Noch zwei Fragen. Wo wohnt er?«

»In New York.«

»Und wie heißt er?«

»Matt.«

»Aha.«

»Gute Nacht, Aurora.«

»Gute Nacht, Mummy.«

40

Charley, mittlerweile im sechsten Monat und das blühende Leben, hatte sich eine riesige Auswahl an Designer-Schwangerschaftskleidung zugelegt. Das Haus, nur drei Straßen von Matts und Charleys Eltern entfernt, war gekauft und wurde von Charley völlig umgemodelt, obwohl es Matt so gefiel, wie es war. Charley, die mit dem Arbeiten aufgehört hatte, hielt sich die meiste Zeit bei ihren Eltern auf, so dass sie die Renovierung überwachen konnte. Das gab Matt Gelegenheit, sich auf seine Arbeit zu konzentrieren. Die ersten hitzigen Debatten darüber, warum er sich weigerte, ins Geschäft seines Vaters einzusteigen, hatten sie bereits hinter sich. Matt glaubte weiterhin, zumindest einen Teil seiner bisherigen Identität retten zu müssen.

Außerdem ging er seine Habseligkeiten für den Umzug durch. Er wusste nicht, was er mit Granias Sachen tun sollte. Vielleicht würde er sie in Kisten verpackt einlagern und Granias Eltern schreiben, wo sie sich befanden.

Er hätte sich gewünscht, dass Liebe und Schmerz über ihren Verlust sich endlich in Wut verwandelten, doch das geschah nur hin und wieder.

Matt frühstückte in einem kleinen Café, wo er eine Latte und einen Bagel bestellte.

»Hallo, Matt, wie geht's?«

Als Matt den Blick hob, sah er Roger, Granias früheren Mitbewohner.

»Gut, danke«, antwortete er. »Wohnst du jetzt in der Gegend, Roger?«

»Ja, hier gefällt's mir. Und wie geht's deiner Freundin?«, erkundigte sich Roger.

»Du meinst Charley?«

»Ja, Charley.«

»Auch gut. Wir …«, Matt wurde rot, »… wollen heiraten.«

»Tatsächlich? Gratuliere.«

»Sobald das Baby da ist.«

»Tolle Neuigkeiten! Mir ist jetzt eingefallen, woher ich sie kenne. Ich arbeite in der Abteilung der Klinik, in der künstliche Befruchtungen vorgenommen werden. Da habe ich sie gesehen. Sag ihr von mir, dass sie sich glücklich schätzen kann. Es wird immer noch nur ein geringer Prozentsatz der behandelten Frauen tatsächlich schwanger.«

Matt schüttelte verwirrt den Kopf. »Du kennst Charley von der Klinik?«

»Ja. Ich kann verstehen, wenn Paare das nicht an die große Glocke hängen wollen. Viel Glück für die Zukunft.«

»Danke.«

»Man sieht sich.«

Roger machte Anstalten, das Café zu verlassen.

»Roger? Weißt du noch, wann du sie in der Klinik gesehen hast?«

Roger kratzte sich am Kopf. »Mitte Mai, würde ich sagen.«

»Sicher?«

»Ziemlich. Gibt's Probleme?«

»Nein, ich … ach, egal.«

Matt ging nach Hause. Bestimmt täuschte sich Roger. Warum sollte Charley Mitte Mai in der Klinik gewesen sein? Es sei denn …

Sein Handy klingelte. Matt ging ran.

»Hallo, Matt. Ich bin's, Mom. Wie geht's dem zukünftigen Vater?«

»Hm …«

»Alles in Ordnung, Junge?«

»Keine Ahnung. Ich habe gerade etwas erfahren …«

»Was ist los, Matt?«

»Ich weiß nicht, ob ich dir das erzählen kann.«

»Du kannst mir alles erzählen.«

»Ich habe keinerlei Beweise. Jemand hat mir gesagt, er hätte Charley in der Klinik gesehen, in der er arbeitet, in der Abteilung für künstliche Befruchtung. Er hat sie erkannt, als er bei uns war, um mir etwas zu bringen, und behauptet, sie wäre Mitte Mai dort gewesen, also zu der Zeit, als … Scheiße, Mom! Vielleicht irrt er sich, aber … Er war sich so sicher, dass er sie erkannt hat. Glaubst du …?«

Es dauerte eine Weile, bis Elaine antwortete. »Nein, ich ›glaube‹ nicht. Matt, ich muss dir etwas sagen. Kommst du her?«

»Bin schon unterwegs.«

»Charley hatte als Teenager Probleme mit der Monatsblutung. Sie litt jeden Monat unter starken Schmerzen und musste sich oft von der Schule befreien lassen. Ein Spezialist hat Endometriose diagnostiziert, gutartige Wucherungen an der Gebärmutterschleimhaut, und ihr eröffnet, dass sie auf natürlichem Weg vermutlich keine Kinder empfangen kann. Das hat ihre Mutter mir damals anvertraut. Sonst weiß es niemand – so etwas posaunt man nicht im Country Club herum, insbesondere nicht dann, wenn man hofft, dass die Tochter sich einen attraktiven Ehemann angelt.«

Matt stieß einen Pfiff aus.

»Dir muss klar sein, dass ich einen Vertrauensbruch begehe und eine Freundin verlieren könnte. Lass also bitte mich aus dem Spiel, wenn du mit Charley darüber sprichst. Höchstwahrscheinlich sagt dein Freund die Wahrheit. Auch wenn ich Gefahr laufe, in die Bredouille zu geraten: Mein Sohn darf in einer so wichtigen Angelegenheit nicht hinters Licht geführt werden.«

Matt tätschelte ihre Hand. »Keine Sorge, Mom, meine Lippen sind versiegelt. Wenn Charley tatsächlich ... Himmel, Mom! Ich verstehe das nicht.« Matt stand auf und umarmte seine Mutter. »Danke, dass du es mir gesagt hast. Ich melde mich in den nächsten Tagen.«

Matt wusste nicht, was er denken sollte. War es Zufall, dass die Nacht, in der er sich betrunken hatte, in die Zeit fiel, als Charley in der Klinik gewesen war? Er wusste ja nicht einmal, ob er überhaupt mit ihr geschlafen hatte! War am Ende alles von ihr inszeniert?

Als Charley nach Hause kam, erzählte sie ihm begeistert von dem neuen Haus.

Matt musste seine Gedanken ordnen, bevor er sie zur Rede stellte. Wut, das wusste er, war nicht die beste Grundstimmung für ein solches Gespräch.

Mit Mühe schaffte er es, den Abend hinter sich zu bringen. Im Bett beugte Charley sich zu ihm hinüber und küsste ihn.

»Gute Nacht, Schatz. Ich freu mich so auf die Zukunft.« Sie schaltete das Licht aus.

Matt schaltete es wieder ein.

»Charley, wir müssen reden.«

Sie setzte sich auf und nahm seine Hand. »Kriegst du Muffensausen wegen dem Kind? Keine Sorge, Matty, der Arzt sagt, das ist völlig normal ...«

»Charley, ich muss dich was fragen und bitte dich, mir eine ehrliche Antwort zu geben«, Matt sah sie an, »egal, was das für Konsequenzen hat.«

»Ich würde dich niemals belügen.«

»Gut…« Matt holte tief Luft. »Warst du im Mai zur künstlichen Befruchtung in einer Klinik?«

»Ich… mein Gott, Schatz!« Sie lächelte nervös.

Da wusste Matt, dass sie ihn hinters Licht geführt hatte.

»Ich kenne mich nicht aus mit solchen Dingen, aber es stimmt, oder?«

»Matty, wie hast du's rausgefunden?«

»Roger ist mir gestern im Café begegnet. Er hat mir zum erfolgreichen Abschluss unseres Projekts gratuliert.«

»Okay, ich war tatsächlich in Behandlung, wollte dich aber nicht täuschen. Ich hatte von Anfang an vor, das Baby allein großzuziehen, und habe dir gesagt, dass ich es auf jeden Fall mache, egal, wie du dich entscheidest. Nach all den Jahren, in denen ich dachte, ich würde nie ein eigenes Kind haben, erschien es mir wie ein Wunder, als ich endlich schwanger wurde… Matty, kannst du mir verzeihen? Bitte, ich liebe dich!«

»Sieh mich an, Charley. War es Zufall, dass du nach unserer gemeinsamen Nacht schwanger geworden bist, oder geplant?«

»Ich weiß, was ich getan habe, war falsch, aber…«

»Ist das Baby in deinem Bauch von mir?«

Sie wandte den Blick ab.

»Haben wir in der Nacht miteinander geschlafen? Ich möchte eine ehrliche Antwort. Bin ich der Vater des Kindes?«

Charley starrte schweigend die Wand an. Matt stand auf und begann, im Zimmer auf und ab zu laufen.

»Ich *muss* es wissen. Bitte sag mir die Wahrheit.«

Charley schüttelte den Kopf. »Nein, Matt, du bist nicht der Vater.«

»Scheiße!« Fast wäre ihm die Hand ausgerutscht, so wütend war er. Er atmete tief durch, um sich zu beruhigen. »Wer?«

»Ich kenne seinen Namen nicht.« Sie zuckte mit den Achseln. »Es ist nicht so, wie du denkst, Matty.«

»Wie ist es dann, Charley? Du hast mit einem Wildfremden gebumst und wolltest das Baby mir unterjubeln.«

»Nein! Ich weiß seinen Namen deshalb nicht, weil sein Sperma von einer Samenbank stammt. Ich kenne nur das DNA-Profil, nichts weiter.«

Matt schüttelte den Kopf. »Du magst mich jetzt für naiv halten, aber ich habe keine Ahnung, was du da redest.«

»Der Vater des Kindes ist ein achtundzwanzigjähriger Doktorand aus Kalifornien. Er hat dunkle Haut, braune Augen und ist einsachtundsiebzig groß. Er war noch nie ernsthaft krank und besitzt einen überdurchschnittlichen IQ. Das ist sein genetisches Profil; mehr weiß ich nicht über ihn.«

Matt setzte sich aufs Bett. »Du hast dir also ein anonymes Spenderprofil ausgesucht und dich mit den Spermien dieses Mannes befruchten lassen?«

»Ja.«

»Aha. Und was für eine Rolle spiele ich bei dem Ganzen? War ich von Anfang an Teil des Plans?«

»Matty, ich hatte das Monate, bevor ich bei dir eingezogen bin, entschieden«, antwortete Charley mit blassem Gesicht.

»Und ich war gerade zur Hand als Ersatzdaddy?«

»Nein, Matt, ich liebe dich! Ich war einen Tag vor jener Nacht in der Klinik; es hat sich so ergeben. Du warst betrunken und hast mir Komplimente gemacht. Ich dachte ...«

»Charley, haben wir in der Nacht miteinander geschlafen? Ich erinnere mich nämlich nicht daran. Egal, wie betrunken ich war: So etwas ist mir noch nie passiert.«

»Nein. Jedenfalls nicht so, dass ein Kind daraus hätte entstehen können. Wir haben uns geküsst und gestreichelt, aber du warst nicht in der Lage ...«

»Dich zu bumsen?«

»Ja, mich zu ›bumsen‹«, bestätigte sie verbittert.

»Warum hast du es dann behauptet? Warum die Lügen? Charley, das war grausam.«

»Hör auf, Matt!« Plötzlich wurde Charley wütend. »Du hast mich tatsächlich geküsst und gestreichelt und mir gesagt, dass ich schön bin und du mich liebst…« Sie schluckte. »Obwohl du ihn nicht hochgekriegt hast, wäre ein Anruf oder eine SMS am nächsten Tag das Mindeste gewesen. Ich hatte gehofft, dass du dir etwas aus mir machst, und du hast nichts von dir hören lassen. Ich bin mir vorgekommen wie eine Nutte.«

»Du hast recht, ich habe mich benommen wie ein Arschloch«, gab Matt zu. »Entschuldige. Aber ist das Rechtfertigung genug, mich so anzulügen?«

»Ich schwöre dir, ich wusste nicht, dass ich schwanger bin. Das habe ich erst kurz vor deiner Rückkehr von der Vortragsreise erfahren. Vielleicht lag's an dem Abend im Lokal an den Hormonen oder an dem Schock darüber, dass ich in der Nacht irgendeine Frau von der Straße hätte sein können. Ich war verletzt, Matt. Wahrscheinlich wollte ich dich bestrafen.«

Matt lauschte schweigend.

»Als mir klar wurde, dass du immer nur Grania lieben würdest, habe ich den Stier bei den Hörnern gepackt. Ich wollte das Kind bekommen, notfalls auch allein. Und dann hast du plötzlich vorgeschlagen, es miteinander zu versuchen. Du kannst dir gar nicht vorstellen, wie glücklich ich war, Matt. Alle meine Träume wurden wahr. Du hast mich gefragt, ob ich deine Frau werden möchte, und ich habe tatsächlich geglaubt, es könnte funktionieren.« Sie schlang die Arme um ihn. »Das ist doch immer noch möglich. Ich weiß, ich habe dich angelogen, aber…«

Matt löste sich aus ihrer Umarmung. »Ich muss raus, Luft schnappen.«

»Bitte, Matty. Du lässt mich jetzt nicht im Stich, oder? Wir haben es allen gesagt, das Haus ist gekauft, und das Baby...«

Matt schlug die Tür hinter sich zu und rannte die Treppe hinunter. Draußen lief er die Straßen entlang zum Battery Park. Dort blieb er stehen und betrachtete die Lichter auf dem Hudson, bis sein Atem ruhiger wurde.

Es ging nicht nur um das, was Charley getan hatte, sondern auch um ihre Motive. Hatte sie ihn bewusst in die Falle gelockt? Hatte ihre Entscheidung, sich künstlich befruchten zu lassen, wirklich nichts mit ihm zu tun? Konnte er ihr glauben, dass das Timing Zufall war?

Doch auch dann hätte sie ihm nicht vormachen dürfen, dass er mit ihr geschlafen hatte und das Baby von ihm war.

Egal, wie er es drehte und wendete: Ihm fiel keine Entschuldigung für Charley ein. Und schlimmer noch: Sie war bereit gewesen, mit dieser Lüge zu leben. Möglicherweise hätte er nie erfahren, dass das Kind nicht von ihm stammte.

Bei der Vorstellung wurde Matt übel.

Matt erkannte auch seine Schuld an der Sache. Sein Schmerz über Granias Heirat hatte zu seinem überstürzten Antrag in dem Lokal geführt.

Sie hatte ihm in der Tat gesagt, dass sie das Baby allein großziehen würde. Am Ende war er es gewesen, der vorgeschlagen hatte, es miteinander zu versuchen. Erst jetzt wurde ihm klar, dass er nie um Charleys Gefühle für ihn gewusst hatte. Als er Grania kennengelernt hatte, waren keine Emotionen mehr für Charley übrig gewesen.

Matt überlegte, was zu tun war.

Sie konnten so weitermachen wie bisher. Er liebte Charley nicht und würde es auch nie tun – in dieser Hinsicht lebte er die Lüge bereits. Doch nun wusste er, dass das Kind in ihrem Bauch nicht von ihm war.

Matt erinnerte sich, wie sehr er Grania in der Anfangszeit ihrer Schwangerschaft hatte beschützen wollen. Bei jedem Gedanken an ihr Baby und die Geburt hatte er Schmetterlinge im Bauch bekommen. Bei Charley hatten sich keine vergleichbaren Gefühle eingestellt. Konnte er lernen, das Kind zu lieben, das er als sein eigenes großziehen würde? Matt biss sich auf die Lippe.

Als die Sonne über den Dächern von New Jersey aufging, kehrte Matt langsamen Schrittes nach Hause zurück. Er hatte nach wie vor keine Ahnung, was er Charley sagen würde.

Das Loft war verlassen. Auf dem Schreibtisch entdeckte er einen an ihn adressierten Umschlag.

Matt,
ich gehe. Tut mir leid, dass ich Dich getäuscht habe, aber Du hast auch zu dem Chaos beigetragen. Ich wähle den unkompliziertesten Weg für uns und das Baby.
Man sieht sich,
Charley

Matt stieß einen Seufzer der Erleichterung aus. Charley hatte ihm die Entscheidung abgenommen. Dafür war er ihr dankbar.

41

Vor Granias Atelierfenster färbten dahinjagende Winterwolken den Himmel über Dunworley Bay blau und grau. Ihre Skulpturensammlung wuchs, denn sie arbeitete wie besessen, manchmal bis spätabends.

»Willst du denn nichts mit den Figuren anfangen?«, fragte Kathleen eines Nachmittags, als sie Grania mit Aurora im Atelier besuchte. »Sogar ein Kunstbanause wie ich sieht, dass die etwas Besonderes sind, das Beste, was du je gemacht hast.«

»Sie sind wunderschön, Mummy.« Aurora ließ die Finger über die Skulpturen gleiten. »Oma hat recht. Es ist nicht richtig, wenn sie hier rumstehen und nur wir sie anschauen können. Du solltest sie einer Galerie geben. Ich möchte, dass die Leute meine Figuren sehen!«

Grania, die gerade an einer neuen Skulptur arbeitete, nickte geistesabwesend. »Ja, vielleicht tue ich das.«

»Kommst du mit zum Essen, Grania?«, fragte Kathleen.

»Bald, Mam. Nur noch den Arm…«

»Mach nicht mehr so lange. Wir möchten dich bei Tisch dabeihaben.«

»Ja«, pflichtete Aurora ihr bei. »Du siehst blass aus, Mummy, stimmt's, Oma?«

»Ja.«

»Ich hab doch gesagt, dass ich bald komme. Es ist schlimm genug, eine Mutter zu haben, die ständig auf mich einredet, und jetzt fängt auch noch meine Tochter an.«

»Bis bald.« Kathleen nickte ihr zu und scheuchte Aurora aus dem Atelier.

Ein kalter Wind blies Aurora und Kathleen ins Gesicht, als sie den Klippenpfad hinuntergingen.

»Oma?«

»Ja, Aurora?«

»Ich mach mir Sorgen um Mummy.«

»Ich auch, Liebes.«

»Was, glaubst du, ist nicht in Ordnung mit ihr?«

Kathleen wusste, dass es keinen Sinn hatte, Aurora mit Lügen abzuspeisen. »Ihr fehlt ein Mann. Es ist nicht gesund für eine Frau in Granias Alter, allein zu sein.«

»Der Mann, den sie geliebt hat, bevor sie Daddy begegnet ist – Matt, sagt sie, heißt er –, weißt du, was da los war? Warum Grania ihn verlassen hat und von New York nach Irland gegangen ist?«

»Wenn ich das wüsste, wäre ich froh. Meine Tochter ist stur; sie verrät es mir nicht.«

»Ist er nett?«

»Ein echter Gentleman. Er liebt Grania abgöttisch.«

»Immer noch?«

»Nachdem sie von New York weg ist, hat er ständig bei uns angerufen. Aber jetzt?« Kathleen seufzte. »Wer weiß? Schade, dass Grania es nicht geschafft hat, mit ihm zu reden. Viele Probleme lassen sich bei einer Tasse Tee und einem Gespräch lösen.«

»Grania ist sehr stolz, stimmt's?«

»Allerdings. Legen wir einen Zahn zu.« Kathleen zitterte in dem kalten Wind. »Es ist kein Abend zum Draußensein.«

Einige Tage später rief Hans Grania an, um sich zu erkundigen, wie die Renovierungsarbeiten in Dunworley House vorangingen.

»Ich wollte außerdem fragen, ob Sie sich nächste Woche mit mir in London treffen könnten. Ich habe einem befreundeten Kunsthändler, der eine Galerie in der Cork Street hat, von Ihnen und Ihren neuen Arbeiten erzählt. Er möchte Sie unbedingt kennenlernen. Es würde Ihnen guttun, ein paar Tage von Dunworley wegzukommen. Und ich könnte Ihnen das Haus in London zeigen, das Aurora von ihrer Mutter geerbt hat.«

»Das ist sehr nett von Ihnen, Hans, aber ...«

»Was aber? Wollen Sie mir etwa weismachen, dass Sie das nicht in Ihrem vollen Terminkalender unterbringen?«

»Und wollen Sie mich unter Druck setzen, Hans?«, fragte Grania spöttisch.

»Möglich. Doch letztlich befolge ich nur wie jeder gute Anwalt die Anweisungen meines Klienten. Ich buche Ihnen für nächsten Mittwoch einen Flug nach London und ein Hotelzimmer und schicke Ihnen die Einzelheiten per E-Mail.«

»Wenn Sie meinen.«

»Auf Wiedersehen, Grania. Sie hören von mir.«

Einige Tage später las Grania die Mail mit den Informationen über den Flug nach London.

Aurora legte von hinten die Arme um sie.

»Wo willst du hin, Grania?«

»Nach London, Hans treffen.«

»Prima. Endlich gönnst du dir eine Pause.« Aurora beobachtete, wie Grania ihre Passdaten für den elektronischen Check-in eingab.

»Darf ich das für dich machen?«

»Kannst du das denn?«

»Klar. Ich hab Daddy immer geholfen.«

Grania überließ ihr den Stuhl vor dem Computer. Aurora kicherte über das Foto in Granias Ausweis. »Du siehst komisch aus auf dem Bild!«

»Deins ist auch nicht viel besser«, entgegnete Grania schmunzelnd.

»Hast du denn meinen Pass?«

»Ja, der ist hier bei dem meinen.«

»Fertig. Ausdrucken?«, fragte Aurora.

»Ja, bitte.« Grania steckte ihren Pass zu dem von Aurora in ihre Brieftasche und legte diese in den Schreibtisch. »Zeit zum Schlafen, Fräulein.«

Aurora ging hinauf, putzte sich die Zähne und legte sich ins Bett. »Das mit deinem Passfoto war nicht so gemeint, Mummy. Ich finde dich sehr schön.«

»Danke. Ich finde dich auch schön.«

»Aber wenn du dir nicht bald einen Freund suchst, bist du zu alt, und die Männer interessieren sich nicht mehr für dich. Nicht!«, kicherte Aurora, als Grania sie kitzelte.

»Charmant, charmant. Das Problem ist nur, dass ich keinen will, Aurora.«

»Was ist mit Matt? Der Mann in Amerika, von dem du mir erzählt hast? Den hast du doch geliebt, oder?«

»Ja.«

»Ich glaube, du liebst ihn immer noch.«

»Möglich.« Grania seufzte. »Aber vorbei ist vorbei.« Sie gab Aurora einen Kuss. »Gute Nacht, Liebes, träum was Schönes.«

»Gute Nacht, Mummy.«

Am Mittwochmorgen fuhr Grania zum Flughafen von Cork und flog nach London. Dort holte Hans sie ab, und sie nahmen ein Taxi zum Claridge's.

»Wow!«, rief Grania aus, als sie die Suite betraten, die Hans für sie gebucht hatte. »Das kostet sicher ein Vermögen! Sie verwöhnen mich.«

»Das haben Sie sich verdient, und außerdem sind Sie eine

wohlhabende Frau mit einer sehr reichen Tochter, aus deren Vermögen mein Gehalt bezahlt wird. Ich überlasse Sie bis zum Abendessen Ihrem Schicksal. Wir treffen uns um acht unten in der Bar. Robert, der Inhaber der Galerie, kommt um Viertel nach dazu.«

Grania ließ sich ein Bad ein und trank danach, in einen dicken Frotteemantel gehüllt, ein Glas Champagner in dem wunderschön eingerichteten Wohnbereich, was sie trotz ihrer Abneigung gegen zur Schau getragenen Luxus genoss. Dann schlüpfte sie in das kurze schwarze Cocktailkleid, das sie in der vergangenen Woche in einer Boutique in Cork entdeckt hatte, schminkte sich und ging mit der Skulptur von Aurora, die sie dem Inhaber der Galerie zeigen wollte, nach unten.

Der Abend verlief angenehm. Robert Sampson, der Galerist, war ein guter Gesellschafter und begeistert über Granias Arbeit. Sie zeigte ihm Fotos von ihren anderen Werken.

»Wenn Sie es schaffen würden, in den kommenden Monaten weitere sechs Skulpturen fertigzustellen, hätten wir genug für eine Ausstellung«, sagte Robert bei Kaffee und Armagnac. »Noch kennt Sie keiner in London, und das würde ich gern ändern. Wir schicken Einladungen an die Sammler in meiner Kartei und kündigen Sie als neuen Star am Kunsthimmel an.«

»Glauben Sie, meine Arbeiten rechtfertigen das?« Grania fühlte sich geschmeichelt.

»Ja. Nach allem, was ich gesehen habe, würde ich mich freuen, Sie vertreten zu dürfen.«

»Es schadet auch nicht, dass Grania jung und einigermaßen fotogen ist«, meinte Hans augenzwinkernd.

»Stimmt«, pflichtete Robert ihm bei. »Sie müssten bereit sein, bei der Öffentlichkeitsarbeit mitzuhelfen.«

»Selbstverständlich«, sagte Grania.

»Wunderbar.« Robert erhob sich und küsste Grania auf

beide Wangen. »Es war mir eine Freude, Sie kennenzulernen, Grania. Lassen Sie sich meinen Vorschlag durch den Kopf gehen und schicken Sie mir, wenn Sie Interesse haben, eine Mail. Dann komme ich nach Cork, um alles Weitere zu besprechen.«

»Danke, Robert.«

Als Robert weg war, fragte Hans: »Ein erfolgreicher Abend?«

»Ja, danke, dass Sie uns zusammengebracht haben«, antwortete Grania, die sich wunderte, dass sie nicht so enthusiastisch war, wie sie hätte sein sollen. Schließlich war Robert Sampson eine Größe in der Kunstwelt.

Hans bemerkte ihre Stimmung. »Gibt's ein Problem?«

»Nein, ich... Ich glaube, ich habe innerlich die Tür nach New York noch nicht ganz geschlossen.«

Auf dem Weg zum Aufzug tätschelte Hans ihre Hand. »Vielleicht wird's Zeit, dass Sie sich neu orientieren.«

»Ja.«

»Für morgen Vormittag würde ich Ihnen einen kleinen Shoppingtrip vorschlagen. Die Bond Street mit ihren Boutiquen ist nur einen Katzensprung entfernt. Zum Lunch möchte ich mich mit Ihnen treffen, um langweiligen Papierkram zu erledigen. Und morgen Nachmittag zeige ich Ihnen Auroras Londoner Haus. Gute Nacht, Grania.« Er küsste sie auf die Wange.

»Gute Nacht, Hans, und noch mal danke.«

Am folgenden Morgen klingelte Granias Handy, als sie nicht sonderlich interessiert Modelle von Chanel betrachtete.

»Hallo, Mam«, sagte sie. »Alles in Ordnung?«

»Nein, Grania.«

Grania hörte die Panik in der Stimme ihrer Mutter. »Was ist passiert?«

»Aurora ist wieder weg.«

»Nein!« Grania sah auf die Uhr. Es war halb zwölf. »Wie lange schon?«

»Keine Ahnung. Du weißt, dass sie die Nacht bei Emily verbringen wollte?«

»Natürlich. Ich hab sie doch gestern Morgen mit ihren Sachen zur Schule gebracht.«

»Sie war aber nicht bei Emily. Vor etwa zwanzig Minuten hat mich die Schule angerufen, weil sie heute Morgen nicht dort erschienen ist. Ich habe mich sofort mit Emilys Mutter in Verbindung gesetzt. Die weiß nichts davon, dass Aurora bei ihr übernachten sollte.«

»Gott, Mam! Wann wurde sie das letzte Mal gesehen?«

»Emily meint, Aurora hätte die Schule gestern ganz normal verlassen. Sie wollte allein nach Hause gehen, weil du in London bist.«

»Und seitdem ist sie niemandem mehr begegnet?«

»Nein. Sie war die ganze Nacht weg. Wo steckt sie nur diesmal wieder?«

Grania trat von dem Laden auf die Straße hinaus. »Ich gehe ins Hotel zurück und rufe dich in zehn Minuten von dort aus an. Ich bin schuld. Ich hätte sie nicht allein lassen dürfen. Bis gleich.«

Zwei Stunden später lief Grania in ihrer Suite auf und ab, und Hans versuchte vergebens, sie zu beruhigen. John, Shane und Kathleen hatten erfolglos die Umgebung abgesucht.

»Dad informiert die Polizei«, sagte Grania. »Mein Gott, Hans, warum ist sie verschwunden? Ich dachte, sie ist glücklich bei Mam und Dad auf der Farm. Ich hätte sie nicht allein lassen dürfen ...«

Grania sank aufs Sofa.

»Bitte machen Sie sich keine Vorwürfe.«

»Doch. Offenbar habe ich unterschätzt, welche Wirkung Alexanders Tod auf Aurora hatte.«

»Ich verstehe es auch nicht. Sie wirkte so stabil«, sagte Hans.

»Aurora einzuschätzen ist schwierig. Hinter der erwachsenen, selbstständigen Fassade verbirgt sich sehr viel Schmerz. Was, wenn sie glaubt, ich hätte sie im Stich gelassen, und sie will zu ihren Eltern? Ich habe ihr versprochen, immer bei ihr zu bleiben, Hans…«

»Ganz ruhig, Grania. Ich kenne kein weniger selbstmordgefährdetes Kind als Aurora. Außerdem hat sie Ihnen doch zugeredet, nach London zu fliegen, oder?«

»Ja, das stimmt.«

»Ich habe das Gefühl, dass das nichts mit Auroras labiler Psyche zu tun hat«, stellte Hans fest.

»Was könnte dann der Grund sein?«

Grania schlug die Hand vor den Mund. »Mein Gott, Hans! Am Ende ist sie entführt worden!«

»Der Gedanke ist mir auch schon gekommen. Aurora ist eine sehr reiche junge Dame. Wenn sie in der nächsten Stunde nicht auftaucht, setze ich mich mit Interpol in Verbindung.«

»Und ich fliege sofort nach Hause.«

»Ja.«

»Ich könnte es mir nie verzeihen, wenn ihr etwas zugestoßen ist.« Granias Handy klingelte. »Irgendwas Neues, Mam?«

»Ja, Aurora geht es gut.«

»Gott sei Dank. Wo steckt sie?«

»Jetzt wirst du staunen: in New York.«

»Wie bitte?«

»Bei Matt.«

»Bei Matt?«, wiederholte Grania verblüfft.

»Ja. Er hat vor zehn Minuten bei uns angerufen und mir erzählt, die Fluggesellschaft hätte bei ihm nachgefragt, warum er nicht am Flughafen ist, um wie vereinbart ein Kind namens Aurora Devonshire abzuholen.«

»Was?«, rief Grania aus. »Wie um Himmels willen hat sie …?«

»Keine Ahnung. Matt ruft in ein paar Minuten wieder an. Ich wollte dir nur sagen, dass alles in Ordnung ist. Bald wissen wir mehr.«

»Ja, Mam. Wenigstens ist sie in Sicherheit.«

42

Anfangs hatte Matt den Anruf vom Flughafen für einen Scherz gehalten. Die Fluggesellschaft kannte seinen Namen, seine Telefonnummer und Adresse, aber wer das Kind war, wusste er nicht. Als er abstritt, über das Arrangement informiert zu sein, wurde der Aer-Lingus-Mann nervös.

»Heißt das, Sie kennen das Kind nicht, Sir?«

»Ich...« Irgendwie kam Matt der Name des Mädchens bekannt vor.

»Einen Augenblick, bitte.« Matt hörte eine gedämpfte Stimme am anderen Ende der Leitung, dann meldete der Mann sich wieder. »Miss Devonshire sagt, eine Miss Grania Ryan hätte alles mit Ihnen vereinbart.«

»Ach.«

»Wenn Sie nicht in der Lage sein sollten, Miss Devonshire abzuholen, haben wir ein Problem.«

»Nein, nein, schon in Ordnung. Ich bin in einer Dreiviertelstunde bei Ihnen.«

Auf der Fahrt zum Airport überlegte Matt, was los war. Dort angekommen, ging er zum vereinbarten Treffpunkt, wo ein kleines Mädchen mit leuchtend roten Locken auf ihn wartete, ein Eis von Ben & Jerry in der Hand, flankiert von einem Vertreter der Fluggesellschaft und einem Sicherheitsbeamten des Flughafens.

»Hallo, ich bin Matt Connelly«, begrüßte Matt sie.

Das Mädchen stellte den Becher mit dem Eis weg und warf

sich in seine Arme. »Onkel Matt! Wie konntest du mich nur vergessen? Grania hat mir versprochen, dass du mich abholen würdest. Wirklich ...« Sie wandte sich seufzend den beiden Männern zu. »Wissen Sie, Onkel Matt ist Psychologieprofessor und immer ein bisschen geistesabwesend.«

Die Männer lächelten, eingenommen vom Charme des Mädchens.

Als Aurora sich Matt zuwandte, sah er ihren warnenden Blick. »Können wir jetzt endlich zu dir, Onkel Matt? Ich kann's gar nicht erwarten, Granias Figuren zu sehen. Und ich bin schrecklich müde«, fügte sie gähnend hinzu.

Wieder dieser Blick, der Matt sagte, dass er mitspielen und keine Fragen stellen solle.

»Okay ... Aurora. Tut mir leid, dass Sie meinetwegen Unannehmlichkeiten hatten«, entschuldigte Matt sich bei den beiden Männern. »Sie hat recht, ich bin ein bisschen vergesslich. Wo ist dein Gepäck?«, fragte er Aurora.

»Ich hab nur den dabei.« Sie deutete auf ihren Rucksack. »Du weißt doch, dass ich nie viel mitbringe, Onkel Matt. Ich kaufe so gern mit dir ein.« Sie legte lächelnd ihre Hand in die seine. »Wollen wir gehen?«

»Ja. Danke, meine Herren, und noch mal Entschuldigung für die Verzögerung.«

»Tschüs, Aurora«, verabschiedete sich der Sicherheitsbeamte von dem Mädchen. »Pass gut auf dich auf.«

»Mach ich.«

Sobald sie außer Sicht- und Hörweite waren, sagte Aurora zu Matt: »Sorry, Matt. Ich erkläre dir alles, wenn wir bei dir sind.«

Am Wagen wandte Matt sich Aurora zu. »Tut mir leid, Mädchen, aber wir bewegen uns nicht von der Stelle, bevor du mir nicht gesagt hast, wer du bist und was du hier tust. Ich muss sicher sein, dass das kein Scherz ist. Am Ende werde ich beschuldigt, ein Kind entführt zu haben. Also raus mit der Sprache.«

»Das ist eine lange Geschichte.«

»Nur die groben Züge.« Matt verschränkte die Arme vor der Brust. »Los.«

»Es ist folgendermaßen«, begann Aurora. »Ich bin Grania oben auf den Klippen, nicht weit von meinem Haus in der Nähe von Dunworley, begegnet, und weil Daddy beruflich wegmusste, hat er Grania gebeten, in seiner Abwesenheit auf mich aufzupassen. Dann hat er gemerkt, dass er sterben muss, und Grania gefragt, ob sie ihn heiratet, damit sie meine Stiefmutter werden und mich leichter adoptieren kann. Sie haben geheiratet, und er ist gestorben, und jetzt ist Grania meine neue Mummy und...«

»Stopp!«, unterbrach Matt sie verwirrt. »Grania Ryan hat dich adoptiert?«

»Ja. Das kann ich dir beweisen.« Aurora nahm den Rucksack von der Schulter und holte ein Foto von ihr und Grania heraus. »Siehst du?« Sie reichte es Matt.

»Danke. Zweite Frage: Was machst du hier in New York?«

»Weißt du noch, wie du bei Oma und Opa angerufen hast und mit Grania sprechen wolltest? Und ich am Telefon war?«

Daher kannte Matt also ihren Namen! »Ja.«

»Ich hab dir gesagt, dass Grania mit meinem Daddy in Flitterwochen ist. Damals hab ich noch nichts von Daddys Krankheit gewusst. Und dass Grania ihn nur geheiratet hat, damit sie mich adoptieren und ich bei ihrer Familie bleiben kann.«

Matt nickte. »So weit kann ich dir folgen.«

»Grania war schrecklich traurig und einsam nach Daddys Tod und ist es immer noch. Das gefällt mir nicht. Ich hab sie gefragt, ob sie jemanden liebt. Sie hat gesagt, ja, dich. Da hab ich mich an unser Telefongespräch erinnert und gedacht, du könntest glauben, sie liebt dich nicht mehr. Was nicht stimmt. Also bin ich hergekommen, um dir persönlich zu erzählen, dass sie nicht mehr verheiratet ist und dich immer noch liebt.«

»Okay, dritte Frage: Weiß Grania, dass du hier bist?«

»Äh… nein. Mir war klar, dass sie mich nicht fliegen lassen würde.«

»Weiß überhaupt jemand, wo du steckst?«

»Nein.«

»Himmel! Dann sind sie bestimmt außer sich vor Sorge um dich.« Matt zog das Handy aus seiner Jackentasche. »Ich rufe Grania an. Du redest mit ihr, damit ich weiß, dass du die Wahrheit sagst.«

»Grania ist gerade in London«, erwiderte Aurora, zum ersten Mal nervös. »Warum rufst du nicht Kathleen an? Sie ist immer daheim.«

»Okay.«

Als er Kathleen alles erzählt hatte, seufzte diese erleichtert auf. Er reichte Aurora den Apparat.

»Hallo, Oma… Ja, mir geht's gut. Was? Ach, das war leicht. Daddy hat mich oft allein ins Flugzeug gesetzt. Oma, kann ich jetzt, wo ich schon mal hier bin, noch mit zu Matt, bevor ich zurückfliege? Ich bin schrecklich müde.«

Sie einigten sich darauf, dass Matt sie mit zu sich nehmen sollte. Sobald sie geschlafen hätte, würden sie sich über ihren Rückflug nach Irland unterhalten. Während der Fahrt nach New York bestaunte Aurora durchs Autofenster die hohen Gebäude.

»Ich würde gern noch mal zum Anfang zurückgehen, zu deiner ersten Begegnung mit Grania auf den Klippen«, sagte Matt.

Aurora erzählte die Geschichte ausführlicher.

»Grania ist ein guter Mensch. Ich hatte ein schlechtes Gewissen, weil ich vielleicht schuld bin, dass ihr nicht zusammenkommt«, erklärte Aurora im Aufzug von Matts Haus. »Ich möchte nicht, dass sie den Rest ihres Lebens einsam ist. Oder eine alte Jungfer wird, weil ich was falsch gemacht habe. Kannst du das verstehen, Matt?«

»Ja.« Er musterte verwundert dieses ungewöhnliche Kind. »Ich glaube, ich beginne zu begreifen.«

Aurora sah sich im Wohnbereich des Loft um. »Wie schön. Es ist genau so, wie ich es mir vorgestellt habe.«

»Danke, mir gefällt's auch. Möchtest du was trinken? Ein Glas Milch zum Beispiel?«

»Ja, bitte.« Aurora setzte sich, während Matt ihr die Milch brachte. Sie trank sie, stützte die Ellbogen auf die Knie, beugte sich vor und beäugte ihn. »Ich muss dich etwas sehr Wichtiges fragen, Matt. Liebst du Grania noch?«

»Ich habe Grania immer geliebt, von Anfang an. Sie hat mich verlassen und ist nach Irland gegangen, nicht umgekehrt. Manchmal kann das Leben der Erwachsenen ziemlich kompliziert sein.«

»Dann verstehe ich nicht, wo das Problem liegt«, meinte Aurora.

»Wie wahr, wie wahr. Wenn du deine neue Mutter dazu bringen könntest, mir zu verraten, was ich falsch gemacht habe und warum sie sich nach Irland abgesetzt hat, kämen wir vielleicht einen Schritt weiter.«

»Wird erledigt«, sagte Aurora gähnend. »Matt, ich bin furchtbar müde. Es war ein langer Flug.«

»Stimmt. Du solltest ein bisschen schlafen.«

»Ja.« Aurora stand auf.

»Mir ist es immer noch ein Rätsel, wie du's geschafft hast, allein von Irland hierherzukommen.«

»Das erkläre ich dir, wenn ich mich ausgeruht habe«, versprach Aurora und ließ sich von Matt ins Schlafzimmer führen.

»Gut.« Matt zog die Vorhänge zu.

»Matt?«

»Ja?«

»Ich weiß, warum Mummy dich liebt. Du bist nett.«

»Offenbar hat Aurora mit Ihrer Kreditkartennummer online einen Flug nach Dublin und New York gebucht und bezahlt.« Hans wiederholte, was Kathleen ihm soeben am Telefon erklärt hatte. »Sie ist mit dem Bus nach Clonakilty und von dort aus mit dem Taxi zum Flughafen von Cork gefahren, wo sie sich als Kind ohne Erwachsenenbegleitung bei der Fluggesellschaft gemeldet hat, wie so oft zuvor bei Alexander. In Dublin ist sie umgestiegen, und in New York hat sie Matt dazu gebracht, sie abzuholen.«

»Verstehe.«

»Eins muss man ihr lassen«, sagte Hans, »sie hat Ideen. Fragt sich nur, warum sie glaubte, diese Reise machen zu müssen.«

»Tja …«, meinte Grania.

»Matt ist der Mann, mit dem Sie in New York zusammen waren?«

»Ja.« In dem Moment hätte Grania Aurora am liebsten erwürgt.

»Warum haben Sie sich getrennt?«, erkundigte sich Hans.

»Eigentlich möchte ich mich jetzt nicht der Großinquisition stellen. Mir wäre es wichtiger, Aurora sicher nach Hause zu holen. Ich spiele mit dem Gedanken, sofort zu ihr nach New York zu fliegen.«

»Sie scheint dort in guten Händen zu sein. Ihre Mutter sagt, man kann sich auf Matt verlassen.«

»Ja«, bestätigte Grania widerwillig.

»Aurora will bestimmt mit Ihnen sprechen. Warum rufen Sie sie nicht an und vergewissern sich, dass alles in Ordnung ist?«

»Dann muss ich mit Matt reden. Ich warte, bis sie sich bei mir meldet. Vielleicht schläft sie ja.«

»Gut, Grania, dann lasse ich Sie allein und kümmere mich wieder um meine Arbeit. Rufen Sie mich in meinem Zimmer an, wenn Sie mir beim Essen Gesellschaft leisten wollen.«

»Mach ich.«

Hans legte kurz die Hand auf Granias Schulter, als er den Raum verließ. Sobald die Tür sich hinter ihm geschlossen hatte, begann Grania, im Zimmer hin und her zu laufen. Sie war verärgert darüber, dass Aurora es gewagt hatte, sich in ihr Leben einzumischen. Gerade als sie sich bemühte, etwas Neues aufzubauen, holte die Vergangenheit sie wieder ein, und sie musste Kontakt mit Matt aufnehmen, der höchstwahrscheinlich nach wie vor mit *ihr* zusammenlebte.

Grania stieß einen Seufzer der Verzweiflung aus und griff nach dem Telefonhörer, um Matt anzurufen. Nein, das schaffte sie noch nicht. Sie wählte die Nummer ihrer Mutter.

»Was für eine Erleichterung!«, rief Kathleen aus. »Kaum zu glauben, dass die Kleine es allein nach New York geschafft hat!«

»Ja, ganz schön clever, was? Mam, könntest du mir einen Gefallen tun und Matt bitten, dass er Aurora so schnell wie möglich nach Hause schickt?«

»Aurora sagt, sie würde gern noch ein paar Tage bei Matt bleiben. Wenn sie schon mal dort ist, kann sie sich auch New York anschauen. Matt scheint sie sehr zu mögen.«

»Mir wär's lieber, wenn sie bald nach Hause käme. Sie versäumt zu viel in der Schule.«

»Na und? Dafür macht sie Erfahrungen fürs Leben. Sie hat sogar einen Einheimischen als Reiseführer.«

»Mach, was du willst«, erklärte Grania gereizt. »Ich schicke dir eine Mail mit meinen Kreditkartenangaben für Auroras Heimflug.«

»In Ordnung. Die Buchung überlasse ich Shane. Mit dem Internet kenne ich mich nicht aus. Grania?«

»Ja?«

»Alles in Ordnung?«

»Klar. Bis bald.«

Die folgenden achtundvierzig Stunden brachten Matt und Aurora damit zu, alle Sehenswürdigkeiten von New York anzuschauen. Matt war fasziniert von Aurora, der Mischung aus Naivität und Intelligenz, Unschuld und Reife. Er konnte verstehen, warum sie Grania für sich eingenommen hatte.

An ihrem letzten Abend führte Matt Aurora auf ihren Wunsch in ein Hamburger-Lokal aus. Am folgenden Morgen würde er sie zum Flughafen bringen. Bis zu diesem Zeitpunkt hatten sie es beide tunlichst vermieden, über Grania zu sprechen.

»Matt, hast du dir schon einen Plan zurechtgelegt, wie du Grania zurückgewinnen kannst?«, fragte Aurora, bevor sie in ihren Hamburger biss.

»Nein.« Er zuckte mit den Achseln. »Sie hat ziemlich klargemacht, dass sie nicht mit mir reden möchte. Deinen Rückflug habe ich mit ihrer Mutter organisiert.«

»Grania ist stur«, stellte Aurora fest, »sagt Oma.«

»Allerdings«, bestätigte Matt schmunzelnd.

»Und stolz«, fügte sie hinzu.

»Ja, das auch.«

»Aber wir wissen, dass sie dich immer noch liebt.«

»Wissen wir das?« Matt hob fragend eine Augenbraue. »Ich bin mir da nicht so sicher.«

»Ich schon. Und ich habe einen Plan.«

Grania hatte die beiden vergangenen Tage in ihrer Hotelsuite im Claridge's verbracht. Nun, da sie wusste, dass es Aurora gut ging, hatte sie beschlossen, nicht gleich nach Hause zu fliegen, weil sie sich weder dem direkten Druck ihrer Mutter aussetzen wollte, Aurora selbst anzurufen, noch Lust hatte, sich von dieser anzuhören, wie schön es bei Matt – und möglicherweise Charley – gewesen war.

Grania aß mit Hans zu Abend, der ebenfalls vorhatte, London am folgenden Tag zu verlassen.

»Ich hoffe, Ihnen Auroras Haus zeigen zu können, wenn Sie das nächste Mal in London sind«, erklärte Hans. »Es ist wirklich schön.«

»Nächstes Mal, ja.«

Hans sah sie an. »Warum sind Sie wütend?«

»Wütend? Ich bin nicht wütend. Na ja, vielleicht doch. Auf Aurora, weil sie uns allen einen solchen Schrecken eingejagt und sich in mein Leben eingemischt hat.«

»Das kann ich nachvollziehen«, tröstete Hans sie. »Wir haben uns ja schon mal über Ihr Problem unterhalten, Geschenke von anderen anzunehmen. Sehen Sie denn nicht, dass Aurora auf ihre Art und Weise versucht, Ihnen etwas zu geben und Ihnen zu helfen?«

»Ja, aber sie begreift nicht…«

»Grania, mir steht kein Urteil zu, schon gar nicht in Herzensangelegenheiten. Doch Ihre Verärgerung beweist, wie viel Sie noch für diesen Mann empfinden.«

»Ja, ich liebe ihn«, gestand sie traurig. »Aber es hat nicht geklappt. Nun ist er mit einer anderen zusammen.«

»Sind Sie sicher?«

»Ja.«

»Vielleicht liebt er diese andere ja nicht?«

»Hans, ich will nicht mehr über dieses Thema sprechen. Es

ist mir peinlich, dass mein Liebesleben all diese Verwicklungen verursacht hat.«

»Aurora wollte Ihnen nur ein wenig von der Liebe und Fürsorge zurückgeben, die Sie ihr geschenkt haben. Bitte machen Sie ihr keine Vorwürfe.«

»Nein. Ich möchte diese Episode so schnell wie möglich vergessen.«

43

Als Grania am folgenden Tag nach Dunworley zurückkam, ging sie gleich zum Atelier, setzte sich an den Arbeitstisch und begann eine neue Skulptur. Nachmittags fuhr sie hinunter zum Farmhaus.

»Mummy!« Aurora stürzte ihr entgegen. »Du hast mir gefehlt!«

»Du mir auch.« Grania schloss sie in die Arme.

»New York war toll! Ich hab dir jede Menge Mitbringsel gekauft. Du errätst nicht, wer auch da ist.«

»Hallo, Grania.«

»Was machst du denn hier?«

»Ich wollte dich sehen, Schatz.«

Grania schaute ihre Mutter an, die gerade dabei war, Matt eine Tasse Tee einzuschenken.

»Er wollte dich sehen«, wiederholte Aurora mit einem Achselzucken. »Du hast doch nichts dagegen, Mummy?«

Grania war zu verblüfft, um etwas zu antworten.

»Keine Sorge, Matt, ich hab dir ja gesagt, dass sie erstaunt sein würde. Aber sie freut sich. Oder, Mummy?«

Aurora, Kathleen und Matt blickten Grania, die am liebsten auf dem Absatz kehrtgemacht hätte, erwartungsvoll an.

»Bestimmt ist es ein Schock für Grania, Matt hier am Küchentisch sitzen zu sehen«, erklärte Kathleen Aurora.

»Mummy, bitte sei nicht böse«, flehte Aurora. »Ich musste einfach zu Matt nach New York. Als du mit Daddy in den

Flitterwochen warst, hat er hier angerufen, und ich hab ihm erzählt, du hättest geheiratet. Jetzt bist du wieder allein. Das wollte ich Matt erklären. Ich habe ihm gesagt, dass du ihn eigentlich schon sehen möchtest und...«

»Aurora, bitte!«

»Grania ist genauso müde wie wir«, bemerkte Matt. »Wir haben eine Menge Gesprächsstoff, nicht wahr, Grania?«

»Rauf mit dir und in die Badewanne, Fräulein. Und anschließend geht's ins Bett.« Kathleen nahm Aurora an der Hand und zog sie aus der Küche.

»Was machst du hier?«, fragte Grania Matt noch einmal.

»Es war Auroras Idee, und sie hatte recht. Ich musste herkommen, damit wir miteinander reden können und ich endlich begreife, warum du mich verlassen hast.«

Grania holte eine große Tasse aus dem Schrank und schenkte sich Tee ein.

»Und?«

»Und was?«, fragte sie.

»Können wir reden?«

»Matt, ich habe dir nichts zu sagen.«

»Na schön. Aber da ich gerade um die halbe Welt zu dir geflogen bin, könntest du dir wenigstens anhören, was *ich* zu sagen habe.«

»Schieß los.« Grania stellte die Tasse ab und verschränkte die Arme vor der Brust. »Ich bin ganz Ohr.«

»Wie wär's, wenn wir einen Spaziergang machen? Vermutlich sind alle im Haus ganz Ohr.«

Grania nickte und verließ die Küche. Matt folgte ihr.

»Erwarte dir keine großen Enthüllungen«, begann er. »Ich weiß nach wie vor nicht, warum du so sauer warst, dass du mich verlassen hast. Und ich werde es auch nur erfahren, wenn du es mir erklärst.«

Keine Reaktion.

»Okay, dann schildere ich dir eben, wie sich die Situation aus meiner Sicht darstellt. Ist dir das recht?«

Schweigen.

»Es war ein ziemlicher Schock für mich, als du verschwunden bist. Ich dachte, es liegt an der Fehlgeburt und den Hormonen. Als ich dich dann angerufen habe und du mir gegenüber so abweisend warst, ahnte ich, dass es etwas mit mir zu tun haben muss. Obwohl ich dich wieder und wieder gefragt habe, wolltest du es mir nicht verraten. Irgendwann wusste ich überhaupt nicht mehr, was ich denken sollte. Wochen vergingen ohne Nachricht von dir, in denen mir klar geworden ist, wie sehr ich dich liebe. Mein Leben ist ein einziges Chaos, seit du weg bist.«

»Meins auch«, gab Grania widerwillig zu.

»Als Aurora mir den Vorschlag gemacht hat mitzukommen, dachte ich mir, wenn der Berg nicht zum Propheten kommt, muss der Prophet eben zum Berg.«

Grania setzte sich wie immer auf den grasbewachsenen Felsen auf den Klippen, stützte die Ellbogen auf die Knie und blickte aufs Meer hinaus.

»Schatz, bitte.« Matt ging neben ihr in die Hocke. »Bitte erklär es mir.«

»Du behauptest immer noch, nicht zu wissen, was los ist?«

»Ja.«

»Na schön.« Grania holte tief Luft. »Warum hast du nie erwähnt, dass du vor mir mit Charley zusammen warst? Wie lange ging das noch, als wir ein Paar waren? Und was ist jetzt Sache?«

Matt sah sie erstaunt an. »Das ist es also? Dass ich mit Charley zusammen war, als wir uns kennengelernt haben, und ich es dir nicht gesagt habe?«

»Spiel das nicht herunter, Matt. Ich hasse Lügen.«

»Ich habe nicht gelogen. Ich habe nur …« Matt zuckte mit den Achseln.

»… vergessen, es zu erwähnen«, führte Grania den Satz für ihn zu Ende.

»Ich habe es nicht für wichtig gehalten. Es war keine Liebe, nur eine flüchtige Beziehung, die …«

»Die achtzehn Monate gedauert hat, soweit ich von deinen Eltern weiß.«

»Von meinen Eltern?«

»Als sie mich nach der Fehlgeburt im Krankenhaus besucht haben, war ich im Bad. Von dort aus habe ich gehört, wie deine Mutter sagte, es sei traurig, dass ich das Kind verloren hätte, und dein Vater meinte, wie viel leichter es für dich gewesen wäre, wenn du dich nicht von Charley getrennt hättest. Vermutlich sind sie der Meinung, dass meine irischen Sumpfgene nicht zu einem Traumprinzen wie dir passen …«

»Du hast mich verlassen, weil mein Vater das gesagt hat?« Matt setzte sich auf den Boden und stützte den Kopf in die Hände. »Mal ganz abgesehen davon, dass das Gespräch nicht für deine Ohren bestimmt war: Du kennst doch Dad. Der ist ungefähr so warmherzig und einfühlsam wie ein Kühlschrank.«

»Ich weiß. Wahrscheinlich hätte ich nicht so heftig reagiert, wenn ich geahnt hätte, dass du mal mit Charley zusammen warst. Egal. Jetzt kannst du dich ja wieder deiner blaublütigen Prinzessin widmen.«

»Grania! Ich schwöre dir, dass mir nichts an Charley liegt.«

»Warum ist sie dann ans Telefon gegangen, als ich dich ein paar Wochen nach unserer Trennung angerufen habe?«

»Oje … Das ist eine lange Geschichte.« Er schwieg eine Weile. »Jedenfalls spielt Charley keine Rolle mehr in meinem Leben.«

»Du gibst also zu, dass in letzter Zeit was gelaufen ist mit euch?«

»Grania...« Matt schüttelte den Kopf. »Die Nachricht von deiner Heirat hat mich ziemlich aus der Bahn geworfen. Ich erzähle dir gern die ganze absurde Geschichte.«

»Ich bezweifle, dass irgendetwas absurder sein kann als mein Leben im letzten Jahr.«

Matt sah sie an. »Und Auroras Vater? Habt ihr...?«

»Matt, es hat sich viel ereignet seit meiner Abreise aus New York.«

»Wenn du mir und meiner Liebe zu dir vertraut hättest, wäre vermutlich alles gar nicht geschehen.«

»Es ist nun mal passiert, Matt. Zugegeben, meine Reaktion auf die Äußerung deines Vaters war irrational. Der Verlust des Babys hat meine Unsicherheit verstärkt, und ich habe keine andere Lösung gesehen, als zu gehen. Hans meint, mein Stolz bringt mich dazu, dumme Dinge zu tun. Wahrscheinlich hat er recht.«

»Ich weiß ja nicht, wer dieser Hans ist, aber ich würde ihn gern kennenlernen«, bemerkte Matt trocken.

»Einige Wochen nachdem ich aus New York geflohen war, hatte ich mich ein wenig beruhigt und wollte dich zu Hause erreichen. Charley ist rangegangen, und ich habe aufgelegt. Meine schlimmsten Befürchtungen hatten sich bestätigt.«

»Das kann ich nachvollziehen.« Matt streckte die Hand nach ihr aus. »Ich habe dir auch eine ganze Menge zu erzählen, aber allmählich friert mir hier draußen der Hintern ab. Ist irgendwo in der Gegend ein Pub, wo wir was essen und uns weiter unterhalten können?«

Grania fuhr mit Matt zu einem Fischlokal im nahe gelegenen Ring. Sie fühlte sich in seiner Gegenwart unsicher. Er war ihr vertraut und zugleich fremd.

»Wer erzählt seine Geschichte zuerst?«, fragte Matt.

»Da ich schon mal begonnen habe, kann ich auch weitermachen«, antwortete Grania. »Ich möchte, dass wir beide ehrlich sind. Wir haben nichts zu verlieren.«

»Gut. Vieles wird dir nicht gefallen.«

»Ist bei mir genauso. Aurora hat dir erzählt, wie wir uns begegnet sind. Und nun willst du mehr über meine Beziehung zu Alexander erfahren?«

»Ja.«

Während er Grania lauschte, fiel ihm auf, dass sie reifer und weicher wirkte.

»Tja, das wär's dann wohl.« Grania zuckte mit den Achseln.

»Wow, was für eine Story. Danke, dass du so offen warst. Aber eins noch: Ist die körperliche Beziehung mit ihm wirklich nicht weiter gegangen?«

»Wir haben uns geküsst, mehr nicht. Er war sehr krank.« Grania wurde rot. »Leider. Ich fand ihn sehr attraktiv.«

»Hm … Du heißt jetzt Grania Devonshire, bist Witwe und hast eine neunjährige Tochter. Und bist obendrein reich. Ganz schön viel Neues für ein paar Monate!« Er verzog das Gesicht.

»Ich schwöre dir, dass es stimmt. Aurora und meine Eltern können es bezeugen. Ich glaube, wir brauchen noch was zu trinken. Und dann würde ich gern hören, was du mir über Charley zu sagen hast.«

Matt ging zum Tresen, um Getränke zu holen.

»Ich probier mal das örtliche Bier«, sagte er, als er zurückkam, und nahm einen Schluck Murphy's. »Es wird nicht angenehm werden, aber hör dir's trotzdem an …«

Matt ersparte sich und Grania nichts. Während er sprach, versuchte er ihre Gefühle und Gedanken zu ergründen, doch ihre Miene blieb undurchdringlich.

»Tja, das wär's«, schloss Matt erleichtert. »Tut mir leid, ich hatte dir ja gesagt, dass es nicht schön wird.«

»Stimmt. Und wo ist Charley jetzt?«

»Meine Mutter sagt, sie wohnt in unserem Haus in Greenwich. Mein alter Freund Al, der sie immer schon angehimmelt hat, ist praktisch bei ihr eingezogen. Das Baby kommt in ein paar Wochen zur Welt. Im Country Club kann ich mich nicht mehr blicken lassen, aber egal.«

»Was ist mit deinen Eltern? Das muss doch hart für sie sein.«

Matt lächelte matt. »Anscheinend hat das, was mit mir passiert ist, bei meiner Mutter etwas ausgelöst. Von nächster Woche an habe ich eine neue Mitbewohnerin.«

»Wie bitte?« Grania runzelte die Stirn.

»Mom ist seit Jahren mit Dad unglücklich. Ihm gefällt es gar nicht, dass das mit Charley nichts geworden ist. Er meint, ich sollte ›der Form halber‹ bei ihr bleiben. Das hat für meine Mutter das Fass zum Überlaufen gebracht. Sie verlässt ihn.« Matt schüttelte den Kopf. »Tja, wie das Schicksal so spielt. Sie sagt, sie hat genug und will ihr Leben genießen, solange es noch geht. Auch wenn du einen anderen Eindruck von ihr hattest: Sie findet dich toll.«

»Tatsächlich?« Grania war aufrichtig überrascht. »Du bist bestimmt traurig, Matt. Sie sind so lange verheiratet.«

»Irgendwann wird sie bestimmt zu ihm zurückkehren, aber es schadet gar nicht, wenn Dad mal eine Weile ohne sie auskommen muss. Vielleicht lernt er dann, sie zu schätzen, und bemüht sich um eine echte Beziehung zu ihr. Und seinem Sohn.« Matt hob eine Augenbraue. »Genug von den beiden. Wir müssen über uns sprechen. Wie geht's dir?«

»Offen gestanden, weiß ich es nicht.«

»Findest du es nicht gut, dass wir endlich miteinander

geredet haben? Das hätten wir schon vor Monaten machen sollen«, sagte Matt.

»Ja.«

»Die Kleine hat sich ganz schön für uns ins Zeug gelegt.«

»Stimmt«, pflichtete Grania ihm bei. »Aber...«

»Aber was?«

»Fehler der Vergangenheit lassen sich nicht ungeschehen machen.«

»Was genau sind denn die Fehler? Anders als du habe ich immer nur das Richtige in unserer Beziehung gesehen.«

»Ich bin müde, Matt. Könnten wir gehen?«

»Klar.«

Sie fuhren schweigend zum Farmhaus zurück.

»Wo soll ich schlafen?«, erkundigte sich Matt.

»Ich fürchte, auf dem Sofa. Ich hole dir Kissen und Decken.«

»Grania, bitte nimm mich wenigstens kurz in den Arm. Ich liebe dich... Ich...« Er griff nach ihrer Hand, als sie an ihm vorbeiging, doch sie ignorierte sie.

»Hier«, sagte sie, als sie zurück war, und legte das Bettzeug auf den Küchentisch. »Tut mir leid, dass der Standard nicht besonders hoch ist.«

»Schon okay. Keine Angst – morgen bist du mich wieder los. Am Mittwoch beginnt meine nächste Vortragsreise.«

»In Ordnung. Gute Nacht, Matt.«

Grania konnte nicht schlafen, weil sie immerzu daran denken musste, dass Charley – Matts alkoholisierter Zustand hin oder her – in seinem Bett gelandet und fünf Monate dort geblieben war. Sie hatte ihre Sachen in dem Schrank aufgehängt, in dem früher Granias Kleider gewesen waren, ihr gehörte mit Matt ein Haus, sie waren verlobt. Recht viel schlimmer hätte es nicht kommen können. Dazu noch die Befriedigung von

Matts Vater über die Verbindung seines Sohnes mit der perfekten Charley.

Doch Matt konnte nichts dafür, dass sein Vater arrogant und engstirnig war und Grania – offenbar auch seiner Frau – ein Gefühl der Unzulänglichkeit gab. Dass Elaine ihren Mann verlassen wollte, ließ Grania schmunzeln.

Und dass Matt um die halbe Welt gereist war, um sie zu sehen, bedeutete, dass er sie nach wie vor liebte.

Als sie sich Stunde um Stunde im Bett herumwälzte, begann ihr die Wahrheit zu dämmern. Ihr wurde klar, dass Matt sich bewusst für sie entschieden hatte, weil er diese Beziehung wollte, von Anfang an. Er hatte es hingenommen, dass sie keine finanzielle Hilfe akzeptierte, sich von seinen Freunden distanziert, weil sie nichts mit ihnen anfangen konnte, und sich damit zufriedengegeben, mit ihr zusammenzuleben, statt sie zu heiraten.

Nicht Matt war das Problem, sondern sie selbst.

Ihr dummer, lächerlicher, zerstörerischer Stolz. Und ihre Unsicherheit, die sie blind gemacht hatte für seine Liebe. Dazu noch das im Krankenhaus belauschte Gespräch, das ihr das Gefühl vermittelt hatte, als Frau, Partnerin und Mensch versagt zu haben.

Grania musste an die Worte von Hans denken. In den vergangenen Monaten hatte sie viel über sich selbst gelernt: Was sie bisher als ihre Stärken erachtet hatte, waren auch ihre Schwächen. Was machte es schon, dass Matt vor ihr mit Charley zusammen gewesen war? Er hatte es nicht erwähnt, weil er es nicht für wichtig hielt. Es hatte nichts damit zu tun, dass er ihr insgeheim nachtrauerte.

Letztlich, das wurde Grania jetzt klar, hatte Matt nichts falsch gemacht.

Sie döste erst in der Morgendämmerung ein. Wenige Stunden später wurde sie durch leises Klopfen an der Tür geweckt.

»Herein.«

Aurora streckte, bekleidet mit ihrer Schuluniform, den Kopf herein. »Ich bin's.«

Grania richtete sich lächelnd auf.

Aurora trat ein und setzte sich zu Grania aufs Bett. »Ich wollte mich entschuldigen.«

»Wofür?«

»Oma hat gestern Abend gesagt, es ist keine gute Idee, sich in das Leben anderer Menschen einzumischen. Ich dachte, ich tue dir etwas Gutes, Grania, aber anscheinend habe ich mich getäuscht.«

»Liebes, komm her und lass dich drücken.«

»Du hast einsam und traurig ausgesehen. Ich wollte nur, dass du so glücklich bist wie ich, und auch mal was für dich tun.«

»Was du getan hast, war wunderbar. Und mutig und auch ein bisschen gefährlich«, fügte Grania hinzu.

»Jetzt bist du mir böse, stimmt's?«

»Nein, überhaupt nicht.« Grania seufzte. »Manche Dinge lassen sich nur nicht so einfach wieder einrenken.«

»Ich dachte, ihr liebt euch.«

»Ich weiß.«

»Matt ist nett und sieht gut aus, wenn auch nicht so gut wie Daddy. Ihr habt euch gestern Abend lange unterhalten?«

»Ja.«

Aurora löste sich aus Granias Umarmung und stand auf. »Ich muss jetzt in die Schule. Oma hat recht: Es ist eure Entscheidung.«

»Ja, aber danke für deine Unterstützung.«

Aurora blieb an der Tür stehen. »Ich finde, ihr passt wirklich gut zueinander. Bis später.«

Grania lehnte sich müde in die Kissen zurück, um ihre Gedanken zu sammeln.

Selbst wenn es Matt und ihr gelang, ihre Differenzen beizulegen – wie sollten sie ihre Leben zur Deckung bringen? Das von Matt spielte sich auf der anderen Seite des Atlantiks ab, während sie hier bei Aurora bleiben musste.

Grania duschte, zog sich an und ging nach unten. Aurora war bereits mit Kathleen zur Schule unterwegs. Matt saß am Küchentisch und arbeitete sich durch das warme Frühstück, das Kathleen für ihn zubereitet hatte.

»Deine Mutter weiß, wie man einen Mann verwöhnt«, sagte er. »Deine Kochkünste fehlen mir auch.«

»Charley hat dich sicher gut mit Leckereien von Dean and Deluca versorgt«, rutschte es Grania heraus.

»Grania, bitte nicht.«

Angespanntes Schweigen.

Grania machte sich eine Tasse Tee, während Matt seinen Kaffee leerte und zur Tür ging.

Die Hand auf der Klinke, sagte er: »Ich hab's wirklich versucht, aber du scheinst die Vergangenheit nicht ad acta legen zu können. Vielleicht willst du ja gar keinen Neuanfang.« Matt zuckte mit den Achseln. »Ich hab's satt, an einsamer Front zu kämpfen.«

»Matt...«

»Schon okay, du musst mir nichts erklären. Vielleicht war das mit unserer unterschiedlichen Herkunft, mit Charley und deiner Weigerung, mich zu heiraten, alles nur ein Vorwand, und du liebst mich einfach nicht genug, um es ernsthaft mit mir zu versuchen. Du bist nie zu Kompromissen bereit gewesen; es ist immer nur nach deinem Kopf gegangen. Ich strecke die Waffen.« Er warf einen Blick auf seine Uhr. »Ich muss los. Man sieht sich.«

Matt verließ die Küche türenschlagend. Kurz darauf hörte Grania, wie der Mietwagen sich entfernte.

Grania fuhr mit einem flauen Gefühl im Magen hinauf zum Atelier, wo sie sich mit Tränen in den Augen an den Arbeitstisch setzte. Sie war es nicht gewohnt, dass Matt, der sanfte, vernünftige Matt, Kontra gab. Nach all ihren guten Gedanken und Vorsätzen der Nacht war ihr dieser eine dumme Satz entschlüpft und hatte alles verdorben.

»Du Idiot! Du liebst ihn doch!«, schalt sie sich selbst. »Matt hat sich so große Mühe gegeben, und jetzt ist er weg! Du hast ihn vertrieben!« Sie begann, im Atelier auf und ab zu gehen.

Was sollte sie tun?

Ein Teil von ihr, die alte, stolze Grania, sagte, sie solle ihn ziehen lassen.

Doch der neue Teil, den Hans und die Ereignisse der vergangenen Monate ihr eröffnet hatten, ermahnte sie, ihren Stolz zu vergessen und ihm nachzufahren.

Grania packte den Autoschlüssel und machte sich auf den Weg zum Flughafen.

Unterwegs wählte sie mehrmals die Nummer von Matts Handy, aber es war ausgeschaltet. Als sie das Abfluggebäude erreichte, musste sie feststellen, dass das Boarding für den Flug nach Dublin bereits begonnen hatte. Sie hastete zum Informationsschalter von Aer Lingus.

»Mein Freund geht gerade an Bord der Maschine nach Dublin. Ich muss ihm etwas sagen. Gibt es eine Möglichkeit, ihn zu erreichen?«, fragte sie die junge Frau am Schalter.

»Haben Sie es schon über Handy probiert?«

»Natürlich! Es ist ausgeschaltet. Könnten Sie ihn nicht ausrufen lassen?«

»Kommt drauf an. Ist es denn dringend?«

»Sogar sehr dringend. Würden Sie bitte durchgeben, dass Grania Ryan am Informationsschalter auf Matt Connelly wartet? Und dass er sie anrufen soll, bevor er das Flugzeug besteigt.«

Die junge Frau ließ sich sehr viel Zeit, ihren Vorgesetzten um Erlaubnis zu fragen.

Dann endlich ging der Aufruf hinaus, der in dem kleinen Gebäude klar und deutlich zu vernehmen war. Grania starrte das Handy in ihrer Hand an, das leider keinen Ton von sich gab.

»Miss, das Flugzeug ist soeben gestartet«, verkündete die junge Frau am Schalter. »Ich glaube nicht, dass er sich noch meldet.«

Grania schaute zum Fenster hinaus, presste ein »Danke schön« hervor und stolperte in Richtung Wagen.

Als sie das Farmhaus erreichte, stellte sie das Auto ab und trottete niedergeschlagen zur Küchentür.

»Wo, zum Teufel, hast du gesteckt, Grania Ryan? Wir haben uns schreckliche Sorgen gemacht!« Kathleen erhob sich vom Tisch, an dem der Rest der Familie beim Tee saß.

»Stimmt«, pflichtete Aurora ihr bei. »Jetzt weiß ich, wie du dich gefühlt hast, als ich verschwunden war, Mummy.«

»Setz dich und trink eine Tasse Tee«, sagte John.

Grania nahm Platz.

»Danke, Dad«, murmelte sie, als John ihr eine Tasse Tee einschenkte. Sie nippte daran, genauestens von ihrer Familie beobachtet.

»Der Preis für Kälber ist um zehn Prozent gestiegen«, verkündete John unvermittelt. »Hab ich heut auf dem Markt gehört.«

Da öffnete sich die Tür hinter Grania.

»Na, frisch gemacht?« John hob den Blick. »Der Geruch vom Viehmarkt hängt manchmal noch Tage in den Kleidern.«

»Ja, danke«, sagte eine Stimme hinter Grania. »Schön, dass ich mitdurfte, John. Die Auktion war sehr interessant.«

Grania spürte eine Hand auf ihrer Schulter. »Hallo, Schatz.

Du bist wieder da. Deine Familie und ich, wir haben uns Sorgen gemacht.«

Sie drehte sich um und sah in Matts Augen. »Ich dachte, du bist weg.«

»Dein Vater hat mir angeboten, mich zur Viehauktion in Cork mitzunehmen«, antwortete er, zog den Stuhl neben Grania unter dem Tisch hervor und setzte sich. »Ich wollte noch ein bisschen irisches Lokalkolorit mitkriegen, bevor ich abreise.«

»Aber … dein Flug. Der sollte doch heute gehen.«

»Nach dem Vorschlag deines Vaters beim Frühstück hab ich die Heimreise verschoben.« Matt legte unter dem Tisch seine Hand auf die ihre und drückte sie. »Außerdem waren deine Familie und ich der Ansicht, dass es unter den gegebenen Umständen gar nicht so schlecht ist, wenn ich noch ein bisschen bleibe. Stört's dich, dass ich da bin, Grania?«

Die Blicke aller richteten sich auf sie. Sie schluckte. Matt gab ihr mit Unterstützung ihrer Familie eine letzte Chance.

»Sag, dass es dich nicht stört, Mummy!«, rief Aurora aus. »Wir wissen alle, dass du Matt liebst, und wir müssen noch die Kühe in den Stall bringen.«

Grania wandte sich Matt lächelnd zu.

»Nein, Matt. Es stört mich nicht im Geringsten.«

Aurora

Ich weiß, dass mein Verschwinden Ärger und Kummer verursacht hat, besonders für Grania, aber ich wollte nur wie die gute Fee im Märchen alles einrenken.

Das hat mich bis nach Amerika geführt.

Ich bin oft gefragt worden, warum ich keine Angst habe. Jemand, der sich nicht vor Geistern und dem Tod – dem Schlimmsten, was einem Menschen widerfahren kann – fürchtet, braucht keine Angst vor irgendetwas zu haben.

Außer vielleicht vor dem Schmerz ...

Ich habe einen großen Teil meiner Kindheit in Gesellschaft Erwachsener verbracht und wundere mich immer noch darüber, dass sie so oft nicht sagen, was sie meinen. Dass keine Kommunikation stattfindet, selbst wenn es um Liebe geht. Dass Stolz, Wut und Unsicherheit das Glück unmöglich machen.

Ja, es hätte schiefgehen können, doch manchmal muss man einfach etwas riskieren. Ich kann immerhin von mir behaupten, es versucht zu haben. Für jemanden wie mich, dem nur noch wenig Zeit bleibt, ist es schön, nichts bedauern zu müssen.

Natürlich war Grania mir eine große Hilfe. An anderer Stelle habe ich geschrieben, man müsse dazulernen, und Grania hat ihre Schwächen und Fehler gerade noch rechtzeitig erkannt und akzeptiert. Das gibt ihr die Chance, im nächsten Leben auf einer höheren Stufe wiedergeboren zu werden. Ich selbst wäre gern ein Vogel, vielleicht eine Möwe, weil es mich interessieren würde, wie es ist, sich in die Luft zu erheben und über Klippen und Meer zu kreisen.

Matt ist genau der Mann, den ich geheiratet hätte. Ich wusste, dass er ein sehr guter Ersatz für meinen leiblichen Vater sein würde. Heutzutage sagen viele Frauen, sie brauchen nicht unbedingt einen Mann, aber sind wir nicht auf der Welt, um einen Partner zu finden? Jagen wir nicht den größten Teil unseres Lebens der Liebe hinterher?

Ich habe in letzter Zeit ziemlich viele Filme gesehen und gemerkt, dass sie alle von drei großen Themen erzählen: Krieg, Geld und Liebe. Bei den ersten beiden spielt die Liebe meist auch eine Rolle.

Wie bei der Geschichte, deren Ende wir uns nun nähern.

44

London, ein Jahr später

Grania und Aurora betrachteten das elegante weiße Haus.

»Wunderschön«, sagte Aurora und wandte sich Hans zu. »Gehört das wirklich mir?«

»Ja. Du hast es wie Dunworley House von deiner Mutter geerbt. Sollen wir reingehen?«

»Ja, bitte.«

Grania blieb auf der Schwelle stehen und legte Hans die Hand auf den Arm. »Was für eine Adresse ist das hier?«

Hans sah in seine Unterlagen. »Cadogan House, Cadogan Place.«

»Gütiger Himmel! Das Haus, in dem meine Urgroßmutter Mary als Bedienstete gearbeitet hat und in das Auroras Groß-mutter Anna Langdon als Baby von Lawrence Lisle gebracht wurde.«

»Ach. Sie sollten Aurora eines Tages erzählen, was Sie über ihre Herkunft wissen.« Als sie den dunklen Eingangsbereich betraten, rümpfte Hans die Nase. »Feucht«, stellte er fest. »Es steht seit vielen Jahren leer.«

»Ich weiß, dass Lily nach den Unruhen in Irland hier gelebt hat«, erklärte Grania. »Nach Lawrence Lisles Tod hat ihr Vater Sebastian es von seinem Bruder geerbt.«

»Alexander, Lily und Aurora haben ihre Zeit in London nie in Cadogan House verbracht. Alexander hatte selbst ein sehr hübsches Haus in Kensington. Nicht so groß wie dieses«, musste Hans zugeben, »aber sehr einladend.«

»Es ist riesig!«, bemerkte Aurora beeindruckt, als sie den Salon betraten und Hans die Fensterläden öffnete, um Licht hereinzulassen.

»Stimmt«, pflichtete Hans ihr bei. »Aber wie bei Dunworley House wird die Renovierung teuer.«

Bei der Besichtigung der zahlreichen Räume hatte Grania das Gefühl, dass das Gebäude ein Relikt aus einer anderen Epoche war. Aurora betätigte die Klingelzüge für die Bediensteten.

»Damit haben die Lisles meine Urgroßmutter Mary aus der Küche gerufen«, erklärte Grania auf der Treppe.

Im Eingangsbereich bekam Hans vor Kälte eine Gänsehaut. »Aurora, ich finde, du solltest das Haus deines Vaters als Londoner Adresse wählen und das hier verkaufen.«

»Nein, Onkel Hans, mir gefällt es!« Aurora tänzelte in den Salon zurück und deutete in Richtung Schreibtisch. »Was ist das?«

»Ein ziemlich altes Grammofon.« Hans und Grania schmunzelten. »Früher hat man darauf Platten abgespielt.«

Aurora entdeckte die verstaubte Vinylscheibe auf dem Plattenteller. »*Schwanensee*! Schau, Grania! Vielleicht hat meine Großmutter Anna, eine berühmte Ballerina, sie als letzte gehört, Onkel Hans.«

»Möglich. Ich glaube, wir haben alles gesehen, was es hier zu sehen gibt.« Hans machte sich auf den Weg zur Tür. »Ein interessantes Objekt für Makler. Es liegt in einer guten Gegend, und man könnte drei oder vier große Wohnungen daraus machen. Es ließen sich Millionen dafür erzielen.«

»Onkel Hans, würde es viel kosten, es ein bisschen freundlicher zu gestalten, damit wir während meiner Zeit in der Ballettschule alle hier wohnen können?«

»Ja, sogar sehr viel.«

Aurora verschränkte die Arme vor der Brust. »Habe ich genug Geld dafür?«

»Ja, aber ich würde dir nicht raten, es dafür auszugeben. Du hast doch ein sehr gemütliches Haus in Kensington.«

»Nein, ich möchte hier leben.« Auf der Schwelle wandte Aurora sich Grania zu. »Wie siehst du das, Mummy? Schließlich betrifft es dich auch.«

»Es ist ein wunderschönes altes Haus, Aurora, und natürlich würde ich gern mit dir darin leben. Aber wie Onkel Hans ganz richtig sagt, wäre es vermutlich vernünftiger, es zu verkaufen.«

»Nein«, beharrte Aurora. »Ich will es behalten.«

Sie verließen Cadogan House und fuhren mit dem Taxi zurück zum Claridge's. Bei Tee und Gebäck wies Aurora Hans an, alles Nötige für die Renovierung zu veranlassen. »Wir können in Daddys Haus in Kensington wohnen, bis es fertig ist. Oder, Grania?«

»Wenn du dir das wünschst.«

Granias Handy klingelte.

»Entschuldigung.« Grania trat ins Foyer, um ungestört zu sein.

»Hallo, Schatz, wie geht's? Habt ihr euch das Haus angeschaut?«

»Ja. Es ist riesig und muss von Grund auf renoviert werden, aber Aurora hat beschlossen, dass sie dort wohnen möchte.«

»Und das Vortanzen bei der Royal Ballet School gestern?«

»Aurora meint, es wäre gut gelaufen, doch die endgültige Entscheidung fällt erst in etwa einer Woche.«

»Und du?«

»Alles in Ordnung, Matt. Du fehlst mir.«

»Du mir auch. Nur noch ein paar Tage, dann bin ich bei euch.«

»Bist du sicher, dass du das möchtest, Matt?«

»Ja. Ich kann's gar nicht erwarten, von New York wegzukommen und mir ein neues Leben mit euch aufzubauen. Drück Aurora von mir.«

»Gern.«

»Grania?«

»Ja?«

»Du machst nicht noch im letzten Augenblick einen Rückzieher, oder? Ich möchte nicht alles aufgeben und in drei Monaten, wenn mein Visum für Großbritannien ausläuft, feststellen, dass du mich nun doch nicht heiraten willst.«

»Ich überlege es mir nicht anders, Matt«, versprach Grania. »Mir bleibt sowieso nichts anderes übrig, weil sie dich sonst aus dem Land werfen.«

»Genau. Ich liebe dich, Schatz. Bis bald.«

»Ich liebe dich auch, Matt.« Grania verstaute den Apparat in ihrer Handtasche und kehrte zu Hans und Aurora zurück.

Sie waren ein Jahr lang zwischen New York und Irland hin und her gependelt, um ihr neues gemeinsames Leben zu planen. Die Entscheidung war gefallen, als Aurora verkündet hatte, sie wolle sich um einen Platz an der Royal Ballet School bewerben, die sich in Richmond Park, ein wenig außerhalb von London, befand.

Granias Ausstellung drei Monate zuvor war ein so großer Erfolg gewesen, dass sie sich immer öfter in London aufgehalten hatte. Matt hatte eine Stelle als Psychologiedozent am King's College gefunden. In den langen Ferien wollten Matt und Aurora nach Dunworley in das renovierte Haus zurückkehren. Grania konnte dort im Atelier arbeiten und Aurora Zeit bei ihrer irischen Adoptivfamilie und ihren geliebten Tieren verbringen.

Grania wusste, was Matt durch seine Übersiedlung von New

York aufgab, aber er selbst hielt London für den idealen Kompromiss. Dort wären sie beide auf neutralem Gebiet.

»Ich habe Onkel Hans gerade gesagt, dass wir Daddys Haus in Kensington verkaufen könnten, sobald Cadogan House hergerichtet ist. Dann käme das Geld für die Renovierung wieder herein«, erklärte Aurora.

»Ganz der Vater«, bemerkte Hans. »Für ihre zehn Jahre besitzt sie erstaunliches Gespür für Finanzen. Aurora, du bist meine Klientin und somit meine Chefin. Dein Wunsch ist mir Befehl. Als Verwalter deines Treuhandvermögens erscheint er mir sogar vernünftig.«

»Ich werde mir jetzt die Nase pudern, wie Oma immer sagt«, verkündete Aurora.

Als sie in Richtung Toilette hüpfte, fragte Hans Grania: »Wie geht's Matt?«

»Gut, danke. Er ist damit beschäftigt, seine Sachen zu packen.«

»Das wird eine große Veränderung für Sie beide, aber ein Neuanfang kann sehr heilsam sein.«

»Ja. Ich glaube, ich habe Ihnen noch nicht dafür gedankt, dass Sie mir meine Fehler aufgezeigt haben.«

»Es reicht nicht, seine Fehler zu erkennen, man muss sie auch beseitigen wollen. Und genau das haben Sie getan, Grania.«

»Ich bemühe mich, doch meinen verdammten Stolz werde ich wohl nie ganz loskriegen.«

»Sie haben einen Partner, der Sie versteht. Halten Sie Matt fest.«

»Versprochen.«

»Worüber redet ihr zwei?«, fragte Aurora, als sie von der Toilette zurückkam. »Können wir jetzt rauf ins Zimmer? Ich möchte Oma anrufen und ihr von meinem neuen Haus erzählen.«

»Aurora möchte also in Cadogan House wohnen«, sagte Kathleen zu Grania, nachdem Aurora den Hörer an diese weitergereicht hatte.

»Ja.«

»Du weißt, dass deine Urgroßmutter Mary dort ...«

»Ja.«

»Erinnerst du dich noch an den Koffer im Speicher? Meinst du ...?«

»Es gibt nur einen Weg, das rauszufinden. Wenn ich das nächste Mal da bin, sehe ich nach.«

Eine Woche später, Matt befand sich inzwischen in London, fuhr Grania mit Aurora und ihm nach Cadogan House. Aurora führte ihn herum, und nach dem Rundgang kehrte Matt in die Küche zurück zu Grania.

»So ein Haus würde sogar meinen Vater beeindrucken. Und ich werde mietfrei darin wohnen können.« Er schmunzelte.

»Mir gehört das Ding nicht, Matt, sondern Aurora.«

»War ein Scherz.«

Grania sah ihn an. »Wirst du dich hier wohlfühlen?«

»Ich werde mit dir zusammen sein und den Beruf ausüben, den ich liebe. Wieso sollte ich mich nicht wohlfühlen?«

»Gut. Würdest du mich in den Speicher begleiten? Ich habe eine Taschenlampe.«

Während Aurora im Salon der Musik von *Schwanensee* lauschte, stiegen Matt und Grania in den Speicher hinauf.

»Da.« Grania zeigte auf eine viereckige Luke in der Decke. »Das muss die Tür sein.«

Matt folgte ihrem Blick. »Ich bräuchte was zum Draufsteigen, sonst komm ich nicht ran.«

Sie holten einen Holzstuhl aus einem der Zimmer. Matt

stellte sich vorsichtig darauf und rüttelte an dem rostigen Riegel. Er gab nach, und die Luke ging in einer Wolke aus Staub und Spinnweben auf.

»Hier war Jahrzehnte keiner mehr«, stellte Matt fest, als er den Kopf durch die Öffnung streckte. »Reich mir doch bitte mal die Taschenlampe.«

Grania gab sie ihm.

»Ich glaube nicht, dass es dir hier oben gefallen würde. Sag mir, was du suchst, dann sehe ich mich danach um.«

»Nach allem, was ich von Mam weiß, handelt es sich um einen kleinen, sehr alten Koffer.«

Matt hangelte sich hinauf und setzte sich auf die Kante, so dass seine Beine herunterbaumelten. Vom Dachboden war leises Trippeln zu vernehmen.

»Mäuse, vielleicht sogar Ratten.« Matt wurde blass.

»Wir sollten jemand anders bitten, nach dem Koffer zu suchen«, sagte Grania schaudernd.

»Kommt gar nicht infrage. Bleib du hier, während ich mich umschaue.« Er schwang die Beine hinauf und erhob sich vorsichtig. »Ich glaube, einige der Dielen sind morsch. Wow, hier oben wimmelt's von alten Sachen.«

Grania lauschte auf Matts Schritte über ihr.

»Ich hab ein paar Koffer gefunden, aber die sind richtig schwer.«

»Nein«, rief Grania hinauf. »Es ist ein kleiner.«

»Igitt, die Spinnweben könnten aus einem Horrorfilm stammen! Jetzt wird sogar mir gruselig.«

Grania hörte, wie Matt etwas herumschob. Dann endlich …

»Ich glaub, ich hab was gefunden.«

Matt reichte ihr einen kleinen, mit dicker Staubschicht bedeckten Koffer herunter.

»Ich hab genug von hier oben. Ich komm zurück.« Matt

setzte, die Haare grau von Spinnweben, vorsichtig die Füße auf den Stuhl. »Das war ein echter Liebesdienst.«

Grania bedankte sich und wandte ihre Aufmerksamkeit dem Köfferchen zu. Als sie den Staub darauf entfernt hatte, erkannte sie auf dem abgegriffenen Leder verblichene Initialen. Matt kniete neben ihr nieder.

»Ein ›L‹ und ein ›K‹«, sagte sie.

»Wem gehört der Koffer?«

»Wenn es der richtige ist, hat er Auroras Urgroßmutter gehört. Lawrence Lisle ist eines Tages mit einem Baby nach Hause gekommen und hat den Bediensteten gesagt, dass die Mutter das Kind und den Koffer irgendwann abholen würde. Das ist nie geschehen, weswegen Anna nichts über ihre leibliche Mutter erfahren hat.«

»Das rostige Schloss wird sich gar nicht so leicht öffnen lassen«, stellte Matt fest.

Nach einigen erfolglosen Versuchen trugen sie den Koffer in die Küche hinunter. Grania holte ein Messer aus der Schublade, mit dem es Matt schließlich gelang, ihn aufzumachen.

»Willst du reinschauen?«, fragte Matt.

»Ich finde, das sollte Aurora tun. Er gehört ihr.« Grania rief Aurora aus dem Salon.

»Was ist?« Aurora betrachtete den staubigen Koffer mit gerümpfter Nase.

»Wir glauben, dass der deiner Urgroßmutter gehört hat. Er war hundert Jahre lang im Speicher«, erklärte Grania. »Möchtest du reinschauen?«

»Nein, mach du das. Vielleicht sind Spinnen drin.«

Grania runzelte die Stirn.

»Schätze, das ist Männerarbeit.« Matt hob vorsichtig den brüchigen Lederdeckel.

Sie blickten alle drei hinein.

»Igitt, riecht das alt!«, bemerkte Aurora. »Viel ist ja nicht drin.«

»Nein.« Grania war enttäuscht. In dem Koffer lag lediglich ein mit Seidenstoff umwickeltes Bündel.

Matt nahm es heraus und legte es auf den Tisch. »Soll ich's auspacken?«

Grania und Aurora nickten.

Matt tat ihnen den Gefallen.

»Ballettschuhe«, flüsterte Aurora und nahm einen in die Hand, um ihn zu begutachten. Dabei flatterte ein schimmliger Umschlag auf den Boden.

Grania hob ihn auf. »Ein Brief, adressiert an …« Sie versuchte, die verblichene Tinte zu entziffern.

»Könnte ›Anastasia‹ heißen«, sagte Matt.

»Anna … der Name meiner Großmutter war Anna!«, rief Aurora aufgeregt aus.

»Ja, stimmt. Wahrscheinlich hat Lawrence ›Anastasia‹ abgekürzt«, mutmaßte Grania.

»Ein russischer Name, nicht wahr?«, fragte Aurora.

»Ja. Mary, die sich um die kleine Anna gekümmert hat, war immer der Ansicht, dass Lawrence Lisle Anna aus Russland mitgebracht hatte.«

»Soll ich den Brief aufmachen?«, wollte Aurora wissen.

»Ja, aber sei vorsichtig; das Papier sieht brüchig aus«, riet Matt ihr.

Aurora öffnete den Umschlag, warf einen Blick auf den Text und runzelte die Stirn. »Ich verstehe nicht, was das heißen soll.«

»Russisch«, stellte Matt fest. »Das habe ich drei Jahre an der Highschool gelernt. Ist lange her, deswegen kann ich nicht mehr viel. Aber mit einem Wörterbuch wäre ich vermutlich in der Lage, den Brief zu übersetzen.«

»Du scheinst viele verborgene Talente zu besitzen, Schatz.«
Grania küsste Matt auf die Wange. »Gehen wir auf dem Heimweg in einen Buchladen.«

Als sie Alexanders hübsches Stadthaus in Kensington erreichten, lag ein weiterer Brief, adressiert an Aurora, auf dem Fußabstreifer.

»Von der Royal Ballet School!« Aurora hob ihn auf. »Machst du ihn für mich auf, Mummy?« Sie reichte Grania das Schreiben. »Ich bin zu nervös.«

»Natürlich.« Grania riss den Umschlag auf, entfaltete den Brief und las.

»Was steht drin, Mummy?« Aurora ballte in ihrer Aufregung die Hände zu Fäusten.

Grania hob lächelnd den Blick. »Dass du ab September einen Platz in der Schule hast.«

»Mummy!« Aurora warf sich in Granias Arme.

»Gratuliere«, sagte Matt und drückte die beiden.

Sobald sie sich beruhigt hatten, zog Matt sich mit dem soeben erstandenen Wörterbuch nach oben zurück, um den Brief aus dem Koffer zu übersetzen.

Aurora plapperte, die Ballettschuhe in der Hand, am Küchentisch über die Zukunft, während Grania das Essen zubereitete. »Matt braucht so lange ... Ich möchte endlich erfahren, wer meine Urgroßmutter war.«

»Du weißt noch sehr wenig über deine Familiengeschichte, Aurora. Sie ist seit fast hundert Jahren unauflöslich mit der meinen verbunden. Meine Urgroßmutter Mary hat deine Großmutter Anna adoptiert.«

»Tatsächlich?« Aurora machte große Augen. »Was für ein Zufall. Genau wie du mich.«

»Ja.« Grania küsste Aurora zärtlich auf die Stirn.

Zwei Stunden später betrat Matt die Küche, verkündete,

er habe den größten Teil des Briefes entziffert, und reichte Aurora die getippte Übersetzung.

»Danke, Matt. Soll ich's laut vorlesen?«, fragte Aurora.

»Wenn du möchtest«, antwortete Grania.

»Gut, hör zu«, sagte Aurora und räusperte sich.

Paris

17. September 1918

Meine liebe Anastasia,

wenn Du diese Worte liest, lebe ich nicht mehr. Ich habe meinen Freund Lawrence Lisle gebeten, Dir diesen Brief zu geben, wenn ich nicht erscheinen sollte. Ich weiß nicht, was er Dir von Deiner Mutter erzählt hat, aber Du musst erfahren, dass ich Dich über alles liebe. Deswegen sollst Du, solange unsere russische Heimat sich in Aufruhr befindet, in Sicherheit sein. Es wäre leicht für mich gewesen, Lawrence nach England zu begleiten und die Gefahr hinter mir zu lassen wie so viele meiner russischen Landsleute. Doch ich muss von Paris in meine Heimat zurückkehren, weil Dein Vater in großer Gefahr schwebt. Ich weiß nicht einmal, ob er noch lebt. Mir ist klar, dass ich damit die sofortige Festnahme, vielleicht sogar den Tod, riskiere.

Dein Vater stammt aus der bedeutendsten Familie Russlands; wir mussten unsere Liebe verbergen. Ich schäme mich, Dir zu gestehen, dass er verheiratet ist.

Du bist die Frucht unserer Liebe.

Die Schuhe, die ich Dir beilege, gehören mir. Ich bin Kirow-Ballerina und in unserer Heimat berühmt. Dein Vater hat mich in *Schwanensee* tanzen gesehen und sich in mich verliebt.

Ich halte mich in Paris auf, weil ich weiß, dass meine

Verbindung zur Zarenfamilie Dich und mich gefährdet. Deshalb habe ich mit Diaghilews Ballets Russes Kontakt aufgenommen, um Russland verlassen und Dich in Sicherheit bringen zu können.

Mein lieber englischer Freund Lawrence (ich glaube, er ist auch ein bisschen in mich verliebt!) hat mir versprochen, Dich nach London mitzunehmen und sich um Dich zu kümmern.

Liebes Kind, ich hoffe, dass dieser Wahnsinn in Russland bald ein Ende findet, damit ich zu Dir nach London kommen, Dich in unsere Heimat zurückbringen und Dich Deinem Vater vorstellen kann. Doch solange dort alles im Chaos versinkt, muss ich meine eigenen Gefühle hintanstellen.

In einigen Stunden wird Lawrence Dich holen. Es liegt in der Hand Gottes, ob wir uns wiedersehen werden, also verabschiede ich mich hiermit von Dir, Anastasia, und wünsche Dir alles Gute für die Zukunft.

Vergiss nie, dass Du ein Kind der Liebe bist.

Deine Dich liebende Mutter Leonora

Schweigen senkte sich auf die Küche herab.

Matt räusperte sich.

Grania legte die Arme um Aurora.

»Ist das nicht wunderschön?«, fragte Aurora mit leiser Stimme.

»Ja.«

»Leonora ist in Russland gestorben, stimmt's?«

»Wahrscheinlich. Wenn sie tatsächlich berühmt war, können wir herausfinden, was aus ihr geworden ist. Und wer Anastasias Vater war«, fügte Grania hinzu.

»Wenn Anastasias Vater der russischen Zarenfamilie angehörte, wurde er, kurz nachdem Leonora diesen Brief geschrieben hatte, mit seiner Familie erschossen«, erklärte Matt.

»Leonora hätte mit Lawrence und ihrem Baby nach England entkommen können«, sagte Aurora. »Sie hat es nicht getan, aus Liebe zu Anastasias Daddy.« Aurora schüttelte den Kopf. »Wie schrecklich: Sie musste ihr Baby einem Fremden überlassen.«

»Ja«, pflichtete Grania ihr bei. »Aber vermutlich hat Leonora nicht damit gerechnet, dass sie sterben würde. Wir planen immer so, als würden wir ewig leben. Sie hat das Bestmögliche getan und Anastasia in Sicherheit gebracht.«

»Keine Ahnung, ob ich so mutig gewesen wäre«, meinte Aurora.

Matt legte einen Arm um Granias Schulter und küsste Aurora auf die Stirn. »Weil du noch nicht weißt, welche Opfer der Mensch der Liebe wegen bringt. Stimmt's, Grania?«

»Ja«, antwortete Grania lächelnd.

Aurora

Ist das nicht das perfekte Happy End?

Grania und Matt wieder zusammen und den Rest ihres Lebens finanziell abgesichert. Und ich bei ihnen, meinen Traum, eine große Ballerina zu werden, vor Augen.

Was könnte das Glück noch vollkommener machen?

Vielleicht ein Baby für sie, also ein kleiner Bruder oder eine kleine Schwester für mich?

Ein Jahr später kam tatsächlich ein Kind.

Ich spiele mit dem Gedanken, hier aufzuhören, um den Schluss nicht zu verderben.

Aber damit wäre meine *Geschichte nicht zu Ende.*

Vermutlich ist ein falscher Eindruck von mir entstanden. Ich bin nicht alt, obwohl mein Körper sich so anfühlt.

Anders als Prinzessin Aurora im Märchen werde ich nicht nur hundert Jahre lang schlafen, sondern bis in alle Ewigkeit, und kein schöner Prinz wird mich wecken...

Jedenfalls nicht hier auf Erden.

Ich will mich nicht beklagen. Sechzehn Jahre gutes Leben sind besser als gar keines.

Ich werde sterben, ohne die Liebe kennengelernt zu haben.

Immerhin hat meine Krankheit es mir ermöglicht, die Geschichte meiner Familie aufzuzeichnen. Dabei habe ich viel über das Leben gelernt.

Grania und Matt fällt es bedeutend schwerer als mir, das Unvermeidliche zu akzeptieren. Ich bin ruhig, weil ich mich glücklich schätzen kann. Ich weiß, dass ich nicht allein sein werde, wenn ich den dünnen Vorhang zwischen Leben und Tod durchschreite; auf der anderen Seite erwarten mich zwei Menschen mit offenen Armen.

Geister oder Engel, egal, wie man sie nennen will: Sie existieren. Ich habe sie mein ganzes Leben lang gesehen, jedoch gelernt, nicht darüber zu sprechen.

Wie bereits am Anfang erklärt, ist diese Geschichte nicht für die Veröffentlichung bestimmt. Meine Eltern haben mich gefragt, was ich da schreibe; ich habe es ihnen nicht verraten. Die Geschichte gehört bis zum Ende, das nicht mehr lange auf sich warten lässt, mir.

Ich freue mich auf den nächsten Teil meiner Reise. Wer weiß, welchen Zauber ich jenseits des Vorhangs entdecken werde?

Es wird Zeit, mich zu verabschieden.

Epilog

Grania stand auf der Klippe, wo ihr der Wind um die Ohren blies wie an jenem Nachmittag acht Jahre zuvor bei ihrer ersten Begegnung mit Aurora.

Damals hatte sie um ihr Baby getrauert. Jetzt trauerte sie wieder um ein Kind.

»Warum?«, brüllte sie den Wellen entgegen, die sich an den Felsen unter ihr brachen.

Bilder von Aurora tauchten vor ihrem geistigen Auge auf: tanzend, auf den Klippen und am Strand herumspringend … Energie und Lebenshunger hatten Auroras Wesen ausgemacht. In den acht Jahren, in denen Grania die Mutterrolle für sie innegehabt hatte, war Aurora kaum jemals traurig oder negativ gestimmt gewesen. Sogar in den letzten Monaten, in denen sie immer schwächer geworden war, hatte Aurora sie von ihrem Krankenhausbett aus angestrahlt.

Grania erinnerte sich, wie tapfer Aurora genau an dieser Stelle gewesen war, als Grania ihr gesagt hatte, dass ihr Vater gestorben sei. Auch darin hatte Aurora trotz ihres Kummers das Positive gesehen.

Aurora hatte nie »Warum?« gefragt oder sich über die Ungerechtigkeit des Lebens beklagt. Vielleicht deshalb, weil sie fest davon überzeugt war, dass das Ende des Lebens hier auf Erden nicht das endgültige Ende bedeutete.

Grania hielt den ungeöffneten Brief in der Hand, den Aurora ihr hinterlassen hatte.

Sie ging zu dem grasbewachsenen Felsen, von dem aus sie so oft aufs Meer hinausgeblickt hatte. Mit von der Kälte blauen Fingern riss sie den Brief auf.

Mummy,

ich wette, ich weiß, wo Du bist, wenn du diese Zeilen liest: auf Deinem Lieblingsfelsen oben auf den Klippen von Dunworley. Ich werde Dir fehlen, Du wirst Dich fragen, warum ich nicht mehr da bin, und Du wirst traurig sein. Einen geliebten Menschen zu verlieren ist immer schmerzhaft, am schlimmsten jedoch dürfte der Verlust eines Kindes sein, weil das nicht der natürlichen Ordnung der Dinge entspricht. Aber die Vorstellung von der Zeit ist eine menschliche Erfindung. Ich glaube, die Römer haben den ersten Kalender mit Tagen, Monaten und Jahren ersonnen. Mir kommt es vor, als hätte ich ewig gelebt.

Vielleicht habe ich das auch.

Ich hatte nie das Gefühl, ganz von dieser Welt zu sein. Eines Tages enden wir alle dort, wo ich jetzt bin. Unser Körper macht uns füreinander sichtbar; unsere Seele stirbt nicht. Wer weiß schon, ob ich Dir nicht nahe bin und um Dich herumtanze, wenn Du dort oben auf dem Felsen sitzt, auch wenn Du mich nicht sehen kannst?

In Deinem Kummer darfst Du nicht vergessen, Daddy und meinen kleinen Bruder Florian zu lieben. Bitte drück Oma und Opa und Shane ganz fest für mich. Sag ihm, ich passe von hier aus auf, dass er sich gut um Lily kümmert, die allmählich alt wird.

Versuch mir zu glauben, dass nichts, am allerwenigsten die Liebe, jemals endet.

Wahrscheinlich hat Onkel Hans Dir inzwischen gesagt, dass ich Dir Dunworley House und Cadogan House
vermacht habe. Sie sind Teil unserer gemeinsamen Familiengeschichte. Das übrige Geld ... Onkel Hans weiß, was
damit geschehen soll. Ich vertraue darauf, dass er bei der
Einrichtung meiner Stiftung seine übliche Umsicht wal-
ten lässt.

Ich habe ein Geschenk für Dich. Es liegt in der Schublade in Daddys Arbeitszimmer, die immer verschlossen
ist – Du weißt schon, welche ich meine. Ich habe es für
uns und unsere beiden Familien geschrieben, als Beweis
unserer über hundert Jahre währenden Verbindung.

Mummy, es gibt Neuigkeiten! In Deinem Bauch ent-
steht ein kleines Wesen, ein Mädchen.

Mummy, danke für alles.

Bis bald.

Deine Aurora

Als Grania weinend den Blick hob, entdeckte sie eine weiße
Möwe, die sie mit schräg gelegtem Kopf vom Klippenrand aus
beäugte.

»Grania?«

Sie wandte sich um. Ein paar Schritte entfernt von ihr stand
Matt.

»Alles in Ordnung?«, fragte er.

Grania nickte stumm.

»Ich hab mir Sorgen gemacht. Der Wind ist stärker geworden, und ...«

Sie streckte die Arme nach ihrem Mann aus, und er drückte
sie an sich. Dabei fiel sein Blick auf den Brief in ihrer Hand.

»Ist das der Brief, den sie dir hinterlassen hat?«

»Ja.«

»Was steht drin?«

»Ziemlich viel.« Grania schnäuzte sich. »Was für ein ungewöhnliches Mädchen. Wie konnte sie in dem Alter schon so klug und stark sein?«

»Vielleicht war sie, wie deine Mutter behauptet, eine ›alte Seele‹.«

»Oder ein Engel … Sie schreibt, sie hätte in einer Schublade im Arbeitszimmer etwas für mich hinterlegt.«

»Wollen wir es holen? Du hast ganz blaue Hände.«

»Ja.«

Matt legte den Arm um sie.

»Es steht noch etwas anderes in dem Brief.«

»Was denn?«, fragte Matt.

»Dass ich …«

Da riss der Wind Grania den Brief aus den kalten Händen.

»Oje«, rief Matt aus.

Grania sah dem Brief nach, wie er hinaus aufs Meer flatterte und die Möwe ihm hinterherflog.

Plötzlich wurde Grania ruhig. »Jetzt begreife ich.«

»Was, Liebes?«

»Sie wird immer bei mir sein.«

Dank

Diese Seiten zu schreiben bereitet mir besonders großes Vergnügen, weil sie belegen, dass das Buch fertiggestellt ist. Ermöglicht wurde dies durch den unerschütterlichen Beistand und Rat all der Menschen, die im Folgenden aufgeführt sind.

Almuth Andreae, Georg Reuchlein und das fantastische Team von Goldmann sowie die Rechtedamen von Penguin, die dafür gesorgt haben, dass meine Geschichten ein internationales Lesepublikum erreichen.

Jonathan Lloyd, mein fabelhafter Agent und Freund, dessen Geduld (und gewaltiges Spesenkonto) sich endlich ausgezahlt haben. Susan Moss und Jacquelyn Heslop, die Einzigen, die das Manuskript lesen durften, bevor es an den Verlag ging, und deren positiver Zuspruch mir so viel bedeutete. Helene Rampton, Tracy Blackwell, Jennifer Dufton, Rosalind Hudson, Susan Grix, Kathleen Doonan, Sam Gurney, Sophie Hicks und Amy Finnegan ... Mädels, was würde ich nur ohne euch anfangen! Richard Madeley und Judy Finnigan, deren »Richard and Judy Bookclub« mir eine tolle Basis für meine künftigen Bücher verschafft hat.

Meine Familie, die mich und meine verrückten Schreibgewohnheiten ohne (nennenswerte) Klagen ertragen hat. Meine Mutter Janet, die mich stets unterstützt, meine Schwester Georgia und Olivia, deren Fähigkeiten beim Tippen und Redigieren auch durch ein Gläschen »Voddy« nicht beeinträchtigt werden. Und meine wunderbaren Kinder Harry, Isabella, Leonora und

Kit (ein dickes Dankeschön an ihn, dem ich den Anfang einer *seiner* Geschichten für den Einstieg in diese Geschichte stibitzt habe), deren Namen ich dem Alter, nicht der Zuneigung nach auflisle. Ich liebe euch alle. Ihr schenkt mir so viel Liebe, Lachen und Leben. Ich fühle mich geehrt, euch auf die Welt gebracht zu haben.

Und schließlich mein Mann Stephen, der meinem Leben eine Wendung verliehen hat, die ich nicht in Worte fassen kann. Ich kann nur danke sagen. Für alles. Dieses Buch ist für dich.

Bibliografie

Der vorliegende Roman spielt vor einem historischen Hintergrund, den ich mithilfe der im Folgenden genannten Werke recherchiert habe:

Coogan, Tim Pat, *Michael Collins*; Arrow, 1991

Daneman, Meredith, *Margot Fonteyn*; Viking, 2002

De Valois, Ninette, *Invitation to the Ballet*; Bodley Head, 1937

Eldridge, Jim, *The Trenches: A First World War Soldier, 1914–1918, My Story*; Scholastic, 2008

Faulks, Sebastian, *Birdsong*; Vintage, 2007

Figes, Orlando, *Die Tragödie eines Volkes. Die Epoche der russischen Revolution 1891–1924*; Berlin Verlag, 2008

Garafola, Lynn, *Diaghilev's Ballets Russes*; De Capo Press, 1998

Lee, Joseph J., *Ireland 1912–1985: Politics and Society;* Cambridge University Press, 1990

Lifar, Serge, *Serge Diaghilev*; Putnam, 1945

Light, Alison, *Mrs Woolf and the Servants*; Penguin Books 2008

Nicholson, Juliet, *The Great Silence: 1918–1920, Living in the Shadow of the Great War*; John Murray, 2009

Nicholson, Virginia, *Singled Out*; Penguin Books, 2008

Röhrich, Lutz, *Märchen und Wirklichkeit*; Schneider Verlag Hohengehren GmbH, 5. Aufl. 2001

Stevenson, David, *The Outbreak of the First World War: 1914 in Perspective (Studies in European History);* Palgrave Macmillan, 1997

Stevenson, David, *1914–1918, Der Erste Weltkrieg;* Bibliographisches Institut Mannheim, Albatros Verlag, 2010

Eine verbotene Liebe,
bittersüß wie der Duft einer Rose,
die im Verborgenen blüht …

Wenn Ihnen

Das Mädchen auf den Klippen

gefallen hat und Sie Interesse
an dem neuen großen Roman von Lucinda Riley haben,
lesen Sie auf den nächsten Seiten weiter.

Das Buch erscheint im Januar 2014

LUCINDA RILEY

Die Mitternachtsrose

Roman • 576 Seiten

Innerlich aufgelöst kommt die amerikanische Schauspielerin
Rebecca Bradley im englischen Dartmoor an, wo ein altes
Herrenhaus als Kulisse für einen Film dient, der in den 1920er
Jahren spielt. Vor ihrer Abreise hat die Nachricht von Rebeccas
angeblicher Verlobung eine Hetzjagd der Medien auf die junge
Frau ausgelöst, doch in der Abgeschiedenheit von Astbury Hall
kommt Rebecca allmählich zur Ruhe. Als sie jedoch erkennt,
dass sie Lady Violet, der Großmutter des Hausherrn, frappierend
ähnlich sieht, ist ihre Neugier geweckt. Dann taucht Ari Malik
auf: ein junger Inder, den das Vermächtnis seiner Urgroßmutter
Anahita nach Astbury Hall geführt hat. Je mehr Rebecca aber
in die Vergangenheit und in ihre Rolle eintaucht, beginnen
Realität und Fiktion zu verwischen – und schließlich kommt
sie nicht nur Anahitas Geschichte auf die Spur, sondern auch
dem dunklen Geheimnis, das wie ein Fluch über der Dynastie
der Astburys zu liegen scheint ...

Darjeeling, Indien, Februar 2000

Anahita

Heute ist mein einhundertster Geburtstag. Ich habe nicht nur ein ganzes Jahrhundert erlebt, sondern es sogar in ein neues Jahrtausend geschafft.

Als ich beim Aufwachen die Sonne über dem Kanchenjunga aufgehen sehe, bringt mich ein absurder Gedanke zum Schmunzeln: Wenn ich ein Möbelstück wäre, ein eleganter Stuhl zum Beispiel, würde man mich eine Antiquität nennen. Ich würde poliert, restauriert und meiner Schönheit wegen ausgestellt. Mein Körper jedoch hat sich im Verlauf meines Lebens nicht wie schönes Mahagoni glatt geschliffen, sondern ist eher zu einem schlaffen Sack voll Knochen verfallen.

Meine »Schönheit«, falls man sie so bezeichnen kann, verbirgt sich tief in meinem Innern, sie speist sich aus dem Wissen und den Gefühlen, die ich in einem Jahrhundert angesammelt habe.

Auf den Tag genau vor hundert Jahren befragten meine Eltern wie alle Inder bei der Geburt ihrer Kinder einen Astrologen, wie die Zukunft ihrer neugeborenen Tochter aussehen würde. Diese Vorhersagen befinden sich, glaube ich, nach wie vor unter den wenigen Besitztümern meiner Mutter, die ich aufgehoben habe. Darin heißt es, ich würde alt werden, was im Jahr 1900 mit dem Segen der Götter um die fünfzig bedeutet haben dürfte.

Ich höre leises Klopfen an der Tür. Das ist Keva, meine treue Dienerin, mit einem Tablett, auf dem English Breakfast Tea

– LESEPROBE –

und ein Kännchen mit kalter Milch stehen. Ich trinke den Tee immer noch wie die Engländer, obwohl ich die vergangenen achtundsiebzig Jahre in Indien, genauer gesagt in Darjeeling, verbracht habe.

Weil ich an diesem besonderen Morgen gern noch eine Weile meinen Gedanken nachhängen möchte, reagiere ich nicht auf Kevas Klopfen. Bestimmt will sie mit mir den Tagesplan besprechen und mir beim Waschen und Anziehen helfen, bevor meine Familie eintrifft.

Während die Sonne die Wolken von den schneebedeckten Bergen verscheucht, suche ich am blauen Himmel nach der Antwort, um die ich jeden einzelnen Morgen der letzten achtundsiebzig Jahre zu den Göttern gebetet habe.

Heute bitte, denke ich, denn mir ist klar, dass mein Sohn noch irgendwo auf dieser Erde lebt. Wenn nicht, hätte ich das wie bei allen Menschen, die ich je geliebt habe, gewusst.

Mit Tränen in den Augen betrachte ich das einzige Foto, das ich von ihm besitze, von einem zwei Jahre alten lächelnden Engel auf meinem Schoß. Das Bild hat mir meine Freundin Indira mit der Sterbeurkunde gegeben, einige Wochen nachdem ich über den Tod meines Sohnes informiert worden war.

Vor einer Ewigkeit. Inzwischen ist mein Sohn ein alter Mann und wird im Oktober dieses Jahres seinen einundachtzigsten Geburtstag feiern. Selbst *meine* Fantasie reicht nicht aus, ihn mir als solchen vorzustellen.

Ich wende den Blick vom Foto meines Sohnes ab, weil ich heute die Feier genießen möchte, die meine Familie für mich vorbereitet hat. Doch bei solchen Gelegenheiten, wenn ich mein anderes Kind mit ihren Kindern und Kindeskindern sehe, empfinde ich die Abwesenheit ihres Bruders umso schmerzlicher.

Natürlich glauben sie, dass mein Sohn vor achtundsiebzig Jahren gestorben ist.

»Maaji, schau, du hast doch sogar seine Sterbeurkunde! Lass

ihn in Frieden ruhen«, sagt meine Tochter Muna immer seufzend. »Freu dich lieber an der Familie, die du hast.«

Mittlerweile begreife ich Munas durchaus gerechtfertigte Frustration. Sie möchte, dass sie mir genügt, sie ganz allein. Aber ein verlorenes Kind lässt sich im Herzen einer Mutter nun einmal nicht ersetzen.

Heute werde ich meiner Tochter die Freude machen, von meinem Stuhl aus wohlwollend die Dynastie zu betrachten, deren Grundstein ich gelegt habe, ohne sie mit meinen Erzählungen über die Vergangenheit zu langweilen. Wenn sie mit ihren Kindern und deren batteriebetriebenen Spielzeugen in ihren schnellen westlichen Jeeps eintreffen, werde ich ihnen nicht schildern, wie Indira und ich die steilen Hügel rund um Darjeeling auf Pferderücken erklommen, dass Strom und fließendes Wasser seinerzeit Luxus waren oder dass ich jedes zerfledderte Buch las, das mir in die Finger kam. Geschichten von früher gehen jungen Leuten auf die Nerven; sie wollen ausschließlich in der Gegenwart leben, genau wie ich damals.

Ich kann mir vorstellen, dass die meisten in meiner Familie sich nicht gerade darüber freuen, meines einhundertsten Geburtstags wegen aus allen Teilen Indiens herfliegen zu müssen, aber vielleicht tue ich ihnen unrecht. In den vergangenen Jahren habe ich viel darüber nachgedacht, warum die Jungen sich in Gesellschaft der Alten unwohl fühlen; sie könnten so viel von uns lernen. Vermutlich stammt ihr Unbehagen daher, dass unsere schwachen Körper ihnen vor Augen führen, was die Zukunft für sie bereithält. In der Blüte ihres Lebens sehen sie, wie auch sie eines Tages ihre körperliche Kraft und Attraktivität verlieren werden, ohne zu erkennen, was sie dazugewinnen.

Wie sollen sie auch ahnen, dass ihre Seelen wachsen, ihr Ungestüm einmal gezügelt und ihr Egoismus durch die Erfahrungen der Jahre gezähmt werden?

Ich akzeptiere, dass das die Natur des Menschen ist, in ihrer

– LESEPROBE –

ganzen fantastischen Komplexität, und habe aufgehört, sie zu hinterfragen.

Als Keva das zweite Mal an meiner Tür klopft, lasse ich sie herein. Während sie in schnellem Hindi auf mich einredet, trinke ich Tee und gehe im Geiste die Namen meiner vier Enkel und elf Urenkel durch. Im Alter von einhundert Jahren möchte man beweisen, dass der Kopf noch funktioniert.

Die vier Enkel, die meine Tochter mir geschenkt hat, sind inzwischen alle selbst gute, liebevolle Eltern. Sie haben es in der neuen Welt nach der Unabhängigkeit von Großbritannien zu etwas gebracht, und ihre Kinder sind sogar noch erfolgreicher. Mindestens sechs von ihnen haben sich, soweit ich mich erinnere, selbstständig gemacht oder arbeiten in attraktiven Berufen. Eigentlich hätte ich mir gewünscht, dass einer meiner Nachkommen sich für Medizin interessieren und in meine Fußstapfen treten würde, aber man kann nicht alles haben.

Als Keva mich zum Waschen ins Bad bringt, wird mir klar, dass meine Familie mit einer Mischung aus Glück, scharfem Verstand und Kontakten gesegnet ist. Und dass mein geliebtes Indien vermutlich noch ein Jahrhundert brauchen wird, bis bei den zahllosen auf den Straßen Hungernden wenigstens das Minimum der menschlichen Bedürfnisse befriedigt ist. Ich habe immer geholfen, wo ich konnte, weiß jedoch, dass das bei all der Armut und Not lediglich ein Tropfen auf den heißen Stein war.

Während Keva mich in meinen neuen Sari – ein Geburtstagsgeschenk meiner Tochter Muna – kleidet, beschließe ich, heute nicht so trüben Gedanken nachzuhängen. Ich habe mich immer bemüht, anderen beizustehen, das muss genügen.

»Sie sind wunderschön, Madam.«

Ein Blick in den Spiegel sagt mir, dass sie lügt, doch für diese Lüge bin ich ihr dankbar. Meine Hand wandert zu der Perlenkette, die ich seit fast achtzig Jahren trage. In meinem Testament vermache ich sie meiner Tochter Muna.

»Ihre Tochter kommt um elf, und der Rest der Familie wird eine Stunde später hier sein. Wo wollen Sie auf sie warten?«

»Du kannst mich ans Fenster setzen«, antworte ich lächelnd. »Ich möchte meine Berge sehen.«

Sie hilft mir auf und führt mich zum Sessel.

»Kann ich Ihnen etwas bringen, Madam?«

»Nein. Geh in die Küche und vergewissere dich, dass die Köchin alles im Griff hat.«

»Ja, Madam.« Sie stellt meine Glocke vom Nachtkästchen auf das Tischchen neben mir und verlässt das Zimmer.

Ich drehe mein Gesicht ins Licht der Sonne, das durch das Panoramafenster meines Hauses auf dem Hügel hereinströmt, und denke an die Freunde, die bereits von uns gegangen sind und deshalb meiner Feier nicht beiwohnen werden. Indira, meine beste Freundin, ist vor über fünfzehn Jahren gestorben. Damals musste ich, wie nur selten im Leben, hemmungslos weinen. Nicht einmal die Gefühle meiner mir treu ergebenen Tochter lassen sich mit der Liebe und Zuneigung Indiras vergleichen, die trotz ihrer Ichbezogenheit und Flatterhaftigkeit für mich da war, als ich sie am nötigsten brauchte.

Ich blicke zum Sekretär in der Nische hinüber, in dessen verschlossener Schublade sich ein über dreihundert Seiten langer, an meinen geliebten Sohn gerichteter Brief befindet, die Geschichte meines Lebens. Irgendwann fürchtete ich, dass ich die Einzelheiten vergessen könnte, dass sie in meinem Gedächtnis verschwimmen und ausbleichen würden wie ein alter Schwarz-Weiß-Film. Wenn mein Sohn, wovon ich bis zum heutigen Tag fest überzeugt bin, am Leben ist und er jemals zu mir zurückkehren sollte, möchte ich in der Lage sein, ihm die Geschichte seiner Mutter und ihrer unauslöschlichen Liebe zu ihrem verlorenen Kind zu präsentieren. Und die Gründe, warum sie es zurücklassen musste …

Ich begann den Brief in der Mitte meines Lebens, weil ich seinerzeit damit rechnete, bald von dieser Erde genommen zu werden. Nun liegt er seit fast fünfzig Jahren in der Schublade, unberührt und ungelesen, weil ich meinen Sohn nie gefunden habe.

Nicht einmal meine Tochter kennt meine Geschichte vor ihrer Geburt. Manchmal habe ich Gewissensbisse, weil ich sie ihr nicht erzähle. Doch immerhin hat sie meine Liebe gespürt, die ihrem Bruder versagt geblieben ist.

Ich bitte die Götter um Rat. Es wäre schrecklich, wenn der vergilbende Stapel Papier im Schreibtisch bei meinem Tod, der mit Sicherheit nicht mehr allzu lange auf sich warten lässt, in die falschen Hände geriete. Kurz spiele ich mit dem Gedanken, ihn zu verbrennen. Nein. Ich schüttle den Kopf. Solange noch Hoffnung besteht, meinen Sohn aufzuspüren, bringe ich das nicht übers Herz. Ich bin einhundert Jahre alt geworden; vielleicht werde ich auch noch einhundertzehn.

Doch wem soll ich die Geschichte bis dahin anvertrauen …?

Ich gehe im Kopf die Mitglieder meiner Familie Generation für Generation durch und lande schließlich bei einem meiner Urenkel.

Ari Malik, der älteste Sohn meines ältesten Enkels Vivek. Ich schmunzle, als ich eine Gänsehaut bekomme – das Signal der Götter, die so viel mehr wissen als ich. Ari, das einzige Mitglied meiner großen Familie mit blauen Augen, abgesehen von meinem geliebten verlorenen Sohn.

Ich versuche, ihn mir ins Gedächtnis zu rufen; bei elf Urenkeln, tröste ich mich, hätte auch ein Mensch, der nur halb so alt ist wie ich, Mühe, sich zu erinnern. Außerdem leben meine Verwandten über ganz Indien verstreut, und ich sehe sie nur selten.

Vivek, Aris Vater, ist der beruflich erfolgreichste meiner Enkel, wenn auch ein bisschen langweilig. Als Ingenieur verdient er genug, um seiner Frau und seinen drei Kindern ein sehr behagliches Leben bieten zu können. Wenn ich mich recht entsinne, ist Ari, ein ziemlich schlaues Bürschchen, in England zur

Schule gegangen. Was er seit dem Schulabschluss macht, weiß ich nicht. Das werde ich heute herausfinden. Ich werde ihn beobachten und überprüfen, ob ich meinem Instinkt trauen kann.

Beruhigt schließe ich die Augen und gestatte mir ein Nickerchen.

»Wo bleibt er nur?«, flüsterte Samina Malik ihrem Mann zu. »Er hat mir hoch und heilig versprochen, diesmal pünktlich zu sein.« Ihr Blick wanderte über die vollständig versammelten Mitglieder von Anahitas großer Familie, die sich im eleganten Salon um die alte Dame scharten und sie mit Geschenken und Komplimenten überhäuften.

»Keine Panik, Samina«, versuchte Vivek seine Frau zu beschwichtigen, »unser Sohn kommt schon noch.«

»Ari hat gesagt, er trifft sich um zehn Uhr am Bahnhof mit uns, damit wir gemeinsam den Hügel hochfahren können ... Vivek, er hat keinen Respekt vor seiner Familie, ich ...«

»Ruhig, *pyari,* er ist ein vielbeschäftigter junger Mann und ein guter Junge.«

»Meinst du wirklich?«, fragte Samina. »Ich bin mir da nicht so sicher. Jedes Mal, wenn ich bei ihm anrufe, meldet sich eine andere Frauenstimme. Du weißt, wie's in Mumbai zugeht. Nichts als Bollywood-Nutten und Ganoven«, sagte sie mit gedämpfter Stimme, weil sie nicht wollte, dass die anderen sie hörten.

»Unser Sohn ist fünfundzwanzig und leitet sein eigenes Unternehmen. Er weiß, was er tut«, erklärte Vivek.

»Die Bediensteten warten mit dem Champagner zum Anstoßen nur noch auf ihn. Wenn Ari in den nächsten zehn Minuten nicht kommt, sollen sie ohne ihn anfangen.«

»Na, hab ich's nicht gesagt?«, verkündete Vivek mit einem breiten Lächeln, als sein Lieblingssohn Ari den Raum betrat. »Deine Mutter hatte wie immer Panik«, begrüßte er ihn und umarmte ihn.

– LESEPROBE –

»Du hattest versprochen, am Bahnhof zu sein. Wir haben eine ganze Stunde gewartet! Wo warst du?«, fragte Samina, die wusste, dass sie sich wie immer nicht gegen den Charme ihres attraktiven Sohnes wehren konnte.

»Entschuldige, Ma.« Ari schenkte seiner Mutter ein strahlendes Lächeln und nahm ihre Hände in die seinen. »Ich bin aufgehalten worden und habe versucht, dich über Handy zu erreichen, aber das war wie üblich ausgeschaltet.«

Ari und sein Vater schmunzelten. Über Saminas Handyaversion amüsierte sich die ganze Familie.

»Jetzt bin ich ja da.« Ari sah sich um. »Hab ich was verpasst?«

»Nein. Deine Urgroßmutter war so damit beschäftigt, die übrige Familie zu begrüßen, dass sie deine Abwesenheit hoffentlich nicht bemerkt hat«, antwortete Vivek.

Ari schaute zu seiner Urgroßmutter hinüber, deren Blick auf ihn gerichtet war.

»Ari! Endlich!«, rief sie ihm lächelnd zu. »Komm und gib deiner Urgroßmutter einen Kuss.«

»Sie mag hundert sein, aber ihr entgeht nichts«, flüsterte Samina Vivek zu.

Als Anahita ihre dünnen Arme für Ari ausbreitete, machten die anderen Verwandten Platz, und aller Augen richteten sich auf ihn. Ari ging zu ihr und kniete vor ihr nieder, um ihr seine Hochachtung mit einem tiefen *pranaam* zu erweisen und auf ihren Segen zu warten.

»Nani«, begrüßte er sie mit dem Kosenamen, den alle ihre Kinder und Enkel für sie verwendeten, »vergib mir die Verspätung. Es ist eine lange Reise von Mumbai hierher«, erklärte er.

Anahita musterte ihn auf diese für sie so typische Weise, als würde sie geradewegs in seine Seele blicken. »Kein Problem.« Dann berührte sie mit ihren kleinen, fast kindlichen Fingern leicht seine Wange und senkte die Stimme, so dass nur er sie verstehen konnte. »Obwohl ich es immer als hilfreich empfinde, den Wecker zu stellen, wenn ich früh aufstehen muss.« Sie zwinkerte ihm zu und gab ihm ein Zeichen, sich zu erheben. »Du und ich, wir unterhalten uns später. Keva wartet darauf, mit der Feier zu beginnen.«

»Ja, Nani, natürlich«, sagte Ari errötend und stand auf. »Alles Gute zum Geburtstag.«

Als er sich wieder zu seinen Eltern gesellte, fragte er sich, woher seine Urgroßmutter wusste, warum er sich verspätet hatte.

Der Tag verlief wie geplant, und Vivek hielt als ältester von Anahitas Enkeln eine bewegende Rede über ihr bemerkenswertes Leben. Je mehr Champagner floss, desto lockerer wurden alle, und die Anspannung, die bei seltenen Familientreffen immer herrscht, begann sich zu lösen. Das angeborene Konkurrenzdenken von Geschwistern trat in den Hintergrund, während sie ihren Platz innerhalb der Familienhierarchie suchten, und die jüngeren Cousins und Cousinen legten ihre Scheu ab und entdeckten Gemeinsamkeiten.

»Schau dir deinen Sohn an!«, bemerkte Muna, Anahitas Tochter, Vivek gegenüber. »Seine Cousinen himmeln ihn an. Es wird Zeit, dass er ans Heiraten denkt.«

»Das sieht er wahrscheinlich anders«, murmelte Samina. »Heutzutage scheinen junge Männer ihre Freiheit so lange wie möglich genießen zu wollen.«

»Du möchtest also keine Ehe für ihn arrangieren?«, fragte Muna.

»Doch, aber ich kann mir nicht vorstellen, dass er sich darauf einlässt.« Vivek seufzte. »Ari gehört einer neuen Generation an, er ist sein eigener Herr, hat ein Geschäft und reist in der Welt herum. Die Zeiten haben sich geändert, Ma, und Samina und ich müssen unseren Kindern selbst überlassen, wen sie heiraten.«

»Ach.« Muna hob eine Augenbraue. »Das ist eine sehr moderne Einstellung, Vivek. So schlecht klappt das mit dir und Samina doch nicht, oder?«

»Das stimmt, Ma«, pflichtete Vivek ihr bei und nahm lächelnd die Hand seiner Frau. »Du hast eine gute Wahl für mich getroffen,«

»Wir können uns dem Trend der Zeit nicht widersetzen«, erklärte Samina. »Die jungen Leute tun heutzutage, was sie wollen, und treffen ihre eigenen Entscheidungen.« Sie blickte zu Anahita hinüber. »Deine Mutter scheint den Tag zu genießen. Sie ist das reinste Wunder.«

»Ja.« Muna seufzte. »Aber ich mache mir Sorgen um sie, weil sie ganz allein mit Keva in den Hügeln lebt. Im Winter wird es schrecklich kalt, das kann nicht gut sein für ihre alten Knochen. Ich habe sie schon oft gebeten, zu uns nach Guhagar zu kommen, damit wir uns um sie kümmern können, doch natürlich weigert sie sich. Sie behauptet, sich hier oben ihren Geistern und ihrer Vergangenheit näher zu fühlen.«

»Ihrer *geheimnisvollen* Vergangenheit.« Vivek runzelte die Stirn. »Ma, glaubst du, du wirst sie je überreden können, dir zu verraten, wer dein Vater war? Ich weiß, dass er vor deiner Geburt gestorben ist, aber nichts Genaueres.«

»Als Kind habe ich sie mit Fragen darüber gelöchert, weil mir das wichtig war, doch jetzt …« Muna zuckte mit den Achseln. »Soll sie ihre Geheimnisse hüten, wenn sie möchte. Sie hätte mir keine liebevollere Mutter sein können, und ich möchte sie nicht aus der Fassung bringen.« Als sie zu ihrer Mutter hinübersah, winkte diese sie zu sich.

»Ja, Maaji, was ist?«, fragte Muna Anahita.

»Ich bin müde und werde mich zurückziehen«, antwortete Anahita, ein Gähnen unterdrückend. »Und in einer Stunde würde ich gern mit meinem Urenkel Ari sprechen.«

»Gut.« Muna half ihrer Mutter beim Aufstehen und führte sie zwischen den anderen Verwandten hindurch. Keva, wie immer nicht weit von ihrer Herrin entfernt, trat einen Schritt vor. »Meine Mutter möchte sich ausruhen, Keva. Würdest du sie bitte begleiten?«

– LESEPROBE –

»Natürlich, es war ein langer Tag.«

Muna sah ihnen nach, bevor sie sich wieder zu Vivek und seiner Frau gesellte. »Sie will sich ausruhen und hat mich gebeten, Ari in einer Stunde zu ihr zu schicken.«

»Tatsächlich?« Vivek runzelte die Stirn. »Warum wohl?«

»Wer weiß schon, was im Kopf meiner Mutter vorgeht?«, seufzte Muna.

»Dann sag ich ihm das mal lieber. Ich weiß, dass er bald wieder aufbrechen wollte, weil er morgen früh einen geschäftlichen Termin in Mumbai hat.«

»Dieses eine Mal muss ihm seine Familie wichtiger sein«, sagte Samina entschlossen. »Ich gehe zu ihm.«

Als Ari von seiner Mutter erfuhr, dass seine Urgroßmutter in einer Stunde mit ihm sprechen wolle, war er darüber, wie sein Vater vermutet hatte, alles andere als glücklich.

»Ich darf den Flieger nicht verpassen«, erklärte er. »Ma, ich muss mich um mein Geschäft kümmern.«

»Dann soll dein Vater seiner Großmutter beibringen, dass ihr ältester Urenkel an ihrem einhundertsten Geburtstag nicht die Zeit erübrigen kann, mit ihr zu sprechen.«

»Aber Ma …« Als Ari die grimmige Miene seiner Mutter sah, seufzte er. »Okay.« Er nickte. »Ich bleibe. Entschuldige mich bitte. Ich muss versuchen, hier irgendwo Handyempfang zu kriegen und den Termin morgen zu verschieben.«

Samina sah ihrem Sohn nach. Er war immer schon eigensinnig gewesen und als ihr Erstgeborener von ihr verhätschelt worden. Sie hatte Ari von Anfang an als etwas Besonderes empfunden, von dem Moment an, als sie das erste Mal verblüfft in seine blauen Augen blickte. Vivek hatte im Scherz ihre eheliche Treue infrage gestellt, bis sie von Anahita erfuhren, dass Munas toter Vater ebenfalls blaue Augen gehabt hatte.

Aris Haut war heller als die seiner Geschwister, sein ungewöhnliches Aussehen erregte Aufsehen. Aufgrund der Aufmerksamkeit, die er in seinen fünfundzwanzig Lebensjahren geerntet hatte, besaß er ein gewisses Maß an Arroganz, die allerdings durch seine Gutmütigkeit ausgeglichen wurde. Von ihren Kindern war Ari das liebevollste gewesen. Er hatte ihr immer geholfen, wenn es ein Problem gab – bis zu dem Zeitpunkt, als er nach Mumbai gegangen war, um dort sein eigenes Geschäft aufzubauen …

Der Ari von heute wirkte härter und ichbezogener, was Samina nicht gefiel. Als sie sich wieder zu ihrem Mann gesellte, betete sie, dass diese Phase bald vorbei wäre.

»Mein Urenkel kann jetzt hereinkommen«, verkündete Anahita, als Keva sie im Bett aufsetzte und die Kissen aufschüttelte.

»Ja, Madam. Ich hole ihn.«

»Ich möchte nicht gestört werden.«

»Nein, Madam.«

»Hallo, Nani«, begrüßte Ari sie, als er das Zimmer wenig später forschen Schrittes betrat. »Hast du dich ein bisschen erholt?«

»Ja.« Anahita deutete auf einen Stuhl. »Ari, bitte setz dich. Tut mir leid, dass ich deine geschäftlichen Termine morgen durcheinanderbringe.«

Ari spürte, wie er zum zweiten Mal an jenem Tag rot wurde. »Kein Problem.« Wieder fragte er sich, wie sie seine Gedanken lesen konnte.

»Dein Vater sagt, du lebst in Mumbai und bist ein erfolgreicher Geschäftsmann.«

»Na ja, ›erfolgreich‹ ist im Moment ein bisschen übertrieben«, entgegnete Ari. »Aber ich arbeite hart.«

»Wie ich sehe, bist du ehrgeizig. Bestimmt wirst du eines Tages den gewünschten Erfolg haben.«

»Danke, Nani.«

Ein Lächeln huschte über Anahitas Gesicht. »Obwohl es dir möglicherweise nicht die Befriedigung verschaffen wird, die du dir erhoffst. Das Leben bietet mehr als Arbeit und Reichtum. Aber das wirst du selber noch merken. Ari, ich möchte dir etwas geben. Bitte öffne den Sekretär mit diesem Schlüssel und nimm die Papiere heraus, die du darin findest.«

Ari steckte den Schlüssel ins Schloss und holte ein vergilbtes Manuskript aus der Schublade.

»Was ist das?«, fragte er.

»Die Lebensgeschichte deiner Urgroßmutter. Geschrieben für meinen verlorenen Sohn, den ich leider nie gefunden habe.«

Ari bemerkte, dass Anahitas Augen feucht wurden. Vor Jahren hatte sein Vater ihm von diesem Sohn erzählt, der als kleines Kind in England gestorben war, wo seine Urgroßmutter sich während des Ersten Weltkriegs aufgehalten hatte. Wenn Ari sich recht erinnerte, hatte sie ihn vor ihrer Rückkehr nach Indien dort zurücklassen müssen. Offenbar weigerte Anahita sich zu glauben, dass er tot war.

»Ich dachte …«

»Bestimmt hat man dir von seiner Sterbeurkunde erzählt. Und dass ich in meiner Trauer den Tod meines geliebten Sohnes nicht akzeptieren kann.«

Ari rutschte auf seinem Stuhl herum. »Ja, ich kenne die Geschichte«, gab er zu.

»Ich weiß, was meine Familie denkt, und kann mir vorstellen, was du davon hältst. Doch glaube mir: Es gibt mehr Dinge zwischen Himmel und Erde, als ein von Menschen verfasstes Dokument erklären kann. Was Herz und Seele einer Mutter sagen, darf man nicht ignorieren. Und ich versichere dir, dass mein Sohn nicht tot ist.«

»Nani, ich glaube dir.«

Anahita zuckte mit den Achseln. »Mir ist klar, dass du das nicht tust, aber das macht mir nichts aus. Zum Teil ist es meine Schuld, dass meine Familie mir nicht glaubt. Ich habe ihr nie erklärt, was damals passiert ist.«

»Warum nicht?«

»Weil …« Anahita schüttelte, den Blick auf ihre geliebten Berge gerichtet, kaum wahrnehmbar den Kopf. »Es wäre nicht richtig, dir das jetzt darzulegen, denn es steht alles da drin.« Sie deutete auf das Papier in Aris Händen. »Wenn der richtige Moment gekommen ist – und du wirst ihn erkennen –, liest du meine Geschichte vielleicht und entscheidest selbst, ob du Nachforschungen anstellst.«

»Verstehe«, sagte Ari, doch das tat er nicht.

»Ich bitte dich nur, bis zu meinem Tod niemandem in unserer Familie etwas über den Inhalt dieser Aufzeichnungen zu verraten. Ich vertraue dir mein Leben an, Ari. Wie du weißt …«, Anahita schwieg kurz, »… geht meine Zeit auf Erden allmählich zu Ende.«

Ein altes verwunschenes Herrenhaus, eine tragische Liebe und ein lang gehütetes Familiengeheimnis

Spannend und bewegend: Das Geheimnis von Wharton Park verbindet zwei bittersüße Liebesgeschichten aus Vergangenheit und Gegenwart ...

LUCINDA RILEY

DAS Orchideen HAUS

Roman

GOLDMANN

544 Seiten
ISBN 978-3-442-47554-4

www.goldmann-verlag.de
www.facebook.com/goldmannverlag

(G) **GOLDMANN**
Lesen erleben

„Tragisch, mitreißend und unglaublich emotional."

Freizeit Express

Ein Herrenhaus in der Provence, eine adelige Familie und eine schicksalhafte Liebe in dunklen Zeiten.

528 Seiten
ISBN 978-3-442-47797-5
auch als E-Book und Hörbuch erhältlich

www.goldmann-verlag.de
www.facebook.com/goldmannverlag

GOLDMANN
Lesen erleben